O Teatro e sua Realidade

Coleção Debates
Dirigida por J. Guinsburg

Equipe de realização – Tradução: Fernando Peixoto; Revisão de texto: J. Guinsburg; Revisão de provas: Celso Fróes Brocchetto e Lucilene Coelho Milhomens; Produção: Ricardo W. Neves e Raquel Fernandes Abranches.

**bernard dort**

# O TEATRO
# E SUA REALIDADE

PERSPECTIVA

Título do original francês
*Théâtre Public* e *Théâtre Réel*
— Seleção de textos

Copyright © Editions du Seuil

CIP-BRASIL. CATALOGAÇÃO-NA-FONTE
SINDICATO NACIONAL DOS EDITORES DE LIVROS, RJ

D761t
2.ed.

Dort, Bernard, 1929-1994
  O teatro e sua realidade / Bernard Dort ; [tradução Fernando Peixoto ; revisão de texto J.Guinsburg]. - 2.ed. - São Paulo : Perspectiva, 2010.
    (Debates ; v. 217)

  Tradução de: Théâtre public; e, Théâtre réel: seleção de textos
  Inclui bibliografia
  ISBN 978-85-273-0894-6

  1. Teatro - Século XX - História e crítica. 2. Teatro - França. 3. Teatro (Literatura) - Século XX. I. Título. II. Série.

10-3032.
CDD: 792.09
CDU: 792.03(09)

29.06.10    30.06.10                019878

2ª edição

Direitos reservados em língua portuguesa à
EDITORA PERSPECTIVA S.A.

Av. Brigadeiro Luís Antônio, 3025
01401-000 – São Paulo – SP – Brasil
Telefax: (0--11) 3885-8388
www.editoraperspectiva.com.br

2010

# SUMÁRIO

Bernard Dort e a Realidade do Teatro (por Fernando Peixoto)..........7

1. Uma Propedêutica da Realidade..........15

## I. A CRÍTICA EM QUESTÃO

2. Um Crítico "Novo": Émile Zola..........39
3. As Duas Críticas..........53

## II. A ERA DA ENCENAÇÃO

4. A Encenação, uma Nova Arte?..........61
5. A Ilusão da Vida Cotidiana..........71
6. Condição Sociológica da Encenação Teatral..........83
7. A Grande Aventura do Ator, Segundo Stanislávski...101
8. Um Realismo Aberto..........113

## III. UMA NOVA UTILIZAÇÃO DOS CLÁSSICOS

9. Por que Goldoni, Hoje?..........127
10. O "Desvio" do Teatro: *Lorenzaccio* em Praga..143

11. Brecht Diante de Shakespeare .............. 157

## IV. AS METAMORFOSES DA VANGUARDA

12. Frantz, Nosso Próximo? ................... 183
13. Pirandello e o Teatro Francês .............. 193
14. Ionesco: Da Revolta à Submissão? .......... 221
15. Genet ou o Combate com o Teatro .......... 225
16. Adamov:   I. Entre o Instante e o Tempo ....... 243
             II. Uma Unidade Escandalosa ...... 248
17. Um Teatro de Defasagem: John Arden ........ 255
18. Uma Dramaturgia Bloqueada ............... 261

## V. CERTEZAS E INCERTEZAS BRECHTIANAS

19. Um Realismo Épico ..................... 281
20. A Prática do Berliner Ensemble ............. 299
21. "Distanciamento", Para Quê? ............... 313
22. Elogio do Método Brechtiano .............. 323
23. *A Ópera de Três Vinténs* ou os Poderes do Teatro .. 329
24. Prática Artística e Responsabilidade Política ... 337
25. B.B. Contra Brecht? ..................... 343

## VI. A REALIDADE TEATRAL

26. O Fim de um Sonho ..................... 351
27. A Vocação Política ...................... 365
28. Teatro Político: Uma Reviravolta Copernicana .. 381

Nota Bibliográfica ............................ 407

# BERNARD DORT E A REALIDADE DO TEATRO
1.

Os ensaios reunidos neste volume constituem sobretudo uma vigorosa reflexão crítica sobre questões fundamentais que se vinculam diretamente ao próprio significado da atividade teatral contemporânea. Dort realiza na prática o que ele mesmo propõe como missão para o crítico: a análise semiológica da encenação e a análise sociológica da atividade teatral. Seu pensamento não é apenas lúcido e extremamente coerente com os princípios básicos de uma verificação permanente e científica que, ao se realizar, se interroga a si mesma: é também um pensamento estimulante e polêmico, na defesa de um teatro de reflexões sociais e de um teatro de representações (num de seus primeiros textos já afirma que o que efetivamente deseja não é um teatro que aspira à ação direta nem aquele que é realizado por uma pequena comunidade fechada sobre si mesma; em outro trecho, citando a afirmação de Julien Beck, "o teatro é vida", Dort responde com Brecht: o teatro não é vida, é representação, não se confunde com a vida, possui sua realidade específica e seu objetivo é fazer o espectador, depois, intervir na vida. Brecht está presente em quase todas as páginas (só não é citado em três estudos deste livro, mas mesmo nestes três — os ensaios sobre Goldoni, sobre Ionesco e sobre Ardem — é uma presença oculta mas nítida): Dort retoma muitas de suas formulações centrais, mas não se detém numa aplicação mecânica das mesmas — assume-as criticamente, enriquecendo-as e desenvolvendo-as, sobretudo atualizando-as no confronto aberto com as mais diferentes tendências do teatro contemporâneo. O método crítico brechtiano é utilizado mesmo para a reflexão sobre espetáculos ou dramaturgias que se propõe a ir contra os postulados de Brecht, negando-os ou procurando superá-los: e este método é também dialeticamente aplicado para uma revisão crítica extremamente aguda da obra do próprio Brecht.

2.

Estes ensaios não são textos isolados: formam um todo coerente e posuem uma unidade de pensamento e indagação que se revela e se completa pouco a pouco, sem nunca se fechar em conceitos definitivos. Às vezes um ou outro trecho parece à primeira vista uma repetição: mas na verdade são as mesmas idéias que voltam em outro contexto, para serem re-verificadas ou questionadas diante de outro confronto, ou para reafirmarem uma proposta de crítica. Dort examina algumas das contribuições básicas do teatro deste século, sobretudo a partir do aparecimento, em sua concepção moderna, da encenação, que ele demonstra ser principalmente o resultado de uma necessidade concreta de ordem sociológica. No mesmo instante em que historicamente a encenação se torna uma necessidade, afirma ele, nasce o problema do teatro político também aparece a noção de teatralidade, o sentido do espetáculo, da representação, com sua linguagem específica, sua realidade enquanto mediação entre a obra literária e sua realização cênica, mediação que envolve, entre outros problemas, uma escolha e uma opção. Dort passa em revista o teatro naturalista, a restituição da literalidade ao teatro proposta nas primeiras obras do teatro de absurdo, os caminhos da vanguarda, a presença de Artaud, os ensinamentos de Stanislavski e a *summa* que constitui sua obra teórica, o significado teatral do teatro de representação de imagens radicalizado por Genet e Armand Gatti, a presença de Pirandello no teatro francês, o significado do realismo épico e seu itinerário em direção a um teatro dialético, os ensaios do teatro-documento, a auto-satisfação catártica do teatro de agressão, a retomada da descrição naturalista dentro de uma perspectiva histórica, o sonho ilusório de um teatro ecumênico (que reconciliaria o homem, a arte e a Cidade numa celebração coletiva, mística óu política), o significado da parábola, as pesquisas de um teatro físico e de expressão corporal, as certezas e incertezas de Brecht, o sentido ideológico e histórico da solução de continuidade nítida que se estabeleceu entre a escrita dramática e a escrita cênica (a distinção é de Roger Planchon), e sobretudo a possível eficácia social do teatro em nossos dias (que Manfred Wekwerth define como sendo a contribuição para tornarem eficazes as forças sociais que, por sua própria natureza histórica, estão em condições de produzir a transformação da sociedade), a necessidade de estudar os modelos deixados por Brecht não para uma imitação servil (inclusive o hábito de encená-lo hoje como se suas obras fossem o reflexo de uma ordem estabelecida: a ordem teatral brechtiana) mas para reconquistar seu método e adaptá-lo às necessidades de cada momento e de cada situação sociocultural determinada. Insiste no vigoroso poder do teatro (quando se assume como teatro, única forma de ser realista para descrever ou relatar o real; quando acentua a ilusão para tornar-se um chamado à realidade, falando uma linguagem cênica que se destina ao espectador, a quem cabe compreendê-la, decidir sobre o sentido do que é visto — o espectador que no final do espetáculo encontra é a si mesmo, à sua sociedade, à sua situação política e assim torna-se mais capacitado para, a partir de uma tomada de consciência, agir sobre a realidade, na própria espessura da realidade, transformando-a, constatando a ausência de um grande teatro realista e histórico (onde os conflitos individuais remeteriam diretamente às lutas coletivas da sociedade), em sua ontológica vocação política. Dort estuda dramaturgos e sobretudo encenadores. Analisa obras e propostas, discute as crises e as ilusões.

Para Bernard Dort, hoje o teatro não é mais cenocrático: o palco não é mais o local onde uma verdade humanista e simbólica é mostrada como válida para todos, para ser aceita ou recusada pela platéia. Assim como não é o reflexo de um mundo análogo ao nosso. A verdade está fora do palco, na sociedade, que é o denominador comum entre o palco e a platéia. O teatro se volta para a realidade exterior. Apela para o público, coloca em questão o próprio público, se oferece aos espectadores para ser por eles contestado. É um ato de reflexão, no mais amplo sentido da palavra. Um teatro de verdade revelada foi substituído por um teatro de reflexão política. O teatro de uma verdade que está para ser feita. O teatro hoje, insiste Dort, recusa todo essencialismo e volta a ligar-se à historicidade. Não está mais fechado em certezas pseudocientíficas. É este o caminho de um novo realismo. Ou de vários: são sempre aproximações diversas, que sempre recolocam o próprio sentido de si mesmas em questão. Dort insiste numa afirmação de Brecht: "hoje, se queremos fornecer reproduções realistas da vida social, é indispensável restabelecer o teatro em sua realidade de teatro". É com um estudo que procura desvendar o próprio significado do teatro político, compreendido como uma crônica histórica da vida cotidiana num teatro que se assume abertamente como teatro, em que "não se trata mais de fazer política no palco ou na platéia: é a própria atividade teatral, em sua especificidade, que se torna acesso ao político", que Dort encerra o último ensaio deste volume, afirmando: "a questão de um novo teatro político não é uma entre outras. É sobre ela que nosso teatro joga sua cartada decisiva".

3.

Este volume nasceu de uma já longa amizade, materializada sobretudo numa correspondência, que oscila entre o regular e o irregular, e em alguns encontros pessoais em Nancy, Paris e S. Paulo. Nasceu também de uma velha dívida, que Dort não deixou nunca de me cobrar: em 1967 comecei a traduzir seu *Lecture de Brecht* (um dos estudos críticos mais objetivos e precisos sobre a obra de Brecht; publicado em Paris pela Éditions du Seuil 1960; 2. ed., revista e acrescida de "Pedagogia e forma Épica", pela mesma editora em 1967) para uma editora de S. Paulo que depois desistiu do projeto.

Este volume reúne uma seleção de textos publicados em dois livros (mais informações, v. *Nota Bibliográfica*, no fim deste volume): *Théâtre Public, Essais de Critique 1953-1966* (Paris, Éditions du Seuil, 1967) e *Théâtre Réel, Essais de Critique 1967-1970* (Paris, Éditions du Seuil, 1971). Fiz uma seleção prévia e enviei a Dort como proposta; sem saber, ao mesmo tempo ele também me enviou uma seleção como proposta — as duas coincidiam praticamente em quase tudo, inclusive na organização e divisão das partes deste livro. Que é um livro que esclarece e ao mesmo tempo coloca novas questões. Que deve ser estudado e, em certo nível, experimentado na *prática*, pois é sobretudo ao *trabalho teatral* que ele se dedica.

4.

Bernard Dort nasceu em Metz (Moselle) em 29 de setembro de 1929. Formado em Direito; diplomado pelo Institut d'Etudes Politiques de Paris. Atualmente é professor no Institut d'Études Théâtrales da Sorbonne Nouvelle, e professor no Centre d'Études Théâtrales da Universidade Católica de Lovaina (Bélgica). Tem artigos críticos publicados em inúmeras revistas francesas (como *Les Temps Modernes, Les Cahiers du Sud, Les Lettres Françaises, Nouvel Observateur, Politique Aujourd'hui;* foi um dos principais críticos da revista *Théâ-*

*tre populaire* e atualmente é um dos principais colaboradores e membro da Comitê de Redação da revista *Travail Théâtrale)* e em revistas estrangeiras (como *Theater Heute, Sipario, Dialog, Théâtre dans le Monde, Yale Theater etc.).* Além dos três livros acima citados, publicou *Corneille dramaturge* (Col. "Les Grands Dramaturges", Paris L'Arche, 1957; nova edição revista e corrigida, Col. Travaux, Paris, L'Arche, 1972. *Lecture de Brecht,* além das duas edições citadas, teve uma terceira edição, pela mesma editora, na Col. Points, n° 31, Paris, 1972. Seu nome está ainda profundamente ligado a duas edições do teatro completo de Marivaux: *Théâtre Complet de Marivaux,* edição estabelecida, apresentada e anotada por Bernard Dort, no "Club Français du Livre" (4v.), Paris, 1961-62; e *Théâtre Complet de Marivaux,* prefácio de Jacques Scherer, apresentação de Bernard Dort, Col. "L'Integrale", Paris, Éditions du Seuil, 1967. Um ensaio de excepcional importância, *Lecture de "Galilée",* estudo comparado de três momentos de um texto dramático de Bertolt Brecht, no livro *Les Voies de la création théâtrale,* v. III, estudos reunidos e estabelecidos por Denis Bablet e Jean Jacquot, Paris, edição do Centre National de la Recherche Scientifique, 1972.

Dort esteve no Brasil pela primeira vez em abril de 1973 pronunciando uma palestra sobre o significado da crítica (patrocinada pela Associação Paulista de Críticos de Arte) e duas palestras patrocinadas pelo Setor de Teatro da Escola de Comunicações e Artes da Universidade de S. Paulo e pela Aliança Francesa de S. Paulo: "Nouvelles tendances du théâtre en France" e "Molière aujourd'hui" (realizou palestras também no Rio de Janeiro e em Porto Alegre). Voltou a S. Paulo em agosto de 1974 para um curso na Escola de Comunicações e Artes da Universidade de S. Paulo, sobre as formas cênicas do teatro contemporâneo. Já escreveu sobre espetáculos brasileiros encenados em Nancy e Paris (principalmente referências a *Os Fuzis* de Brecht, apresentado pelo TUSP e sobre o "teatro-jornal", apresentado por Augusto Boal e pelo Núcleo Dois do Teatro de Arena), assim como um artigo sobre dois espetáculos vistos em S. Paulo em abril de 1973, *Frank V* de Durrenmatt e *O Casamento do Pequeno Burguês* de

Brecht (publicado no *Jornal da Tarde,* S. Paulo). E quando o Teatro Oficina de S. Paulo apresentou-se em Paris, em 10 de maio de 1968, com *O Rei da Vela* de Oswald de Andrade (no Théâtre de la Commune de Aubervillers) o programa do espetáculo trazia a apresentação de Bernard Dort sobre o espetáculo, intitulada "Uma Comédia em Transe" (publicada depois em *Sipario,* n.º 292-293 ago.-set. 1970). Neste ensaio Dort afirma que o espetáculo propõe uma espécie de "escalada" na derrisão teatral e é através de um jogo de espelhos cada vez mais deformantes que o espectador é chamado a reconhecer a realidade do Brasil apresentada no palco: "a de uma monstruosa comédia histórica" . E, depois de lembrar *A Ópera de Três Vinténs* de Brecht, que também procurava tentar fazer explodir em público a imagem que a platéia de 1928 tinha de si mesma, Dort afirma: "Mas talvez Brecht e Weill tenham ficado então um pouco tímidos, um pouco prisioneiros de nosso bom gosto e da tradição teatral ocidental. No Teatro Oficina vamos mais longe: até a obscenidade e a dissimulação. Esta comédia-farsa de um Brasil em transe é também um meio para acabar com a imitação estéril do teatro ocidental, fazer tábua rasa. Vejamos nela uma tentativa tranqüila para fundar um teatro folclórico e nacional (como era o espetáculo brasileiro apresentado em Nancy e Paris há dois anos: *Morte e Vida Severina)* mas um apelo enfurecido e desesperado a outro teatro".

Fernando Peixoto

## 1. UMA PROPEDÊUTICA DA REALIDADE

Uma questão hoje obsessiona o teatro: sua aptidão para representar a realidade contemporânea, para colocar em cena o mundo em que vivemos. Uma vez afirmada sua vocação de ser, como dizia Jean Vilar, um "serviço público", e sua ambição de "restituir à arte dramática sua verdadeira dimensão, esquecida há três séculos: a expressão ideal da vida de um povo e não mais o simples divertimento de uma noite"[1], uma vez estabelecidas novas estruturas (Centros Dramáticos ou Teatros Populares subvencionados pelo Estado e coletividades locais, Casas de Cultura, teatros de bair-

---

1. Citado por EMILE COPFERMANN, *Le Théâtre populaire, pourquoi?*, Cahiers Libres 69, Paris, François Maspéro, 1965, p. 59.

ros...), o atual teatro francês se interroga com ansiedade sobre seu repertório. Não adiantou realizar, muitas vezes com felicidade, a atualização ou a historicização dos clássicos; isso não foi suficiente para lhe assegurar um domínio direto sobre a vida. Pouco a pouco uma verdadeira contradição apareceu entre a atividade cultural de nossos novos "teatros populares" e sua vontade de se tornarem locais de criação teatral, onde seria elaborado uma nova visão de nossa realidade. Agora estes teatros adquirem cada vez mais a consciência de que se encontram diante de uma escolha: ou se contentam em ser museus (vivos) da cultura teatral, a mais ampla possível, ou se voltam diretamente para a realidade.

Nesta última hipótese interessa também saber como, evocando o mundo em que vivemos, o teatro estará à altura de propor a seus espectadores imagens de nossa vida social suficientemente fortes para que possam, se não concorrer com as que são fornecidas sem descanso pelas revistas, pelo cinema e sobretudo pela televisão, ao menos proporcionar prazer e suscitar uma reflexão totalmente diversos.

Digamos desde já: os meios de que a dramaturgia do século XX dispõe correm o forte risco de serem insuficientes para levar a bom termo um empreendimento desta ordem. Eles se repartem segundo três tendências: a tendência naturalista, a do chamado "teatro do absurdo" e, enfim, a do teatro épico.

*Entre quatro paredes*

Na origem do naturalismo está precisamente a vontade de colocar a vida no palco, mostrá-la, representar no teatro a sociedade contemporânea. Assim, Zola e Antoine recusaram, em primeiro lugar, a "peça bem feita": o teatro considerado como "um canto à parte, onde ações e palavras sofrem forçosamente um desvio previsto com antecedência"[2]. Afirmavam que era necessário substituir o "mundo literário", que reinava no palco pelo "mundo vivo". E substituir também um dramaturgia de "vida pelo movimento" por uma dramaturgia de "movimento pela vida". Da mesma forma, era ur-

---

2. EMILE ZOLA, *Le Naturalisme au théâtre*, Oeuvres Complètes, v. XI, Paris, edição estabelecida sob a direção de Henri Mitterand, Cercle du Livre Précieux, 1968. Cf. principalmente p. 299.

gente alargar o painel de personagens representadas aristocratas, burgueses e mesmo pequenos-burgueses não mais bastavam. O povo devia fazer sua aparição no teatro. Com efeito, é com o naturalismo que se produz aquilo que Piscator chama de "a descoberta do povo, do *quarto estado* em matéria de literatura: em oposição a todas as demais épocas literárias, onde o povo era representado como personagem cômica ou como herói sentimental, ou ainda, em Büchner por exemplo, como personagem trágica, agora pela primeira vez o proletário aparece em cena enquanto classe social"[3].

Mas a revolução naturalista foi feita há quase um século e hoje somos sensíveis à insuficiência dos processos utilizados — sobretudo porque esta insuficiência se manifesta justamente no terreno que os naturalistas escolheram para lutar: o da reprodução, da recriação do real no palco. Não falemos das técnicas ilusionistas que visam uma reprodução quase fotográfica da realidade: desde muito tempo já estão abandonadas ou integradas a outras maneiras de representação do real. A teoria do *ambiente,* mais fecunda, contém em germe a contradição essencial do naturalismo. Querer reconstituir no palco o ambiente, antes mesmo de colocar em cena as personagens e lhes dar a palavra, equivalia a afirmar a primazia da sociedade sobre o indivíduo. Mas reproduzir este ambiente sob a forma de um lugar fechado, imutável, era negar toda a evolução da sociedade, toda a interação entre o indivíduo e a sociedade. Assim o teatro naturalista não fez senão nos propor imagens parciais da realidade, fragmentos de uma história morta. Ainda agora a utilização mais ou menos deliberada de técnicas dramatúrgicas e cênicas naturalistas engendra conseqüências desta ordem. Tomemos como exemplo a dramaturgia "de situação" sartriana. Ela não consegue conjugar a ambição de abranger os amplos problemas históricos e sociais que Sartre proclama ("todos nós sabemos que o mundo muda, que transforma o homem e que o homem transforma o mundo. E se não for este o tema profundo de toda peça de teatro, então é porque o teatro não tem mais tema"[4]) e a evocação, em suas

---

3. ERWIN PISCATOR, *Le Théâtre politique,* texto francês de Arthur Adamov com a colaboração de Claude Sebisch, Paris, L'Arche, 1962, p. 31.
4. Deux heurts avec Sartre, *L'Express,* 17.9.1959.

peças, de conflitos psicológicos privados, fechados neles mesmos. Daí a inversão de sentido que ocorreu com certas obras de Sartre, principalmente *As Mães Sujas:* nela os heróis contam a história, a evolução de nossa sociedade, que Sartre não nos mostra; entre quatro paredes o drama individual predomina sobre a situação histórica geral. O drama pessoal de Hugo tem mais sentido que a ação de Hoederer. O mesmo acontece em *Os Seqüestrados de Altona:* apesar de todas as precauções tomadas por Sartre para evitar que se produzisse esta redução do geral ao individual. Através da descrição naturalista de um meio-ambiente fechado, que é o produto de uma evolução histórica e não o campo desta evolução, encontramos, no final, na personagem sartriana (quer se trate de Hugo ou de Frantz), o herói romântico. Este porta-voz do "espírito do século", como dizia Marx[5], (recriminando Lasalle por ter em seu *Franz Von Sickingen,* cedido à "schillerização" em vez de optar por uma "shakespearização"), que mais fala de uma situação do que a vive, e que propõe ao espectador seu próprio *pathos* em lugar de um verdadeiro conhecimento da situação vivida.

Foi com este tipo de ideologização que a vanguarda dos anos cincoenta tentou romper. Para dramaturgos como Ionesco, Beckett ou Adamov se trata, com efeito, de restituir ao teatro sua "literalidade"[6] — isto é, propor uma descrição "objetiva" de nossos comportamentos e de nossa linguagem. Assim, o que primeiro fizeram foi colocar entre parênteses as significações humanistas da dramaturgia tradicional. *Espe-*

---

5. Cf. a troca de cartas entre Marx, Engels e Ferdinand Lassalle a propósito da tragédia histórica deste último, *Franz von Sickingen.* Citado em *Sur la littérature et l'art* de Karl Marx e Friedrich Engels, textos escolhidos precedidos de uma introdução de Maurice Thorez e de um estudo de Jean Fréville, Paris, Éditions Sociales, 1954. Cf. principalmente p. 306.

6. Em 1950 escrevia Arthur Adamov: "O teatro, como eu o concebo, está inteira e absolutamente ligado à representação. Peço que nos esforcemos por purgar esta palavra representação de tudo aquilo que a vincula à mundanidade, cabotinagem, e sobretudo intelectualidade abstrata, para lhe restituir seu significado mais simples. Creio que a representação nada mais é que a projeção no mundo sensível dos estados e das imagens que dele constituem suas molas escondidas. Uma peça de teatro deve portanto ser o lugar onde o mundo visível e o mundo invisível se tocam e se chocam, em outras palavras, a colocação em evidência, a manifestação do conteúdo oculto, latente, que encobre os germes do drama. O que eu quero no teatro e o que eu tentei realizar [...] é que a manifestação deste conteúdo coincida, literalmente, *concretamente, corporalmente,* com o próprio conteúdo". (Avertissement à *La Parodie* et *L'Invasion,* em *Ici et Maintenant,* coleção Pratique du théâthe, Paris, Gallimard, 1964, pp. 13 e 14).

*rando Godot* constitui, sem dúvida, o melhor exemplo de tal tentativa. A obra de Beckett admite todas as significações simbólicas possíveis (de ordem social e de ordem religiosa): não privilegia nenhuma. Literalmente, ela não quer dizer nada. Remete ao espectador a própria imagem de sua ideologia ou de seus fantasmas, assim como um borrão do teste de Rorschach. Da mesma maneira, o "falatório" das primeiras peças de Ionesco não tem outro sentido senão nos fazer escutar, e mesmo ver, nossa própria linguagem transformada em coisa: os heróis (se assim podemos chamá-los) de *A Cantora Careca*, não fazem outra coisa senão expor em cena a linguagem que é comum a todos nós, espectadores — nada mais.

Mas esta recusa de todas as ideologias, esta vontade de evacuar todo sentido simbólico, rapidamente se transformou numa ideologia e num símbolo. Para Beckett, não querer nada se transformou em querer dizer o nada: suas últimas obras (principalmente *Oh! Que Belos Dias*) são tragédias do nada ou da impossível transcendência (que somente a linguagem testemunha, ainda que apenas irrisoriamente). Um personagem qualquer de Ionesco se transforma em herói: Bérenger acede à dignidade de porta-voz do humano em si — um porta-voz que nada tem a dizer, nenhum valor a defender, mas nem por isso é menos exaltado, ao contrário. E foi numa negação radical do mundo, da sociedade representada como um fantasma ou como puro mecanismo de opressão, que se detiveram esses dramaturgos do "teatro do absurdo" (com exceção de Arthur Adamov, cuja evolução caminha no sentido contrário à de Ionesco): como muitos naturalistas, dos quais estão menos longe do que se diz, na medida em que passavam do objetivo ao subjetivo, transformaram aquilo que na origem era uma constatação de nossa alienação na sociedade, numa "paixão" do homem derrisório num universo entregue ao terror.

*A perspectiva épica*

Ao inverso, o teatro épico de Brecht coloca em cena a vida social dos homens. Brecht postula a historicidade fundamental de nossa existência. O mundo, afirma, não cessa de se transformar e de nos transformar. E é precisamente por ser assim transformável que o mundo pode ser representado para os espectadores de hoje. Em um de seus últimos textos, o comunicado que fez em Darmastadt em 1955, ele insiste: "O mundo de hoje não pode ser descrito aos homens de hoje a não ser que lhes seja apresentado como transformável"[7]. Sua dramaturgia nos propõe uma crítica histórica da vida cotidiana e da ideologia vivida. Brecht descreve o comportamento, a linguagem cotidiana e privada, um pouco à maneira dos naturalistas. Mas não se detém aí: coloca este comportamento e esta linguagem numa perspectiva histórica. Conclama-nos, homens da sociedade de hoje, a decifrá-los, a compreendê-los, referenciando-os com nossa própria situação. Ou seja, a situação de homens resolvidos a transformar o mundo. Seu teatro é o lugar de uma tomada de consciência política: conflitos, contradições, alienações nele aparecem como maneiras erradas de viver a história. A não-comunicação entre os indivíduos não é um destino: é um fato social, portanto, modificável.

A dramaturgia épica de Brecht suprime a oposição entre um estrito naturalismo, fechado sobre si mesmo, e um simbolismo no qual os elementos cênicos só existem em função de um misterioso e inacessível dado de referência (ela é, de fato, produto das influências conjugadas do expressionismo e da *neue Sachlichkeit* — "nova objetividade"), assim como a encenação brechtiana conjuga a descrição naturalista (ao nível dos gestos e objetos) com a estilização (ao nível do "conteúdo" cênico e da construção dos personagens). Neste sentido, o teatro épico nos oferece hoje a forma mais ampla de dramaturgia. Mas com restrições. Por um lado, o objeto do teatro de Brecht envelheceu: a sociedade que ele evoca, com efeito, é a dos anos entre as duas guerras, dominada pela crise do mundo capitalista e pelas diversas formas de fascismo. Por outro lado, o ponto de vista em que se coloca para criticar esta sociedade é o da revolução socialista — poderíamos dizer, da utopia de uma revolução socialista

[7]. BERTOLT BRECHT, *Écrits sur le théâtre*, texto francês de Jean Tailleur, Gérald Eudeline e Serge Lamare, Paris, L'Arche, 1963, p. 341.

ideal. Hoje semelhante ponto de vista não é mais inteiramente válido: o mito foi substituído por uma realidade socialista, com suas contradições e mesmo com seus conflitos. Enfim, justamente em razão de sua influência, a forma épica brechtiana muitas vezes ficou reduzida a recursos de retórica teatral. Houve, em certa medida, assimilação, integração cultural da lição de Brecht e, em conseqüência, desnaturação política. A forma épica permanece rica de possibilidades: mesmo assim é preciso desembaraçá-la da mesquinharia de um brechtianismo domesticado.

*Aristóteles em questão*

Constatemos, enfim, a ausência de uma quarta tendência na dramaturgia contemporânea: aquela que instituiria um grande teatro realista e histórico, (como Lukács preconiza). Nele a ação cênica seria própria transcrição da evolução histórica; dramas individuais e confrontos sociais coincidiriam totalmente, os personagens típicos encarnariam as atitudes gerais, as forças históricas fundamentais. Os conflitos entre indivíduos nos remeteriam diretamente às grandes lutas coletivas de nossa realidade. As obras de Ésquilo, de Corneille ou de Shakespeare nos fornecem o modelo. Mas a despeito das normas rígidas do realismo-socialista, bem poucas obras foram compostas dentro desta linha neste século. É certo que seria possível citar Claudel, mas a visão de mundo de seu teatro é deliberadamente anacrônica: pertence mais ao universo de um Jesuíta da Contra-Reforma do que ao universo de um homem de nosso tempo. Seria antes preciso nos voltarmos para as raras peças importantes da dramaturgia soviética: as de Maiakóvski e, sobretudo, *A Tragédia Otimista* de Vichnievski.

Tal carência é resultado de muitos fatores. É impossível estudá-los aqui. Citemos apenas desordenadamente a ausência de um acordo ideológico sobre uma concepção comum de nossa história (tornada ainda mais aguda desde que foi posta em questão a unidade do mundo socialista e desde a falência da escatologia marxista), a diversidade crescente do público, sua heterogeneidade sócio-profissional, assim como o alargamento e a divisão do mundo conhecido (ou seja, também do público virtual ao qual se dirige o dramaturgo: a Cidade grega para Ésquilo, o Estado monárquico para Shakespeare ou Corneille, a burguesia ocidental para Hugo ou Verdi).

Na verdade a aparente impossibilidade de promover hoje um grande teatro realista e histórico nos remete a uma desorientação profunda no próprio exercício do teatro. Não é somente um fato circunstancial. Talvez traduza o fim da concepção clássica do teatro — com isso me refiro não somente ao esgotamento da forma dramática aristotélica mas a uma transformação radical na estrutura das relações entre palco, platéia e o mundo. O que hoje está sendo questionado, quer se fale de repertório ou encenação, é, ao mesmo tempo que os temas da dramaturgia e os métodos da encenação, a própria posição da cena (palco) no centro do teatro: o caráter simbólico do local. Além da contestação do "teatro italiano", o que está em vias de terminar é, talvez, a própria era do teatro *cenocrático*.

Representar o mundo contemporâneo no teatro em nossos dias, portanto, não é somente ordenar estes materiais de dramaturgias novas segundo formas teatrais antigas. É ainda, e sobretudo, elaborar novas formas, suscitar novas relações entre o palco, a platéia e o mundo.

*Relativização ou generalização?*

O trabalho de Brecht permanece fecundo, compreendidas as restrições que fizemos acima. Na última década toda uma dramaturgia "historicista" se desenvolveu. Aqui é difícil separar a composição dramatúrgica da encenação. Em matéria de adaptação ou de recriação dos clássicos, principalmente, estas duas atividades seguem juntas. Quando Brecht adapta *Coriolano* não faz senão preparar uma representação moderna da obra de Shakespeare: tenta também abrir a "forma épica" e vinculá-la a este grande teatro realista e histórico cuja ausência acabamos de constatar. Não é por acaso que ele conserva o título de *Tragédia de Coriolano*. Seu objetivo é realizar uma "tragédia épica".

Muitos dramaturgos o precederam ou seguiram neste caminho. Sem dúvida algumas vezes — é o caso da *Antígona* de Anouilh — conseguiram unicamente degradar a grande forma antiga, substituindo os conflitos públicos evocados pelo trágico grego por conflitos estreitamente privados: entre Antígona e Creonte, na peça de Anouilh, não existe mais oposição fundamental a respeito dos valores fundamentais mas um simples confronto psicológico. Outras tentativas apresentam mais interesse: geralmente se fundamentam naquilo que podemos denominar de "reviravolta" brechtiana. Dos dois grupos dramatúrgicos (de um lado o herói, do outro o povo), o que ocupava o primeiro plano na obra clássica (em Shakespeare, por exemplo, o herói) é repelido ao segundo plano, e aquele que servia de tela de fundo (o povo) passa a ocupar o primeiro. Ou então uma nova problemática substitui a antiga: os conflitos entre os deuses e os homens são secularizados e se tornam conflitos dos homens entre si ou conflitos entre uma ordem antiga e uma ordem nova. Foi neste sentido que Sartre adaptou *As Troianas*: o centro de gravidade da tragédia não é mais a rivalidade de Atená e de Poseidon, mas, sim, o poder "colonial" que os gregos pretendem exercer sobre os troianos, a escravização à qual a Europa pretende submeter a Ásia. Pelo mesmo processo a obra desperta outras referências, além da legendária história grega: o que é discutido nas *Troianas* de Sartre são precisamente nossos empreendimentos coloniais, da guerra da Indochina à guerra da Argélia. E seus trágicos personagens parecem mais saídos de *Os Condenados da Terra* de Frantz Fanon do que da epopéia de Tróia. Outros autores recorrem a uma atualização menos direta: como exemplo basta citar a adaptação de Filocteto de Sófocles realizada por um dramaturgo em Berlim Oriental, Heiner Müller. Ele respeita o desenrolar da tragédia grega. Somente modifica sua conclusão: em sua versão não são mais os deuses que fazem Filocteto decidir se juntar aos gregos e combater em suas fileiras; Filocteto é assassinado por Neptolemo (o jovem Pirro), mas Ulisses, num momento de perturbação, encontra a solução: já que não é mais possível contar com os serviços do herói, utilizar-se-á então o seu cadáver, basta dizer que Filocteto foi morto pelos troianos, seu cadáver certamente "servirá" bem mais do que um herói vivo... Assim, à margem da obra de Sófocles, se esboça toda a problemática das falsificações contemporâneas da história, da mobilização *post mortem* deste ou daquele herói ou revolucionário. A grande forma tradicional é conservada mas, ao mesmo tempo, relativizada: a conciliação final ou o restabelecimento da ordem, regra de toda tragédia, são substituídas por uma falta de conclusão. A obra não se fecha. Não se completa em si mesma. Ela se abre para o processo histórico geral. Ela não mais o representa, ela o anuncia.

Outra forma popularizada pela experiência brechtiana é a da *parábola*. Neste caso trata-se da represen tar um conflito de nossa sociedade tendo como intermediário um modelo antigo ou imaginário — modelo do qual estamos separados, de forma evidente, por certa distância. Longe de provocar reflexos de identificação, a obra apela para a reflexão do espectador. Seria possível multiplicar exemplos. Algumas vezes é o próprio material de obras antigas que é retomado por um dramaturgo contemporâneo em forma de parábola (penso, por exemplo, em *A Guerra de Tróia Não Acontecerá* de Giraudoux, ou mais ainda em *Cabeças Redondas e Cabeças Pontudas* ou em *Tambores e Trombetas* de Brecht, baseadas em Shakespeare e Farquhar). Outras parábolas são extraídas dos contos de fadas: é o caso de *O Dragão* de Schwarz... Mas muitas vezes o procedimento permanece artificial: roçamos o jogo de teatro da alta cultura. O autor se condena a si mesmo ou a multiplicar quantas elas forem, alusões e piscadelas de olhos, ou a ficar no terreno do vago, numa generalidade que exclui toda verdadeira reflexão histórica. Compreendo perfeitamente que deixe precisamente ao espectador o cuidado de proceder à aproximações convenientes, mas temo que, no fim das contas, seja obrigado a impô-las; a parábola então não passa de uma máscara da atualização. Para decifrar nosso presente à luz do passado é preciso já ter compreendido este passado a partir do presente; caso contrário, um e outro correm o risco de permanecer indecifráveis para nós.

## Um naturalismo descentrado

Resta pois o recurso ao presente, a retomada, desta vez numa perspectiva histórica, da descrição naturalista. Sem dúvida é este um dos recursos mais fecundos da atual dramaturgia francesa. Já fiz referência à evolução de Arthur Adamov, que passou da generalização simbólica, cara aos defensores do "teatro do absurdo", ao situacionamento de seus personagens numa sociedade datada e precisa. Consideremos *Paolo Paoli*. O núcleo central da obra é constituído por um grupo pequeno de personagens ocupados em diferentes formas de trocas e tráficos (das borboletas aos botões de uniformes, passando por suas mulheres e amantes). Um dramaturgo naturalista poderia se deter na pintura deste comércio pequeno-burguês. O primeiro Adamov, o de *A Paródia* ou *A Invasão,* seria tentado a nos mostrar este circuito de trocas, no qual os seres humanos, os objetos e as palavras se equivalem, como a própria imagem de todo o universo e de nossa condição humana. Ora, em *Paolo Paoli,* Adamov nos indica outra coisa: sua peça denuncia, passo a passo, de certa forma a partir de sua própria estrutura interna, por um processo de deslocamento no espaço e no tempo, a insuficiência de uma visão limitada a este microgrupo; para compreendê-lo é preciso ver também de fora, do ponto de vista da evolução de toda a sociedade francesa de antes da guerra de 1914. Aqui não existe nem a fatalidade do pequeno comércio nem uma reificação universal: o pequeno mundo de Paoli, do Abade, de Hulot-Vasseur, supõe o grande: borboletas e canetas, canhões e indústria de guerra. Longe de uma volta ao "mistério" simbolista, aqui a descrição naturalista se torna evocação histórica.

Encontro semelhante preocupação em *La Remise,* a primeira peça de Roger Planchon. Também neste caso se trata da descrição de um ambiente fechado — diria mesmo que se trata *do* ambiente fechado por excelência, o dos paupérrimos camponeses do Ardèche, que sempre estiveram à margem de todo progresso industrial ou rural. Um Zola não teria perdido a oportunidade de acentuar o enraizamento do camponês (foi, aliás, o que fez em *A Terra,* encenada por Antoine em 1902), de exaltá-lo ou amaldiçoá-lo. Planchon, entretanto, procede de maneira totalmente diferente. Em primeiro lugar, é através da intervenção de uma testemunha radicalmente estranha a este meio, Paul, o neto do velho camponês que acaba de falecer, que ele nos faz penetrar e progressivamente descobrir este ambiente. Pois Paul aproxima-se pela primeira vez deste universo do qual esteve sempre afastado tanto no espaço como no tempo... Em seguida, Planchon evita encerrar este pequeno mundo, evita transformá-lo em alguma coisa de auto-suficiente. A barreira da vida desses camponeses não responde a uma lei interna da existência camponesa: é o produto da evolução de elementos externos. Sua estabilidade não é uma permanência, mas, sim, o resultado de uma série de incompreensões, de recusas ou de exclusões. Se durante cincoenta anos estes camponeses destruíram os bosques e agora são obrigados a mais uma vez arborizá-los, isto não acontece por efeito de uma cegueira psicopatológica nem de uma fatalidade própria da condição camponesa mas, sim, do jogo da lei da oferta e da procura agrícola. A repetição dos mesmos gestos, das mesmas palavras, o estéril envelhecimento dos personagens de *La Remise* não pertencem a uma certa essência da vida camponesa mas, sim, à situação real, concreta, desses camponeses na sociedade francesa. O espectador, portanto, é obrigado a ampliar seu campo de reflexão: o que é dito e o que é mostrado não basta. É preciso ir além. A peça nos remete a uma visão de conjunto de meio século de nossa sociedade.

Esta superação do naturalismo por um realismo histórico, aliás, não é coisa nova. As peças de Tchekov nos fornecem o melhor exemplo. Não é por acaso que são tão representadas em nossos dias.

A maior parte dos dramaturgos ingleses dos últimos anos (de John Osborne a Arnold Wesker) procuram igualmente realizar uma síntese semelhante, partindo de técnicas naturalistas. É na obra de John Arden que melhor encontramos esta combinação de descrição do ambiente e da evocação histórica. Esta utilização da "parábola" e das grandes formas do passado em proveito da reflexão sobre o presente.

É preciso, todavia, marcar os limites de tais tentativas. No essencial permanecem na ordem do "culturalismo". Supõe um público já formado, que dispõe de referências necessárias e, portanto, capaz de proceder aos relacionamentos e às deduções exigidas. É através de uma crítica da cultura que o teatro se transforma em crítica da sociedade. Não diretamente. Assim, é de praxe uma espécie de acordo tácito, de conivência, entre este tipo de teatro e seu público, sem o qual esta crítica corre o risco de permanecer letra morta. É neste ponto, aliás, que se manifesta a grandeza e o perigo da dramaturgia brechtiana: ela supõe uma sabedoria prévia comum ao palco e à platéia.

Entretanto alguns pontos essenciais estão desde já alcançados. O teatro recusa hoje sua antiga estrutura cenocrática: o palco não é mais o local onde é afirmada e mostrada uma verdade humanista e simbólica válida para todos; nem é mais um reflexo de um mundo análogo ao nosso, ao ponto de nos enganar. Nosso palco não-ilusionista nos fornece uma ação para ver e compreender, mas a verdade desta ação está fora dele: situa-se em outro lugar, na platéia ou, mais ainda, na sociedade, que é o denominador comum entre a platéia e o palco. Cabe ao espectador descobri-la e fazê-la existir concretamente. Nosso teatro apela ao público: coloca em questão o próprio público, se oferece aos espectadores para ser por eles contestado.

*Entre a reportagem e a provocação*

É nesta perspectiva que o recurso ao "teatro-documento" ou ao "teatro de fatos" adquire todo seu sentido. Sabemos: trata-se de colocar em cena fatos verdadeiros, dados brutos, sem prévio tratamento, sem dramatização aparente, sem reorganização ideológica. Pois, como afirmava Piscator, "a realidade é sempre o melhor teatro". Não se deve ver aí uma retomada da ambição dos naturalistas: não se trata de reconstituir no palco uma aparência de realidade coerente e acabada. Este teatro de fatos procura essencialmente despertar o espectador, tirá-lo de seu entorpecimento e de suas certezas: mais que imitar a realidade, emprega-a para violentar as defesas de seu público. Literalmente lança pedaços desta realidade ao público. Quer obrigá-lo a tomar posição.

Todavia é preciso distinguir entre as tentativas que se apresentam como filiadas ao "teatro documento". Fundamentadas em acontecimentos ou em personagens reais ou recentes (ou ainda vivos), algumas peças não passam de documentários à maneira naturalista. *O Vigário* de Hochhuth retoma a forma tradicional do drama histórico romântico e seu herói fictício é exatamente um personagem schilleriano (uma "bela alma", segundo Schiller). Não é senão em alguns comentários cênicos que Hochhuth introduz, por intermédio de cifras e documentos autênticos, a realidade contemporânea em sua forma bruta. Acontece o mesmo com o *Oppenheimer* de Kiphradt ou com a versão escrita e realizada por Vilar (esta última, mais próxima das minutas da Comissão): numa como noutra, o que conta é a personagem Oppenheimer. Ambas nos fornecem um retrato típico do sábio contemporâneo: alguma coisa como um "Em sua alma e consciência, senhor Oppenheimer". E a problemática moral do personagem logo passa ao primeiro plano. A questão da construção e da utilização da bomba atômica aparece por conseguinte, como secundária. O elemento psicológico é mais importante que o político. Este "teatro de fatos" volta às peças de teses ou às "peças de problemas", que floresceram por volta de 1900 (François de Curel) ou de 1950.

Ao contrário, outros homens de teatro recusam as personagens e a organização tradicional da ação dramática: retomam técnicas como as da "revista" e do "jornal vivo", utilizadas na Alemanha e na URSS durante os anos vinte, nos Estados Unidos na época do *New Deal*. É principalmente o caso de alguns espetáculos que evocam a guerra do Vietnã. Em *US*, por exemplo, Peter Brook e sua equipe da Royal Shakespeare Company lança no palco do Aldwych uma série de imagens fragmentárias desta guerra — mais exatamente, nos fazem assistir às imagens que podemos conceber desta guerra. O objetivo é mais explicar do que surpreender: trata-se de colocar o público face à violência e à incoerência de tal guerra. Na periferia de Paris, pouco depois, um espetáculo de Guy Kayat dedicado à guerra do Vietnã, *A guerra entre parênteses,* fazia uso de processos semelhantes: concebido segundo o esquema de uma partida de xadrez, mostrava as regras desta partida sendo pouco a pouco transgredidas, afogadas por um encadeamento de violência; e concluía, depois de uma marcha dos atores em direção ao público, com uma pergunta dirigida à platéia, que repercutia nos quatro cantos da sala: "Que fazer? O que é que nós podemos fazer?". Em ambos os casos o que se procura é colocar o espectador dentro dos fatos: e o espectador deveria ser coletivo, tanto na platéia como no palco. Os atores estudam a guerra do Vietnã, contam e mimam o que aprenderam sobre a mesma: cabe agora a nós fazermos como eles: isto é, conhecer e tomar posição, ou mesmo agir. Todavia, além das diferenças de resultado artístico, subsiste uma grave ambigüidade: ela se refere ao uso que é feito da violência. É certo que os atores de Peter Brook, e mais ainda os de Guy Kayat, ao se abandonarem a verdadeiras proezas físicas, a transes corporais, têm por ambição unicamente denunciar a violência a que os Estados Unidos submetem o Vietnã: seus gritos e gesticulações constituem o equivalente cênico não apenas dos combates travados pelos americanos mas também do enorme aparelho militar posto em ação. Todavia, como não se insere de maneira suficiente em um contexto político-econômico, esta violência não deixa de provocar uma espécie de "catarse" no espectador: por isso, em vez de permitir que uma realidade colocada em cena seja decifrada, o espetáculo se torna um fim em si mesmo — resulta em uma festa negra.

É que, justamente para ser eficaz, o teatro-documento não pode se contentar em reunir fatos brutos. Se rejeita, com razão, a dramaturgia tradicional (caracterizada por noções de ação e de personagem), não pode rejeitar uma organização dos fatos apresentados. Ao contrário, deve acentuar esta organização. Entre os dramaturgos atuais, Peter Weiss é sem dúvida o único que compreendeu este fato. Utilizando os processos verbais do julgamento de Frankfurt, recusou-se tanto a fazer uma reconstituição das audiências como a realizar uma montagem dos fatos revelados ou confirmados pelo processo que se destinasse unicamente a provocar horror no espectador. *O Interrogatório,* como o próprio Weiss qualificou sua peça, é uma "colagem didática". Por um lado a peça joga com a distância que separa o presente (o processo de Frankfurt e a sociedade neocapitalista alemã) do passado. Por outro lado, é regida por um sistema de decupagem bastante rigoroso e deliberadamente artificial (com relação à estrutura da *Divina Comédia).* Desta forma, toda uma série de tensões se estabelece: entre o presente e o passado, entre o sistema concentracionário e a obra de arte. E essas tensões provocam a reflexão do espectador. *O Interrogatório* coloca-o em questão enquanto membro da sociedade neocapitalista de nossos dias (que tem todo o interesse em silenciar sobre o sistema dos campos de concentração como produto racional do sistema capitalista) e enquanto amante da arte (que vê as mais altas e nobres formas da arte ocidental comprometidas nesta evocação do universo concentracionário). O sucesso de Weiss reside nisto: faz coincidir um puro teatro de fatos com a mais radical formalização dramatúrgica. É no nível desta dialética da teatralização que a obra encontra sua eficácia — não no nível da pura e simples reconstituição dos fatos.

A participação do público no teatro não é mais nem participação nos acontecimentos representados, nem identificação com os personagens: é um engajamento na própria representação teatral, no jogo que esta representação institui entre palco e mundo. Duas obras dramáticas — as mais decisivas na França de hoje — convidam a uma participação deste tipo: a obra de Jean Genet e a de Armand Gatti.

*Dois jogos de imagens*

Jean Genet não cessa de repetir: em seu teatro não procura copiar a realidade e muito menos dedicar-se a casos ou problemas sociais. Suas *Criadas* não constituem de modo algum defesa ou ilustração da condição das empregadas domésticas, assim como *Os Negros* não são uma lamentação pelos negros nem *Os Biombos* uma evocação da guerra da Argélia. Na verdade, o que Genet coloca em cena não é a própria realidade, mas, sim, as imagens que nós espectadores fazemos desta realidade: suas criadas e seus negros são empregadas domésticas e negros tais como nós os concebemos, mais ou menos inconscientemente, a partir de nossa qualidade de burgueses e de racistas. O objetivo de seu teatro é precisamente o de exaltar ou destruir esta comédia de nossas imagens, levá-la às últimas conseqüências para nos revelar, no final, sua incoerência e sua vacuidade. Genet organiza, assim, uma espécie de auto da-fé de nossas ideologias. Ele não quer fazer do palco o local onde se manifesta a verdade da nossa vida: "Nenhum problema exposto deveria ser resolvido no plano do imaginário, sobretudo porque a solução dramática se empenha em direção a uma ordem social acabada"[8]. O palco, ao contrário, é o lugar de nossas mentiras, de nossos disfarces e de nossas máscaras. Mas o jogo cênico, aprofundando o artifício, justamente denuncia estas máscaras e estas mentiras: "Que o mal irrompa no palco, que nos mostre nus, que se possível nos enfureça e que não tenha refúgio senão em nós"[9]. Por trás da cerimônia dos negros se enegrecendo ou mimando os brancos segundo a visão dos negros, existe a realidade da morte política de um negro suspeito de ter colaborado com os brancos e a esperança de uma insurreição. No meio do "teatro" de *Os Biombos,* onde cada um, europeus e argelinos, colonos ou revolucionários, se deixa tomar pela imagem de sua função, existe o irredutível casal Said e Leila, que recusa ser aquilo que os outros querem que seja e não possui nenhuma ligação a não ser com a negação e a morte. Assim, o teatro de Genet expõe diante de nós o nosso jogo social, mas dele não retira nenhum ensinamento; contenta-se em empurrá-lo até o fim, com todo o fausto possível, até que este se extenue, se destrua e nos desvende qual é o seu contrário: a morte ou, melhor ainda, uma existência bruta, incitada à destruição, cuja reivindicação fundamental deve permanecer para sempre insatisfeita e que escapa a toda representação.

Ao contrário, Armand Gatti reinvidica o "teatro engajado": "Não chego a considerar o teatro como um meio de divertir ou distrair. Prefiro concebê-lo como

---

8. JEAN GENET, Avertissement, *Le Balcon,* 2. ed., Marc Barbezat, Décines (Isère), 1960, pp. 7-8.
9. *Id., ibid.*

um meio perpétuo de liberação — não somente de preconceitos, de injustiças (o que é evidente), mas também do conformismo e de certas maneiras de pensar que, paralizadas, se tornam um caixão mortuário"[10]. Todavia, o próprio Gatti tampouco pretende reconstituir sobre o palco uma realidade unívoca e impor sua verdade aos espectadores. Ele não acredita que está resolvido o problema da representação do mundo contemporâneo no teatro. Toda sua atividade como dramaturgo e encenador (desde 1963 ele monta suas próprias peças) gira precisamente em torno deste problema. Os espetáculos que realiza nos propõem apenas soluções provisórias: ["Os autores que construem o teatro contemporâneo] escrevem obras enquanto por um capricho do meu espírito, não consigo produzir senão tentativas, pesquisas"[11]. Para ele trata-se de criar um espaço imaginário e ao mesmo tempo concreto que constituirá uma espécie de mistura, de traço de união entre esta realidade do mundo de hoje e os espectadores do teatro. Assim, é por intermédio de um recurso de ficção, que mostra astronautas descobrindo um novo planeta e nele reconhecendo o universo concentracionário, que Gatti aborda a evocação do mundo nazista e dos campos de concentração (experiência que viveu pessoalmente, mas que se vê obrigado a transportar, para que a mesma possa ser partilhada pelos espectadores atuais[12]); de resto, uma dúvida se amplificará no decorrer do espetáculo: este mundo de "um planeta provisório" existe realmente, ou não passa da projeção das lembranças, dos medos, dos fantasmas ou dos desejos destes astronautas, isto é, de nós mesmos, espectadores? Em *Canto Público Diante de Duas Cadeiras Elétricas,* o caso Sacco e Vanzetti não nos é mostrado como foi, como um fato que aconteceu: é recriado para nós através das reações de espectadores, dos quatro cantos do mundo, diante das representações que o evocam. Do mesmo modo que nos leva a reen-

10. ARMAND GATTI, Préface, *Théâtre°°°*, Paris, Le Seuil, 1962, p. 8.
11. Id. ibid.
12. *Chroniques d'une planète provisoire,* uma das primeiras peças escritas por Gatti. Entre as duas versões que foram encenadas (uma no Théâtre du Capitole em 1963 e outra no Théâtre Daniel-Sorano em 1967) existem muitas diferenças: sobretudo no que se refere ao panel e à função das "personagens intermediárias", os astronautas que "descobrem" o "planeta provisório".

contrar Sacco e Vanzetti no jogo das identificações desses atores-espectadores com os principais heróis deste caso, Gatti nos convida a nos reconhecermos a nós mesmos nos personagens assim apresentados.

Como Genet, não é *uma* realidade que Gatti coloca em cena: são as imagens que fazemos dela. Mas, ao contrário de Genet, Gatti não reduz estas imagens ao mínimo denominador comum, a esta existência bruta enraizada numa infatigável negação, de que eu falava acima. Ao contrário, entrega-nos o maior volume de imagens possível a fim de que, nos reconhecendo nelas, possamos aí encontrar armas, meios para dominar, superar e transformar nossa própria realidade. Ao teatro do impossível (ou ao impossível teatro) de Genet, ele opõe um teatro do possível que possa ser uma preparação à ação. Este apólogo que ele conta [13], defende esta idéia: "Kuan Han-Chin comparava os temas da peça que ia buscar na realidade de seu século XIV mongolizado, às árvores. A fase da confecção equivalia ao momento em que a árvore era serrada e cortada em um certo número de pranchas suscetíveis de formarem um todo. A peça propriamente dita (por analogia aos elementos escolhidos pelo autor, que são arrastados no curso de seu pensamento para seguirem uma direção determinada) se assemelharia às pranchas arrastadas pela correnteza do rio. A platéia do teatro seria a fábrica que recebia as pranchas e a representação, a confecção do móvel pelos atores, *estranho móvel,* dizia ele. *De uma mesma representação, um espectador sai com um cofre, outro com a tábua de um leito ou de um balanço, um terceiro com as colunas de um templo, e um quarto com uma bastão para se vingar em seu burro de carga...*"

Por trás da evolução da infra-estrutura (desenvolvimento do setor público ou semipúblico, recrutamento de novos espectadores, estabelecimento de relações orgânicas entre público e teatro...), uma outra modificação, mais profunda, afeta pois a atividade teatral. Num teatro *cenocrático* tudo é organizado em torno do palco e é este o local por excelência onde os homens — mais pela palavra do que pelo gesto — se manifestam tais como são. Agora não apenas a palavra perdeu

---

13. ARMAND GATTI, *op. cit.*, p. 11.

boa parte de seus privilégios (nas peças de Brecht, por exemplo, o que dizem os personagens está sempre "em situação" em relação ao que fazem e assim o sentido real de suas falas difere de seu sentido literal), mas também o palco foi diminuído em suas prerrogativas. O jogo teatral não mais se limita ao palco (fechado, como o palco naturalista, por uma imaginária "quarta parede", ou enquadrado na moldura rígida do teatro italiano): ele se produz entre o palco e a platéia, mas não se esgota nestes limites. Ele remete ao mundo, à realidade exterior.

*Um novo trabalho*

Retomemos a idéia, cara aos clássicos e principalmente a Schiller, do teatro como "instituição de educação moral" (o que de maneira nenhuma exclui a possibilidade de ser também um meio de divertimento). Semelhante concepção guarda ainda hoje todo seu valor, mas não mais possui exatamente o mesmo conteúdo que antes. Digamos, para empregar a terminologia universitária, que numa tal "instituição", não são mais os cursos expositivos que são ministrados. O ensinamento dado assemelha-se agora à propedêutica. O objeto da atividade teatral é cada vez menos o de trazer o mundo para o palco, dar deste mundo uma imagem perfeita e acabada, dizer sua verdade aos espectadores. Tende muito mais a colocar os espectadores no estado de poderem eles mesmos descobrirem esta verdade fora do teatro. E a levá-los, pelo teatro, a ter um domínio sobre o mundo. Desta forma o teatro nos propõe uma propedêutica da realidade. Nele o real é representado (não importa sob que forma) não como um dado universal e imutável, mas como uma tarefa a ser realizada, como uma *antiphysis*.

As conseqüências desta alteração correm o risco de serem consideráveis. Mesmo a questão que coloquei inicialmente está agora transformada: falar hoje de repertório contemporâneo não é mais somente se perguntar se o que é exposto no palco reflete exatamente, e da forma mais ampla possível, a nossa sociedade. É também ver como, a partir do que é dito ou mostrado, mesmo que seja de maneira fragmentária, palco e platéia podem elaborar juntos uma nova consciência da realidade que seja comum a ambas. A fim de que, não no edifício teatral, mas na própria sociedade, esta nova consciência se transforme em ação.

Por conseguinte, a noção de criação e a noção de obra dramática devem ser submetidas a uma revisão. Mudou o centro de gravidade da atividade teatral: ele não mais reside no palco nem unicamente na obra; situa-se de certa forma na intersecção do palco e da platéia ou, melhor ainda, na junção do teatro e do mundo. Impõe-se uma concepção do trabalho de dramaturgia. Ou mais exatamente, o que deve ser questionado é o trabalho teatral e não apenas o trabalho de dramaturgia. É verdade que este continua a ser o trabalho de um escritor, mas não mais pertence exclusivamente a ele. Deve ser tomado como responsabilidade por outro: a peça é escrita para se transformar em representação. A obra teatral não é elaborada somente no silêncio e na solidão do gabinete de trabalho, mas também no próprio teatro, com a colaboração do autor, do "dramaturgo", do diretor e dos atores. Talvez seja nesta direção que devamos procurar aquilo em que pensamos sempre que usamos a expressão "teatro total" (desta vez será "total" não em razão da fusão dos meios de expressão cênica, mas por resultar de uma elaboração coletiva). Uma obra teatral deste tipo não poderia tampouco permanecer fechada, encerrada ciosamente em suas próprias significações. Ela existe pelo que significa para um público dado, num local e num momento precisos. Ao mesmo tempo, é infinitamente modificável: é rica de outros sentidos, de outras respostas e, sobretudo, de outras possíveis perguntas.

Hoje o "teatro novo" dos anos cincoenta já aparece como um objeto de museu. A idéia de um repertório popular que seria "a expressão ideal da vida de um povo" corre o risco de permanecer para sempre um belíssimo mito. É no sentido de uma pesquisa nova, bem mais teatral do que dramatúrgica, que devem se engajar os teatros que se preocupam com um repertório verdadeiramente contemporâneo. Uma pesquisa desta ordem não será realizada sem conseqüência: muitos provavelmente serão obrigados a questionar a própria estrutura de suas atividades, algumas de suas conquistas ainda bem recentes (nas relações com o público e principalmente com o Estado). Pois, agora, trata-se menos de refletir o mundo atual no espelho demasiado estreito da cena tradicional do que de enraizar a atividade teatral em nossa sociedade: em lugar de serem templos de uma verdade histórica ou estética, nossos teatros, sob pena de se esclerosarem, devem se transformar em laboratórios onde autores, diretores, atores e espectadores possam livremente confrontar suas experiências e suas representações da realidade.

# I. A CRÍTICA EM QUESTÃO

## 2. UM CRÍTICO "NOVO": ÉMILE ZOLA

Quando Zola entrega ao *Bien Public*, em abril de 1876, o primeiro artigo de seu folhetim, a *Revue Dramatique*, já estava longe de ser um principiante em literatura. Está com trinta e seis anos e há oito trabalha no *Rougon-Macquart*, cujos seis primeiros volumes já publicou (de *A Fortuna dos Rougon-Macquart* a *Sua Excelência Eugène Rougon*). E não tarda o momento em que se destacará como romancista célebre e escandaloso: sua primeira *Revue Dramatique* aparece no número de 10 de abril do *Bien Public* e já no dia 13 de abril o mesmo jornal começa a publicação do folhetim *L'Assomoir*.

Podemos nos surpreender ao encontrar um romancista já reconhecido na função de crítico dramático e exercendo regularmente esta atividade durante mais de quatro anos, a princípio em *Bien Public* (até junho de 1878), depois em *Le Voltaire* (de julho de 1878 a agosto de 1880), ao mesmo tempo em que prossegue redigindo *Rougon-Macquart* (nesta época Zola escreve *Naná*, onde é verdade, o teatro tem um lugar nada desprezível).

## Uma campanha

Por certo em 1876 Zola não é um neófito em matéria de teatro. Desde o liceu ele se dedica não só ao romance e à poesia, mas também à comédia: *Enfocez le Pion!*, em três atos e em versos, data de 1856. Ao mesmo tempo em que escrevia *Contos a Ninon* e *A Confissão de Claude*, Zola compôs duas peças: *A Feia*, comédia em um ato, e sobretudo *Madeleine* (1865), que somente será representada em 1889, no Théâtre Libre, texto que em 1868 ele transformou em romance: *Madeleine Férat*. Finalmente *Teresa Raquin* (drama que ele mesmo extraiu de seu romance) e *Os Herdeiros Rabourdin* consegue em 1873 e em 1874, não sem dificuldades, passar pela prova da ribalta.

Além disso, Zola diversas vezes já havia se pronunciado sobre o teatro. Em 1865, na disputa que colocou em campos opostos os co-autores de *Suplício de uma Mulher*, Alexandre Dumas Filho e Émile de Girardin, Zola tomou partido deste último, "um inovador, um pensador que não tem a experiência do palco e que realiza uma tentativa para trazer ao palco a verdade brutal e implacável o drama da vida com todos seus desenvolvimentos e todas suas audácias", contra Dumas Filho, "autor dramático de mérito, mestre que alcançou grandes sucessos, homem hábil e experimentado", que "declara que a tentativa é desastrosa, que a verdade brutal e implacável é impossível no teatro, e que nele não se poderia representar o drama da vida em sua realidade[1]". No prefácio de *Teresa Raquin*, redigido poucos dias depois do fracasso do drama, ele exprime sua convicção profunda de "ver proximamente o movimento

---

1. "Mes haines" em *Oeuvres Complètes*, Paris, edição estabelecida sob direção de Henri Mitterand, v. X, Cercle du Livre Précieux, 1968, p. 116. Citado por Lawson A. Carter, *Zola and the theatre*, Yale University Press, Presses Universitaires de France, 1963, p. 28.

naturalista se impor no teatro e trazer ao mesmo o poder da realidade, a vida nova da arte moderna"[2]. Naquele ano Zola exerceu também, durante mais ou menos quatro meses, as funções de crítico dramático no *Avenir National*.

Por esse motivo, quando, em 1876, se encarrega do folhetim dramático do *Bien Public*, não o faz somente por razões alimentares ou por puro diletantismo. O que pretende é conduzir uma "campanha": uma campanha sistemática por um novo teatro, pelo "naturalismo no teatro" (o que é testemunhado pelo título dos dois primeiros volumes nos quais Zola reúne, em 1881, os artigos aparecidos no *Bien Public* e no *Le Voltaire*) — exatamente a continuação "no novo terreno do teatro" da "campanha" que ele "começou antes no domínio do livro e da obra de arte"[3]. Pois é "preciso nos ocuparmos do teatro: é no teatro que um dia deveremos desferir o golpe decisivo"[4].

Talvez o fracasso de suas "peças vaiadas", *Teresa Raquin* e *Os Herdeiros Rabourdin* tenha levado Zola a pensar que não deveria se contentar em escrever peças dramáticas. E que, para conquistar o teatro (que ainda lhe parecia, como aos demais romancistas do século XIX, Balzac, Stendhal, Flaubert, o lugar por excelência da consagração social de um escritor), deveria atacar em todas as frentes. Ele sabe que suas peças correm o risco de não serem representadas, por menos que se revelem inadaptadas ao "molde no qual os artífices movem seus personagens típicos[5]" (é o caso de *Madeleine*). Ou que, quando tiverem sido montadas sem problemas, correm o risco de ser rejeitadas por um público cujos maus hábitos a crítica vem apenas confirmar (*Teresa Raquin*). Se deseja escapar a este duplo perigo, não resta ao dramaturgo senão moldá--las e remoldá-las segundo os padrões convencionais, e fazê-las asim perder tudo o que poderiam trazer de novo (a adaptação de *Naná*, assinada somente por Busnach, apesar da colaboração de Zola, é um exemplo: re-

---

2. *Théâtre*, ed. cit., v. XV, prefácio de *Thérèse Raquin*, p. 122.
3. *Le Naturalisme au théâtre*, ed. cit., v. XI, p. 275.
4. "Lettre à Hennique, 2.9.1877", ed. cit., v. XIV, p. 1398. Citado por Lawson A. Carter, p. 49.
5 *La Tribune*, 15.11.1868, *Causéries dramatiques*, ed. cit., v. X, p. 1047.

têm do romance apenas o melodrama). Para abrir caminho a uma nova dramaturgia é necessário, portanto, colocar em questão todo o sistema teatral, ao mesmo tempo a partir do exterior e do interior. Daí a opção de Zola: não será apenas um dramático, será também um crítico. Mas não um crítico qualquer, não um segundo Sarcey mais audacioso. Será o crítico sistemático do sistema teatral vigente.

Sem dúvida seus artigos não poderiam ser senão "fragmentos escritos às pressas e sob o impacto da atualidade [6]". Terão ao menos "uma lógica e uma doutrina [7]", e reunidos em antologia, formarão dois livros coerentes: *O Naturalismo no Teatro* e *Nossos Autores Dramáticos*. Longe de constituírem um florilégio dos humores do espectador Zola, estes livros nos propõe a análise severa e aguda de um mundo fechado, que ele justamente procura abrir: o mundo do teatro parisiense de 1880.

## Contra o teatro

Zola não se cansa de repetir: o teatro, tal como existe, forma "um canto à parte, onde as ações e as palavras sofrem forçosamente um desvio previsto com antecedência [8]". O objeto primeiro de sua atividade é descrever este "canto", realizar seu inventário e reconstituir sua história. A crítica "deve constatar e combater. Para isto necessita de um método. Ela possui um objetivo, sabe aonde vai [9]". O folhetim dramático de Zola se fundamentará, portanto, na denúncia de um teatro que se contenta em ser "teatro".

Zola não é e jamais será um crítico como os demais. Ele está decidido a escapar das "enfermidades humanas e [das] fatalidades do ambiente em que se movem os juízes dramáticos [10]". Recusa-se a respeitar as situações adquiridas, o companheirismo, nascido de relações entre confrades, enfim a indiferença absoluta, a longa experiência de que a franqueza não

6. *Le Naturalisme au théâtre*, ed. cit., c. XI, p. 275.
7. *Ibid.*, p. 275.
8. *Ibid.*, p. 104.
9. *Ibid.*, p. 313.
10. *Ibid.*, p. 309.

serve para nada [11]". Contesta até as condições em que a crítica é exercida, "a febre do jornalismo informativo [12]": "É preciso agora que os leitores tenham, no dia seguinte mesmo, uma resenha das novas peças. A representação termina à meia-noite, o jornal sai à meia-noite e meia e o crítico é obrigado a entregar imediatamente um artigo de uma coluna. Necessariamente este artigo será escrito depois do ensaio geral ou então redigido às pressas no canto de uma mesa de redação, os olhos pesando de sono. Compreendo que os leitores se deleitem em conhecer imediatamente a nova peça. Mas, com este sistema, qualquer dignidade literária é impossível. O crítico não passa de um repórter: seria melhor substituí-lo por um telégrafo, que chegaria mais rápido. Pouco a pouco as resenhas se tornam simples boletins. A curiosidade do leitor é lisonjeada, excitada e contentada [13]". A crítica vai a reboque do público hipotecado: contenta-se "com os boatos cotidianos, as preocupações dos bastidores, as frases feitas, as ignorâncias e as bobagens [14]". Tornou-se um auxiliar do sistema teatral vigente. Não faz senão trazer água para o moinho: "Como é difícil saber quem começa a se enganar, a crítica ou o público. Aliás, assim como a crítica pode acusar o público de conduzi-la a complacências desagradáveis, o público pode fazer o mesmo tipo de recriminação à crítica. Daí resulta que o processo permanece pendente e a confusão aumenta. Os críticos afirmam, com uma aparência de razão: *As peças são feitas para os espectadores, devemos louvar as que os espectadores aplaudem.* O público, por sua vez, pede desculpas por gostar de peças tolas, afirmando: *Meu jornal diz que esta peça é boa, vou vê-la e aplaudi-la.* E assim a perversão se torna universal [15]".

Zola procura manter-se afastado deste círculo vicioso. Sua *Revue Dramatique* (que no *Le Voltaire* passará a ser *Revue Dramatique et Littéraire*) é um folhetim hebdomadário. Zola não falará de tudo, não escreverá crítica sobre todo e qualquer espetáculo:

11. *Ibid.*, p. 310.
12. *Ibid.*, p. 311.
13. *Ibid.*, p. 311.
14. *Ibid.*, p. 313.
15. *Ibid.*, p. 312.

"Freqüentemente desenvolvia teorias sobre arte dramática e sobre o romance experimental, em vez de desperdiçar o espaço de que dispunha, no rodapé do jornal de domingo, em favor de alguma insípida revista ou de algum drama barroco. Zola pedia-me então para dar corpo a minha correspondência teatral quotidiana suficiente para informar o público e fazer as vezes de resenha [16]". Ele recusa "esta tarefa de tabelião" que consiste em informar o público mesmo quando a peça é "absolutamente nula". Não se trata de desprezo em relação ao público, nem da arrogância de um folhetinista célebre diante de um obscuro colunista [17]. É a recusa de se deixar aprisionar no pequeno mundo fechado do teatro existente. É a afirmação do poder e do papel de uma verdadeira crítica dramática, que só poderia ser uma crítica global da atividade teatral.

*A favor dos teatros*

Voltemos ao ponto de partida da reflexão de Zola: esta contestação radical do teatro, ou ao menos de um teatro que seria "um domínio à parte, onde só homens dotados de qualidades providenciais [aqueles que desde o nascimento possuíssem o *dom* teatral] podem se aventurar, "um santuário no qual se penetra com senhas" ou que se resume "em uma máquina particular, que funciona de determinada maneira, uma máquina exemplar, de cujo modelo de fabricação não devemos nos afastar sob pena de obtermos apenas uma máquina velha [18]". Sem dúvida é preciso considerar, nestas fórmulas, a polêmica que Zola trava contra Sarcey e contra a "peça feita". Mas semelhante polêmica não é acessória: lança os fundamentos da crítica de Zola.

Para Sarcey "não existem... teatros, existe o teatro [19]". Para Zola acontece exatamente o contrário:

16. EDMOND LAPELLETIER. *Emile Zola, sa vie, son oeuvre*, Paris. 1908. Citado por Lawson A. Carter, p. 63.
17. Sabe-se que foi nesta época que Zola comprou sua casa em Médan (1878). Quando aí residia, não podia assistir a todas as estréias parisienses. Então Henry Céard ocupava sua poltrona e lhe enviava notas sobre o espetáculo. Zola redigia seu artigo a partir destas notas.
18. *Documents littéraires*, "La Critique Contemporaine V", ed. cit., v. XII. p. 482. Este artigo foi primeiramente publicado em *Le Messager de l'Europe* em fevereiro de 1877 e depois editado em partes no *Bien Public* durante 1877. Citado por Lawson A. Carter, p. 82.
19. *Ibid.*, p. 482.

"O teatro! Aí está o argumento da crítica. Teatro é isto, teatro é aquilo. Ah, meu Deus! Não vou parar de repetir: eu vejo muitos teatros, não vejo o teatro. Não existe o absoluto, nunca! Em nenhuma arte! se existe um teatro é porque foi criado ontem por uma moda que amanhã será superada por outra [20]". "Toda vez que alguém quiser encerrar-vos num código declarando: *Isto é teatro, isto não é teatro,* é preciso responder decididamente: *O teatro não existe, o que existe são teatros, e eu busco o meu* [21]".

Por certo agora que já se passou quase um século, podemos opor ao teatro naturalista exatamente os mesmos argumentos que Zola usava para atacar a "peça bem feita" segundo Sarcey. Henry Bernstein (que foi descoberto por Antoine) e mesmo Édouard Bourdet, hoje nos aparecem como encarnações de Alexandre Dumas Filho. E seria sempre útil analisar este ou aquele sucesso do *Boulevard* de hoje, da maneira como Zola propunha analisar *Os Danicheff,* de Krukowskoi e Dumas Filho, ou seja "como se analisa um sal químico, separando seus elementos [22]". O diagnóstico estaria, freqüentemente, bastante próximo do diagnóstico de Zola sobre *Os Danicheff*: "Uma peça russa suficientemente afrancesada para ser compreendida e aplaudida pelo público parisiense. Uma destas porcelanas do Japão montada sobre um pedestal de zinco dourado, por um de nossos hábeis operários, destinada aos burgueses do Marais [23]". Muitas das peças de tese ou das peças filosóficas de nosso imediato pós-guerra sucumbem sob o veredicto pronunciado por Zola contra Dumas Filho: "Não é um canto da vida ordinária que o senhor Dumas representa; é um carnaval filosófico no qual vemos saltar vinte, trinta, cincoenta pequenos Dumas, disfarçados de homens, mulheres, crianças, usando perucas de acordo com as idades e segundo as condições de cada um [24]". Mais: as objeções que Zola endereça ao drama romântico são as que hoje formulamos diante do que podemos

20. *Le Naturalisme au théâtre,* ed. cit., v. XI, p. 294.
21. *Ibid.*, p. 519.
22. *Nos auteurs dramatiques,* ed. cit., v. XI, p. 632.
23. *Ibid.*, p. 634.
24. *Documents Littéraires,* "Reception de M. Dumas fils à l'Académie française", ed. cit.., v. XII, p. 428. Citado por Lawson A. Carter, p. 90.

chamar, no sentido mais amplo do termo, de drama naturalista (de Becque a Sartre, passando por Ibsen, O'Neill e Arthur Miller). Certamente não porque os heróis deste teatro sejam apenas, como escreve Zola, heróis românticos, "heróis trágicos, picados pela tarântula do carnaval numa terça-feira gorda, fantasiados com narizes falsos e dançando um *can-can* dramático depois de muito beber [25]". Mas porque, disfarçados de maneira totalmente diferente, sacrificam a tantas outras convenções. Uma retórica naturalista veio substituir as que a precederam: a clássica e a romântica — esta última, segundo Zola, não passando de "uma retórica nervosa e sanguínea" que "o movimento de 1830" substituiu à "retória linfática [26]" dos clássicos. Talves ela seja mesmo ainda mais suspeita do que as outras duas, na medida em que pretende colocar em cena, tais como são e de uma vez por todas, "o homem e a natureza".

A miragem de um teatro naturalista que teria assegurado sobre o tablado o definitivo advento de um "mundo vivo [27]", definido por oposição ao "mundo literário", está agora dissipada. Sabemos, desde a *reação simbolista* e, mais precisamente, desde Gordon Craig, Meyerhold e Bertolt Brecht, que para descrever ou relatar o real, o teatro deve, em primeiro lugar, assumir-se como teatro. Esgotar-se no desenho de uma quarta parede invisível, com efeito, era encurralá-lo no absurdo" ou torná-lo "prisioneiro da oficina de acessórios [28]". Por isso, Meyerhold pôde retomar a seu modo a fórmula de Briussov: "Da inútil verdade do palco contemporâneo, apelo para a convenção consciente do teatro antigo [29]" e opor a um impossível teatro de ilusão um teatro de alusão. Brecht, enfim, denunciou de maneira decisiva o amálgama (que freqüentemente continuamos a fazer) entre teatro naturalista e teatro realista: "Se hoje queremos fornecer

---

25. *Le Naturalisme au théâtre*, ed. cit., p. 281.
26. *Ibid.*, p. 281.
27. *Ibid.*, p. 303.
28. Vsevolod Meyerhold, *Le Théâtre théâtral*, tradução e apresentação de Nina Gourfinkel, coleção Pratique du théâtre, Paris, Gallimard, 1963, p. 28.
29. *Ibid.*, p. 42.

reproduções realistas da vida social, é indispensável restabelecer o teatro em sua realidade de teatro [30].

*Uma realidade romanesca*

Entretanto, olhando um pouco mais de perto, a imagem de um Zola crítico dramático que sacrifica tudo à ideologia do "real" naturalista deve ser retocada. Em primeiro lugar, longe de aferrar-se ao que chama de "teatro de ação" ou "peças de situações [31]", Zola reivindica uma volta a um "teatro de lógica e de literatura" como foi o teatro de nossa idade clássica: "É preciso ver o teatro como eles [os clássicos] o viam, como uma moldura onde o homem interessa mais que tudo, onde os fatos não são determinados senão pelos atos, onde o tema eterno é unicamente a criação de figuras originais conflituadas sob o látego das paixões. A única diferença, a meu ver, seria essa: a tragédia generalizava, acabava produzindo tipos e abstrações, enquanto que o drama naturalista moderno deveria individualizar, descer à análise experimental e ao estudo anatômico de cada ser [32]". O teatro sonhado por Zola faz apelo à natureza através de um intermediário: é através do romance do século XIX, através das obras de Balzac, de Flaubert, e de suas próprias obras, que Zola pretende transportar a realidade para o palco. Esta realidade é uma realidade já elaborada: ela se tornou literatura romanesca. A este ponto Zola volta constantemente: a ruptura que deplora não é tanto a ruptura entre o "mundo vivo" e o "mundo literário", mas, sobretudo, a que se consumiu lentamente entre o "mundo particular" do teatro e do mundo do romance. Este, sim, permanece aberto para a sociedade, reflete, descreve e analisa esta sociedade. A primeira tarefa seria restabelecer uma passagem entre o romance e o palco. Afirma, se não a identidade, ao menos a convergência da escrita romanesca e da escrita dramática. Foi precisamente o que Zola se esforçou em realizar quando adaptou *Teresa Raquin*: "Segui o romance passo a passo; en-

---
[30]. BERTOLT BRECHT, *Écrits sur le théâtre*, texto francês de Jean Tailleur, Gérald Eudeline e Serger Lamare, Paris, L'Arche, 1963, p. 213.
[31]. *Nos auteurs dramatiques*, ed. cit., v. XI, p. 583.
[32]. *Ibid.*, p. 583.

cerrei o drama no mesmo quarto úmido e negro, a fim de nada suprimir de seu relevo, nem de sua fatalidade; escolhi comparsas tolos e inúteis para, sob as angústias atrozes de meus heróis, colocar a banalidade da vida de todos os dias; procurei continuamente restaurar, na encenação, as ocupações ordinárias de meus personagens, de tal forma que sejam por eles não *representadas,* mas, sim, *vividas* diante do público[33]". A vida "tal como ela é", segundo Zola, é portanto a vida tal como a descrevem os romancistas do século XIX. A ilusão do verdadeiro é também o triunfo da literatura.

As numerosas e belíssimas páginas que Zola dedica ao papel do cenário são significativas deste constante deslizar entre o real e a matéria romanesca. Zola afirma que os cenários "assumiram no teatro a importância que a descrição ocupa nos romances[34]" e logo deduz que devem servir "à análise dos fatos e dos personagens[35]": "Todo cenário acrescido a uma obra literária como um bailado, unicamente para tapar um buraco, é um expediente deplorável. Ao contrário, é preciso aplaudir quando o cenário exato se impõe como o ambiente necessário da peça, sem o qual ela ficaria incompleta e não seria mais compreendida[36]". Assim ele sonha com uma representação de *Eugênia Grandet* na qual "seria necessário que, desde que a cortina fosse erguida, o espectador acreditasse estar na casa do pai Grandet; seria preciso que as paredes e os objetos se juntassem ao interesse do drama, completando os personagens como a própria natureza faz[37]".

*A obra cênica*

Daí decorre uma segunda conseqüência, a nosso ver essencial: o cenário, assim concebido, não é mais um cenário. Faz parte integrante da obra teatral e faz com que, ao mesmo tempo, ela adquira outra dimensão. Deixa de ser somente literária, dramática: se torna cênica. Que o acessório possa assim ser "elevado

33. *Théâtre,* ed. cit. v. XV, prefácio de *Thérèse Raquin,* p. 123.
34. *Le Naturalisme au théâtre,* ed. cit., v. XI, p. 339.
35. *Ibid.,* p. 339.
36. *Ibid.,* p. 339.
37. *Ibid.,* p. 339.

ao papel de personagem principal [38]" não é apenas uma questão de mais ou menos realidade (bruta ou romanesca) introduzida no palco: é, efetivamente, o signo de uma profunda mutação na atividade teatral, de uma nova definição desta para além do mito naturalista de um teatro que reproduzisse totalmente o real.

É o que nos sugere Zola a propósito da escada de *Chatterton*: "Eu diria mesmo que esta escada não é desculpável, do ponto de vista das teorias teatrais. A peça não tem nenhuma necessidade dela, ela está ali apenas pelo pitoresco. Nenhuma frase do drama e nenhuma indicação do autor se referem a ela. [...] Dizem que a escada é uma invenção, um achado de Mme Dorval. Esta grande atriz, que certamente possuía um senso dramático bastante desenvolvido, deve ter sentido a pobreza cênica de *Chatterton* e não sabia como dramatizar esta monótona elegia. Então, possivelmente teve uma inspiração: imaginou a escada. E acrescento que somente um espírito acostumado aos efeitos cênicos poderia inventar um acessório cujo êxito foi tão prodigioso. No meu ponto de vista, é a escada que representa o papel mais real e mais vivo no drama [39]".

Assim esta escada modifica a peça. E a constatação que a partir daí elabora Zola nos conduz a uma modificação radical de nossa concepção de teatro e de sua crítica. Os pressupostos ideológicos do naturalismo explodem. Pretender instalar o real (mesmo o real romanesco) no palco, não é instituir uma falaciosa e impossível identidade entre teatro e realidade: é colocar totalmente em questão toda a atividade teatral. É romper com o teatro concebido como simples tradução cênica de uma obra dramática que existiria em si, segundo regras fixadas uma vez por todas e independentemente das condições materiais de sua representação. É conceber a crítica não mais como a expressão antecipada do julgamento do público, mas como uma reflexão sobre o fato que constitui a própria representação. É passar da imitação ideal da natureza, primeiro mandamento da idade clássica, à criação de uma nova natureza, através dos meios específicos da expressão teatral. Por um singular paradoxo,

38. *Ibid.*, p. 512.
39. *Ibid.*, p.512-513.

o ilusionismo naturalista cedo se transforma em seu contrário: a recusa de toda ilusão, de toda reprodução do real. A mesma mutação se produziu no domínio da pintura: animados pela vontade de "pintar sobre o motivo", os impressionistas pouco a pouco foram levados a substituir o quadro pelo modelo. A pintura figurativa termina exatamente no momento em que pretende "ligar-se" à realidade - então é a própria pintura que se torna realidade.

*Uma nova dimensão*

Zola é o primeiro testemunho de uma ruptura decisiva no exercício do teatro. Assim, sua recusa do "teatro" ganha todo o seu sentido. Só existe um teatro, mais ou menos nobre, melhor ou pior realizado: existem maneiras diferentes de fazer teatro, cada uma comportando um código de convenções. O espetáculo feérico pode ser o "gazear da imaginação[40]": "[...] O encanto do feérico está para mim na franqueza da convenção, ao passo que, ao contrário, me irrita a hipocrisia desta convenção na comédia ou no drama[41]". O que importa é que a obra seja primeiramente fiel a suas próprias leis, que são as leis de um gênero, não do teatro em si: "A qualidade deste drama (*A Torre de Nesle*) é de ser uma peça típica, contendo a mais completa fórmula de uma forma dramática particular. Em literatura, tanto no teatro como no romance, a obra que permanece é a obra intensa que o escritor levou o mais longe possível num determinado sentido. Ela permanece um padrão, a manifestação absoluta de uma certa arte em uma certa época[42]". A crítica deve pois compreender o espetáculo levando em consideração o público ao qual este espetáculo se destina: "Se procurássemos caracterizar as épocas literárias do século XVII e do nosso, seria necessário estudar dois públicos diferentes[43]". Pois o teatro é exatamente uma "educação literária e social[44]" deste público — digamos mesmo, destes públicos. O que não quer dizer

40. *Ibid.*, p. 498.
41. *Ibid.*, p. 500.
42. *Ibid.*, p. 516.
43. *Nos auteurs dramatiques*, ed. cit., v. XV, p. 574.
44. *Ibid.*, p. 667.

que o teatro deva comportar uma tese, um ensinamento determinado: "Todas as grandes obras colocam teses sociais, mas não as discutem nem resolvem[45]". E a crítica tem a função de descrever, de explicar não apenas a peça, mas também a acolhida que a mesma recebe por parte do público: "Nada me interessa tanto como a maneira segundo a qual uma platéia se comporta diante de uma obra dramática[46]". Teatro e público são inseparáveis: é preciso examinar um e outro.

Da mesma forma, a peça e sua execução cênica estão intimamente ligadas. Cenários e figurinos fazem parte integrante do espetáculo e constituem o fato teatral, assim como o texto e a representação dos atores. Esta tomada de consciência da unidade da representação fornece o fundamento da diligência crítica de Zola. Testemunha disso é a forma como organizou seus dois livros, *O Naturalismo no Teatro (As Teorias* e *Os exemplos)* e *Nossos Autores Dramáticos* (cujas análises são, de certa forma a aplicação dos princípios enunciados e ilustrados no primeiro volume). Zola não reuniu seus artigos segundo uma ordem cronológica, como uma coleção de reflexos da vida teatral. Tampouco compôs um tratado de estética que definiria *a priori* a atividade teatral. Seus dois livros, que agrupam crônicas publicadas semanalmente segundo uma linha poderíamos chamar "experimental", nos remetem a uma concepção fundamentalmente nova da atividade teatral.

Além do mito naturalista da vida levada "como ela é" para o palco, além mesmo do convite de realizar no teatro este alargamento das perspectivas psicológicas e sociais que o romance do século XIX exemplificou, o que Zola descobre é uma outra dimensão do teatro: a dimensão da encenação moderna. Na filigrana de todos os seus textos podemos ler a autonomia da representação teatral em relação aos elementos que a constituem (texto, atores, cenários...): é enquanto conjunto — ou seja, ao nível da encenação — que toda representação adquire um significado próprio. É possível ler ainda sua dependência em

45. *Ibid.*, p. 655.
46. *Ibid.*, p. 720.

relação ao público ao qual se destina: fazer teatro não é se dirigir a qualquer pessoa ou a todo mundo. É se dirigir a espectadores precisos, a um público real e contemporâneo.

O primeiro encenador francês procede diretamente de Zola: será Antoine que, em 1887, organizará o Theâtre Libre [47]. Infelizmente a crítica dramática não seguirá a escola do *Naturalismo no Teatro*. Ainda hoje uma crítica global da representação teatral, que possua um "método" e um "objetivo", nos faz uma falta cruel.

---

47. Lembremos esta fórmula de Zola: "O teatro é livre", *Le Naturalisme au théâtre*, ed. cit., v. XI, p. 521.

## 3. AS DUAS CRÍTICAS

Conhecemos a função tradicional da crítica dramática: policiamento estético, constatação e, sobretudo, publicidade. Durante todo o século XIX e também nos dias de hoje, alguns críticos se consideram como os guardiães das leis do Teatro (teatro com T maiúsculo). Foi, por exemplo, o caso de Franciscque Sarcey que, na França, exerceu uma verdadeira legislatura. Ele foi ao mesmo tempo o guardião da "peça bem feita" e o juiz da correta execução do espetáculo. Sua crítica repousava numa certa concepção da essência do teatro e considerava o espetáculo como a tradução cênica de uma realidade específica que existe fora dele. Estas noções estão aparentemente ultrapassadas, mas ainda hoje, mais ou menos conscientemente, são utilizadas por muitos críticos. Enfim, Sarcey assegurava a publicidade do espetáculo: era ele quem fazia o público ir ou não ir ao teatro. Entre um tal crítico e o público existia um acordo tácito: ambos pertenciam ao único mundo para o qual se fazia teatro, ao mundo burguês. Assim, o crítico encarnava idealmente o espectador médio exemplar [1]. Era ele quem "degustava" o espetáculo. Podia decretar, exatamente como um bom degustador de vinhos, que aprecia as safras segundo os anos de produção: "Barrault 47 é muito bom, mas Barrault 57, foi um mau ano".

Evidentemente esta espécie de crítica está em vias de desaparecer. Mas ainda continua a ser praticada e a desempenhar um papel que está longe de poder ser negligenciado. Jean-Jacques Gautier, do *Figaro*, é exatamente um crítico deste tipo. De nada adianta vilipendiá-lo nem fazer dele o bode expiatório de todas as crises do nosso teatro. A questão é saber de que teatro se trata. Não é Jean-Jacques Gautier que é feroz e mau: ele exerce perfeitamente sua função, segundo sua concepção de teatro. É esta concepção que podemos e devemos pôr em questão.

*Transformações capitais*

De Sarcey até hoje a atividade teatral foi fundamentalmente modificada. Em primeiro lugar, passou-se da execução cênica à criação teatral. Ora, na maior parte dos casos, a crítica não compreendeu o que foi, o que representa ainda hoje, na atividade teatral, o aparecimento da encenação moderna. O paradoxal é que este fenômeno ainda não foi "integrado" pela crítica e, no entanto, já se fala no reino do encenador como ultrapassado. A crítica ainda vê no encenador apenas um executante superior. O aparecimento da encenação produziu uma noção nova: a de *teatralidade*, em certo sentido como oposição à idéia do teatro como um gênero particular e também como oposição

---

1. "Aliás, eu sei, o senhor Sarcey não possui nenhuma outra idéia a respeito do teatro, ele o julga do ponto de vista da consumação corrente do público". EMILE ZOLA em *Le Naturalisme au Théâtre, Oeuvres Complètes*, Paris, edição estabelecida sob a direção de Henri Mitterand, Cercle du Livre Précieux, 1968, v. XI, p. 476.

à idéia da "peça bem feita"... Ora, a crítica nem sempre levou em consideração esta teatralidade, à qual corresponde, no domínio literário, e sabemos com que êxito em nossos dias, a noção de *literalidade*. Critérios internos não são suficientes para definir a atividade teatral. Ela é também função de critérios externos. Fazer teatro é dirigir-se sempre a alguém, mais exatamente a um grupo ou a uma coletividade, numa situação política e social precisa. Também neste terreno houve uma evolução considerável. Por um lado o público ao mesmo tempo cresceu e se diferenciou: hoje não mais existe um único público — aquele público burguês em nome do qual falava a crítica do século XIX — mas, sim, *vários públicos*. Por outro lado, o teatro se descentralizou. Ora, essa descentralização coincidiu com uma centralização da imprensa e, ao menos na França, com o desaparecimento progressivo de uma imprensa regional autônoma. Enfim, a noção de espetáculo considerado isoladamente foi substituída pela noção do empreendimento teatral: tornando-se assinantes, os espectadores passam a se comprometer não apenas para uma noite mas para uma série de representações. Uma outra forma de diálogo se estabelece entre teatro e espectadores, entre a comunidade teatral e a coletividade. As relações teatro-público não mais se limitam às relações que, no espaço de uma representação, se estabelecem entre palco e platéia. Agora se tornam mais contínuas. O crítico era o crítico de um espetáculo. Agora deve comentar uma sucessão de espetáculos. À descontinuidade sucede uma certa continuidade. Antes, era o crítico que regia a relação palco-platéia que cada peça tornava possível; agora, ele deve encontrar seu lugar numa organização mais ampla: a das relações duráveis entre duas comunidades.

*A inércia crítica.*

Uma certa maneira de exercer a crítica dramática chega, portanto, a seu fim. Nos jornais, sobretudo nos jornais diários, a coluna de teatro cada vez importa menos. No século XIX os críticos importantes dispunham do que se chamava um "rodapé", ou seja, a parte de baixo de uma página: ali publicavam um longo artigo semanal, não necessariamente dedicado a um espetáculo. Podia consistir também num conjunto de reflexões gerais. Eram os colunistas que, dia-a-dia, comentavam os espetáculos. Hoje os críticos cada vez mais são transformados em colunistas: às vezes chegam a escrever até mesmo um artigo por dia. Mas suas posições, na equipe dos jornais, está desvalorizada: significam menos que os repórteres esportivos e no máximo um pouco mais que aquele que escreve a coluna dos cães atropelados. O espaço reservado a seus artigos também diminuiu. Único entre os críticos de Paris, Jean-Jacques Gautier permanece uma personagem considerada em seu jornal, como antes havia acontecido com Sarcey. É que ainda existe uma adequação entre seu gosto próprio, o gosto de seus leitores e um certo setor do teatro de Paris (citemos por alto o teatro de *boulevard* — de Grédy e Berrillet a Anouilh, e mesmo Ionesco). Em compensação um outro crítico, o do *Le Monde*, teve seu papel diminuído: isso nada tem a ver com sua personalidade, com suas qualidades ou defeitos, mas refere-se ao fato de que os leitores do *Le Monde* são hoje menos homogêneos que os leitores do *Figaro*. E não constituem a clientela de um único setor do teatro. Paradoxalmente este fato está também relacionado com a vontade de informação e de abertura do referido crítico.

Hoje a crítica freqüentemente funciona como um freio. Ela permanece na retaguarda da evolução do teatro. Em vez de descobrir as novas experiências teatrais, não faz mais do que consagrá-las depois que tenham sido descobertas. Desde 1950 a crítica da grande imprensa se dedica somente a avaliar a vanguarda dos anos cinqüenta, a descentralização, a influência brechtiana e o teatro de expressão corporal. E sempre com um notável atraso em relação aos acontecimentos.

*Uma outra crítica*

Dever-se-ia então concluir que a crítica é inútil? Isto seria um paradoxo no momento em que em outras artes e sobretudo em literatura, a crítica desempenha um papel cada vez mais considerável, onde a atividade crítica se tornou parte integrante da criação literária. Face a uma crítica de consumo (que é cada vez mais substituída pela publicidade), uma outra crítica é possível e necessária. Ela será ao mesmo tempo crítica do fato teatral como fato estético e crítica das condições sociais e políticas da atividade teatral. Vamos defini-la de um lado como crítica semiológica da representação teatral e de outro lado como crítica sociológica da atividade teatral. Neste caso o crítico se encontraria numa posição nova em relação ao teatro. Estaria igualmente dentro e fora. É possível encontrar uma aproximação desta função naquilo que os alemães chamam "dramaturgo". Sem dúvida podemos ter dúvidas sobre o trabalho de alguns "dramaturgos" nos dias de hoje. Mas a exigência de um verdadeiro trabalho dramatúrgico se faz sentir cada vez mais. E que é este trabalho dramatúrgico senão uma reflexão crítica sobre a passagem do fato literário ao fato teatral? Uma espécie de crítica antecipada. Aqui o vínculo entre uma nova definição da crítica e o aparecimento da encenação moderna aparece com clareza.

Mas o crítico pode ter ainda um outro papel: o de educar o público. Não no sentido acadêmico da palavra, mas iniciando-o na linguagem teatral, fazendo-o refletir em sua função: a função de público. Brecht gostava de afirmar que existem pelo menos três artes no teatro: a arte do autor, a arte do ator e a arte do espectador. O crítico pode ser aquele que ensinará ao espectador a arte de ser espectador.

Quanto ao mais, estas duas faces de uma atividade crítica são complementares: elas se reúnem numa reflexão sobre a fato teatral global. Aqui, reencontram a própria atividade teatral considerada como representação das representações que nós nos fazemos de nossa sociedade, como crítica vivida destas representações — em resumo, como crítica de nossa ideologia. Somente admitindo a hipótese de que o teatro pode confundir-se com a realidade, torna-se plena e exclusivamente ação, é que toda crítica seria impossível. É um pouco o que se passa com o Living Theater: fica-se incondicionalmente a favor ou contra. Neste caso não existe mais lugar para a crítica. Mas o teatro que efetivamente desejo não é aquele que aspira à ação direta nem aquele realizado por uma pequena comunidade fechada nela mesma: é um teatro de representação e de reflexão sociais. Numa atividade teatral desta espécie, a crítica possui um papel capital a representar. Ela é parte integrante da mesma. É um fator essencial de sua dinâmica: o motor deste teatro dialético do qual nos falava Brecht.

## II. A ERA DA ENCENAÇÃO

## 4. A ENCENAÇÃO, UMA NOVA ARTE?

"A encenação — declarava Antoine em 1903 [1] — é uma arte que acaba de nascer; e nada, absolutamente nada, antes do último século, antes do teatro de intriga e de situações, havia determinado sua eclosão." Hoje o reinado do encenador está definitivamente imposto. E a encenação surge como o setor mais privilegiado e mais vivo da atividade teatral contemporânea.

Quando falamos de um espetáculo, é o nome do encenador, mais do que o do intérprete principal ou mesmo do que o do autor, que é colocado em primeiro plano: nos referimos ao *Tartufo* de Louis Jouvet,

[1]. ANDRÉ ANTONIO, Causerie sur la mise en scène, em *Revue de Paris*, 1.4.1903.

ao de Roger Planchon, ao *Galileu* de Giorgio Strehler ou ao *Rei Lear* de Peter Brook... Em quase todos os lugares as companhias teatrais constituídas em torno de um ator-vedete cederam lugar a grupos fundados por um encenador e por ele dirigidos. Desde sua origem o Théâtre National Populaire foi o grupo de Jean Vilar e não o grupo de Gérard Philipe, apesar da importante parte que este desempenhou em seus primeiros sucessos. Foi em torno de Guy Rétoré, encenador e não ator, que se formou o Guilde. E quando, no vocabulário oficial dos Negócios Culturais, emprega-se a denominação de "animador" (de uma jovem companhia, por exemplo) estamos na verdade nos referindo ao encenador, não ao diretor da empresa, ao administrador ou ao ator. Em toda Europa Ocidental só na Itália é costume os atores se reunirem para constituir um grupo próprio e só posteriormente se preocuparem em encontrar alguém para dirigir este ou aquele espetáculo.

Ainda no século XIX era muitas vezes um ator que, segundo suas afinidades, gostos literários pessoais ou segundo a autoridade que tinha sobre seus companheiros, se encarregava da organização material do espetáculo, daquilo enfim que chamaremos sua "direção" (ou então esta função era assumida pelo cenógrafo, pelo diretor do teatro ou pelo maquinista-chefe). Hoje esta confusão de funções não mais existe: a encenação não vem se acumular a outra função, não é tarefa de um ator ou de um técnico que apanha a parte do leão no espetáculo. É uma atividade em si, geralmente, assumida por alguém que a ela se dedica integralmente, excluindo-se de qualquer outra tarefa. Mesmo quando é um ator que monta o espetáculo, não age mais na qualidade de protagonista da peça ou de decano do grupo, mas sim, na qualidade de encenador: não mais organiza o espetáculo em torno de sua interpretação; adapta-a, ao contrário à concepção geral que ele tem da obra. Ao mesmo tempo que se multiplicaram as funções técnicas (o cartaz do TNP menciona ao menos vinte técnicos, entre os quais o "diretor geral", o "diretor de cena", o "cenógrafo", o "diretor de iluminação", o da música e o do som...), um único homem se transformou, além de ser sempre o diretor do teatro (o que, aliás, acontece hoje em numerosos casos — isso quando não é encarregado, ainda, de dirigir a "casa de cultura"), naquilo que Gordon Craig chamava "o mestre do palco", ou mesmo o "artista do teatro futuro", com o qual sonhava [2].

A história do teatro contemporâneo aparece mais como a história dos encenadores do que dos autores e dos atores. Os nomes de Antoine, Craig, Jacques Copeau, Stanislávski, Meyerhold ou Erwin Piscator estão ao lado dos nomes de Tchekhov, Paul Claudel, Máximo Górki ou Luigi Pirandello. Não podemos separar uns de outros: o que teria sido Giraudoux sem Jouvet? O trabalho de Brecht é significativo desta promoção do encenador ao domínio da criação artística: em Brecht, encenação e composição dramática estão ligadas, não podem ser separadas. Para ele escrever uma peça e encená-la eram dois movimentos de um único e mesmo ato. A extraordinária influência exercida nos últimos dez anos pelo Berliner Ensemble sobre todo o teatro europeu, em grande parte, vem deste fato: em seus espetáculos a realização cênica não resulta somente de um equilíbrio ou de uma unidade do texto à iluminação, passando pela interpretação dos atores — possui coerência e significação próprias. Não se limita a traduzir: explica. Então a representação teatral constitui realmente uma obra autônoma — uma obra cujo autor é o encenador.

A realização cênica não estaria hoje mais adiantada que a criação dramatúrgica? Distinguindo entre o que chama "escrita dramatúrgica" e "escrita cênica", Roger Planchon gosta de afirmar que, durante os últimos cincoenta anos, a última progrediu mais rapidamente que a primeira. Isto, segundo ele, explica a crise do teatro contemporâneo, que não disporia de textos modernos adaptados às formas cênicas novas (daí recorrer às obras clássicas, como as de Shakespeare, infinitamente mais ricas em virtualidades teatrais). Sem pretender tomar partido por esta hipótese, que barateia a ligação profunda, necessária, existente en-

---

2. EDWARD GORDON CRAIG, *De l'Art du Théâtre* — primeiro diálogo, escrito em 1905 — Paris, N.R.F., 1920 — nova edição, Paris, O. Lieutier, Librairie Théâtrale, 5.d.

tre estas duas "escritas", constantemente ao mesmo que é nos textos escritos por nossos encenadores, e não por dramaturgos, que se esboça, de forma mais ampla, a problemática do nosso teatro. Os artigos e as notas de Jouvet nos ensinam mais que os raros textos de Giraudoux. E se desejarmos fazer um levantamento da evolução da atividade teatral, digamos nos últimos oitenta anos, é preciso em primeiro lugar recorrermos às reflexões escritas pelos encenadores a respeito de seus próprios trabalhos. Antoine, Stanislávski, Meyerhold, Copeau, Vilar e muitos outros, não apenas fizeram, como também, em larga medida, escreveram, mais que os dramaturgos, a história do nosso teatro. Enfim, quando Brecht redige, durante toda sua vida, seus *Escritos sobre o teatro* está falando não tanto enquanto autor mas, principalmente, enquanto encenador. Ou antes, o objeto de sua reflexão não é nem o texto em si, nem a encenação por ela mesma, mas, sim, as relações que unem texto e encenação e o sentido que irá adquirir a obra em contacto com o palco, através da intervenção dos atores diante de um público dado, em circunstâncias históricas e sociais determinadas.

Uma vez constatada esta primazia do encenador, resta ainda colocar uma questão: o que significa a encenação nos dias de hoje? Trata-se somente de uma atividade técnica nova, que progressivamente se diferenciou das demais e cujo responsável adquiriu uma posição privilegiada? Ou é preciso ver em seu advento o resultado de uma mutação brusca que transformou o teatro, não apenas quantitativamente (aparição de um novo especialista) mas também qualitativamente? Em resumo, o encenador atual não passa de um técnico superior ou um artista? Deve-se falar da encenação como de uma simples atividade de coordenação ou como de um meio específico de expressão artística?

As inumeráveis definições de encenação que já foram propostas [3], são divergentes. E se separam, precisamente, no que se refere à sua especificidade

---

3. Um levantamento exaustivo se encontra na importante obra de ANDRÉ VAINSTEIN, *La Mise en Scène théâtrale et sa condition esthétique*, coleção Bibliothèque d'esthétique, Paris, Flammarion, 1955.

como arte ou técnica. Quando Littré vê na encenação apenas "os preparativos, os cuidados que exige a representação de uma peça de teatro", ou mesmo quando André Veinstein nos afirma que o termo encenação, entendido em sua acepção mais estreita, concerne "à disposição, num certo tempo e num certo espaço de jogo, dos diferentes elementos da interpretação cênica de uma obra dramática", procedem de uma forma que não retém, com maior ou menor precisão, senão o trabalho puramente material de coordenação. E fazem da atividade do encenador uma atividade técnica em meio a outras e das quais não difere senão pela extensão. Mas quando, ao contrário, Jacques Copeau descreve-a como a operação que assegura a passagem "de uma vida espiritual e latente, a do texto escrito, a uma vida concreta e atual, a do palco", não nos informa nada sobre o que é propriamente o trabalho do encenador. E atribui ao mesmo o papel de um médium presidindo a misteriosas metamorfoses.

Querer deduzir o estatuto da encenação moderna a partir de sua definição é colocar a carroça antes dos bois. Na verdade o que melhor nos pode informar sobre seu estatuto são as circunstâncias e modalidades de sua aparição.

Não caberia estudá-las pormenorizadamente aqui. Vamos nos contentar em sublinhar que a encenação, como a entendemos hoje, é de origem relativamente recente. Certamente fala-se de "encenação no teatro da Idade Média" ou no teatro clássico, mas é um abuso de linguagem. O próprio termo só adquiriu sua acepção atual no curso do século XIX. Antes "encenar" significava apenas adaptar uma obra literária, tendo em vista levá-la ao teatro: encenar um romance era extrair do mesmo um texto dramático.

Sem dúvida, analisando as formas antigas do teatro, podemos aí encontrar preocupações comparáveis às de nossos animadores (basta lembrar as de Molière, como ele mesmo se colocou em *O Improviso de Versalhes*) e até mesmo descobrir personagens encarregadas de funções análogas: por exemplo os "mestres de cerimônias" do teatro elisabetano, aos quais cabia, entre outras tarefas, "obrigar os [...] grupos a ensaiar diante deles". André Veinstein aliás, estabeleceu o quadro destes pré-encenadores ou de suas veleidades de encenação [4].

Mas se alguns homens de teatro do passado tiveram atividade e preocupações que poderiam parecer anunciar atividades e preocupações de nossos encenadores, o papel que desempenhavam era fundamentalmente outro. O objetivo do trabalho era diferente. Para eles tratava-se apenas de coordenar, da forma mais satisfatória, os diferentes elementos que concorriam para a realização do espetáculo, segundo critérios invariáveis e admitidos por todos (o bom gosto, o luxo... ou formas imemoriais). Para o encenador moderno, ao contrário, o próprio espetáculo, seu sentido e sua forma, é questionado cada vez: antes de coordenar, o encenador escolhe, decide.

Certamente alguns comentaristas, entre os quais Jacques Copeau e André Barsacq, viram no aparecimento do encenador apenas a conseqüência lógica da crescente complexidade dos espetáculos. A utilização de técnicas cada vez mais numerosas e cada vez mais especializadas, provocando o aumento do pessoal executivo dos teatros, teria tornado indispensável a intervenção de uma nova personagem, chamada para dar a última palavra sobre as atividades destes vários especialistas. Assim, a função do encenador não seria outra senão a de um regente encarregado de salvaguardar "a ordem objetiva do espetáculo [5]".

Ora, este argumento tecnológico é uma arma de dois gumes. Se é verdade que há um século o teatro faz apelo à técnicas novas e cada vez mais diversificadas da iluminação elétrica até a utilização do palco giratório, e do palco inclinável é também inegável que o progresso científico e industrial tornou cada vez mais simples a utilização destas técnicas: a instalação elétrica das salas modernas é sem dúvida extremamente complicada em sua concepção e fabricação, mas, precisamente por causa desta complicação, é igualmente de manejo muito fácil. Não acreditamos que a representação de uma ópera-*ballet* no século XVII, com sua "maquinaria", por exemplo, fosse mais sim-

---
4. Cf. o livro de ANDRÉ VEINSTEIN, já mencionado.
5. Esta definição foi dada por MARIE-ANTOINETTE ALLÉVY em seu estudo sobre *La mise en scène en France pendant la première du XIX siècle*, Paris, Droz, 1938.

ples de realizar, levando em conta os meios técnicos então disponíveis, do que um espetáculo luxuoso dos dias de hoje.

O primeiro encenador francês moderno foi André Antoine. Certamente sua preocupação principal não foi a de utilizar ao máximo as novas possibilidades técnicas. E com razão: o Théâtre-Libre começou em condições de extrema penúria. No princípio, para Antoine, não se colocava a questão de aperfeiçoar os materiais, na modesta sala do Élysée-Beaux Arts. Foi só mais tarde, no Théâtre Antoine, depois no Odéon, que tentou modernizar a infra-estrutura (ponderou mesmo a idéia de construir um teatro novo imitando o de Bayreuth). Mas já havia então se afirmado como encenador.

É que, como ele mesmo afirmou, seu trabalho então não mais visava apenas "fornecer uma justa moldura para a ação" — ou seja, uma moldura conforme à tradição ou às previsões do autor — mas, sim, visava "constituir a atmosfera da ação" e, sobretudo, "determinar seu verdadeiro caráter [6]".

Esta é a novidade radical e o que separa, de maneira decisiva, o encenador dos diretores de antes. Estes tinham somente a preocupação de apresentar as obras dramáticas segundo os legados da tradição ou tal como o público da época as imaginava (era regra, antes do século XIX, representar os clássicos não com roupas de época mas, sim, em trajes contemporâneos), prontos a lhes fornecer uma moldura luxuosa e a enriquecer o espetáculo, mas sempre sem colocar a peça em questão. O encenador se atém à própria obra: determina seu "verdadeiro caráter", isto é, faz com que seja representada não mais como tem sido comumente recebida, mas tal como ele, encenador, a concebe, como pretende que ela seja compreendida. Os primeiros buscavam apenas assegurar a unidade do espetáculo. O encenador se volta para seu sentido.

Além da introdução no teatro de uma nova função técnica o que acontece então é uma verdadeira

---
6. Cf. *La Causerie sur la mise en scène* de ANTOINE, já mencionada.

mutação. O advento do encenador provoca no exercício do teatro o aparecimento de uma nova dimensão: a reflexão sobre a obra. Entre esta obra e o público, entre um texto "eterno" e um público que se modifica, submetido a condições históricas e sociais determinadas, existe agora uma mediação.

Compreende-se a importância deste acontecimento. E a transformação que ele provoca na prática, e mesmo na concepção do teatro. É a partir dele que será possível definir a encenação moderna ao mesmo tempo como função destinada a salvaguardar a coerência do espetáculo e como meio de expressão artística. E daí poderíamos deduzir as tentações às quais o encenador corre o risco de sucumbir: reduzir seu trabalho a uma atividade de regente (quanto às intenções, é a menos freqüente; mas na prática muitas vezes encontramos seus vestígios) ou, ao contrário, aceder ao estatuto de criador absoluto e a partir daí negligenciar o texto, até mesmo suprimi-lo; ou então tratar os outros colaboradores do espetáculo, principalmente os atores, como puro e simples material.

No momento contentamo-nos em assinalar que se o encenador é sem sombra de dúvida, um artista, trata-se de um artista cuja missão é antes comunicar do que criar. Não apenas o encenador trabalha sobre dados já existentes e em larga medida invariáveis, como o texto e os atores, mas também se dirige a um público preciso e limitado: o público do seu teatro. Isso sem levar em conta o fato de que, pelas próprias condições de seu exercício, seu trabalho é mais coletivo do que estritamente individual.

Aqui se impõe uma comparação: o encenador não agiria da mesma maneira que o crítico, que também cria sua obra a partir de outras obras e numa troca constante e imediata com seu público? É possível sustentar esta tese e assim ver, em nossos melhores animadores, comentaristas em ação. Não é aliás, por acaso que o desenvolvimento atual do teatro como teatro de encenação, corresponde, em literatura, a uma verdadeira promoção da atividade crítica.

Enfim, o papel do encenador contribuiu bastante para transformar a concepção que se tinha na França de um teatro do povo ou de um "teatro popular". A princípio tratava-se de realizar esta "comunhão fraternal" dos homens do povo, de que falava Romain Rolland. E de promover "uma arte monumental feita para um povo, por um povo [7]". Hoje o teatro popular aparece antes como um teatro de reflexão — um empreendimento não tanto de atualização, mas de exame, de reavalização de nossa herança cultural. E este teatro se fundamenta realmente na encenação: os nomes de Jean Vilar, de Roger Planchon, de Jean Dasté, de Hubert Gignoux, de Gabriel Garran, de Guy Rétoré... o testemunham. Com eles o encenador moderno, ao mesmo tempo artista e técnico, está, em vias de afirmar o que talvez constitua sua mais profunda vocação: ser um educador popular.

---

[7]. ROMAIN ROLLAND, *Le théâtre du peuple. Essai d'esthétique d'un théâtre nouveau*, Paris, Albin Michel, 1913.

## 5. A ILUSÃO DA VIDA COTIDIANA

*El Nost Milan* \* aparentemente não passa de um documentário sobre a vida dos pobres de Milão por volta de 1890 [1]. Poderíamos mesmo falar de uma "fatia de vida", já que os três primeiros atos da peça [2]

\* EL NOST MILAN (*Os Pobres Diabos* de Carlo Bertolazzi; cenários de Luciano Damiani, figurinos de Ebe Colciaghi, música de Fiorenzo Carpi, numa montagem dirigida por Giorgio Strehler, do Piccolo Teatro de Milano, io Théâtre des Nations (Théâtre Sarah Bernhardt), em Paris

1. De fato, o espetáculo apresentado pelo Piccolo Teatro só compreende a primeira parte do díptico intitulado por Bertolazzi *Os Pobres Diabos* (a seguinte seria *Os Ricaços*), cuja criação, no Teatro Carcano de Milão, data de 1893.

2. O texto original de Bertolazzi compreendia quatro atos. Foi Strehler que juntou o segundo e o terceiro atos num só: o segundo da versão apresentada pelo Piccolo. Esta junção foi feita sem acarretar modificação profunda no texto. Foi determinada pela preocupação de Strehler em tornar a estrutura de *El Nost Milan* a mais coerente possível. Assim como por uma consideração de ordem anedótica: um dos atos

resultam de três cortes na existência do subproletariado milanês, realizados em lugares e em momentos distintos. O primeiro ato se passa no Tívoli, um parque de diversões populares, à noite; o segundo ato em um *cusinn economich,* a sopa dos pobres, ao meio-dia; e o último nos *asili notturni,* dormitório público de mulheres, pela manhã. Um lugar cada ato e apenas um momento — constituindo estes momentos, de certa forma, a vida de um dia, mas vivida de trás para diante. E a cada lugar, a cada momento, é atribuído um significado particular: o Tívoli é a distração, os únicos prazeres que os pobres se podem oferecer, uma vez terminadas suas respectivas jornadas de trabalho, um momento de liberdade à noitinha; a sopa popular é a alimentação, esta sopa grossa como uma pasta, que só se toma porque a fome é grande e porque serve para esquentar, mas é também o copinho de *grappa,* um simulacro de comunhão humana, algumas conversas, uma sesta rápida; ao passo que no asilo noturno, surpreendido ao alvorecer, na hora do despertar, não há lugar sequer para uma ilusão de liberdade: ali as pessoas não se falam entre si, já dormiram e estão se levantando, lavam-se com a água gélida e se vestem, vão à capela uns atrás dos outros... Depois só resta o exterior, onde não mais existe um teto. Do Tívoli a este "dormitório", passamos de uma liberdade certamente irrisória, porém ainda real, a liberdade do jogo e das festas populares, ao domínio da necessidade absoluta: a dos corpos que têm fome e necessidade de sono. O documentário de *El Nost Milan* nada tem de brutal: é deliberadamente constituído, segundo a mais rigorosa e a mais elementar das temáticas.

A esta organização espaço-temporal superpõe-se uma construção dramática singular e não menos rigorosa. Cada um dos três atos é construído conforme o mesmo esquema. Primeiramente é a coletividade que tem a palavra: as pessoas vão e vêm,

se passava, com efeito, no pátio onde outrora se sorteava a loteria e que, por coincidência, não é outro senão o pátio do próprio prédio onde está atualmente instalado o Piccolo Teatro, em Milão. Deste modo, Strehler quis evitar o efeito de um fácil pitoresco: o de ver reconstituído no palco o exterior de seu próprio teatro. Mas é evidente que as conseqüências desta modificação ultrapassam a simples troca de lugar: é a estrutura e a lógica da obra que resultam reforçadas, radicalizadas.

fragmentos de diálogo se esboçam e se desfazem, jamais estes monólogos interrompidos e alternados chegam a se completar, a formar coro. Em seguida surgem, sempre da mesma maneira inesperada, Nina, seu pai Le Peppon, e seu "sedutor", Togasso. Por alguns instantes o murmúrio coletivo e o drama individual se emparelham, mas logo o drama se sobrepõe ao múrmúrio e o substitui. Acrescentemos que a parte coletiva — não ouso dizer "coral" — em *El Nost Milan*, supera de longe, a história de Nina, já que Bertolazzi só dedica um quinto do texto a esta personagem. É preciso ressaltar ainda que, com exceção dos três protagonistas, nenhuma das personagens de *El Nost Milan* reaparece de um ato a outro: os comparsas do Tívoli não são os mesmos da sopa popular, nem os do asilo noturno — quando muito possuem ligações entre si, através de relações de vizinhança ou relações familiares. Deste modo a peça repousa num desequilíbrio. Bertolazzi, em vez de procurar fundi-los, ou estabelecer entre eles hábeis transições, ao contrário, procura ressaltar a disparidade entre os dois elementos básicos: a descrição de uma sociedade e a evocação de um drama individual.

O caráter harmonioso deste tipo de organização — que é acentuado pela fusão do segundo e do terceiro atos originais — deixa evidente que não se trata de acaso nem de falta cometida por uma dramaturgo principiante, que ainda ignoraria as "leis do *métier*". Qual é então seu significado? Tratar-se-ia apenas de fazer realçar o melodrama pelo documentário ou, ao contrário, o objetivo seria mostrar que a aventura de Nina pertence também ao documentário, que é nele que se desenvolve, e que não poderia desenvolver-se senão nele? Ou ainda, ao contrapor a história de Nina à existência da arraia-miúda milanesa, Bertolazzi estaria procurando mostrar a resignação e cegueira desta gente, em oposição à lucidez e à decisão de Nina? Todas estas hipóteses são plausíveis, mas não esclarecem a obra e muito menos a representação do Piccolo Teatro. A estrutura de *El Nost Milan* é mais complexa, ela é função do tempo, da duração do espetáculo. E é no desenrolar desta duração, na superposição de elementos heterogêneos, que caberá ao espectador descobrir seu verdadeiro significado.

Analisemos a peça mais de perto. Bertolazzi evoca diferentes tipos pertencentes ao subproletariado milanês, sem que nenhum se assemelhe a qualquer dos outros. E basta que Bertolazzi-Strehler nos apresentem em cena a um deles, mesmo por poucos minutos, para que saibamos quem ele é, o que faz e o que representa. Malgrado as aparências, não há aqui a menor procura do pitoresco: apenas a vontade de traduzir, através dos diferentes indivíduos, as modalidades diversas de uma situação social geral. Dos combatentes das guerras revolucionárias de 1848 que, através de lembranças e canções, revivem suas esperanças e decepções, até os operários pedreiros que discutem política (os russos... e o Bósforo), passando pelos pequenos artesãos, orgulhosos de sua irrisória independência, a galeria de tipos deste subproletariado é de uma amplitude excepcional. Não falta sequer a evocação dos camponeses que, vítimas do êxodo rural, vêm procurar trabalho em Milão e, como o herói de *Rocco e seus Irmãos* de Visconti, não conseguem se adaptar à vida da cidade, a seus lugares e costumes. Nem os trabalhadores vindos também do campo, já bastante adaptados, que não guardam de suas origens senão um respeito quase supersticioso por tudo aquilo que se relaciona com a religião e o papa.

O meio assim descrito e exemplificado não forma, no entanto, uma coletividade. Estamos em 1890, nos primórdios da revolução industrial no Norte da Itália. Ainda não existe um proletariado constituído enquanto classe. Aliás, ao invés de um subproletariado, antes deveríamos falar de um pré-proletariado. A feira, a sopa popular, o asilo noturno, são apenas lugares de encontro. Não são locais de reunião, nem constituem os crisóis onde se forja uma coletividade. Cada um entra, fica o tempo necessário para se distrair, comer ou dormir, e vai embora. Nada une fundamentalmente estas personagens. A solidariedade entre eles é apenas acidental: cristalizada em um casal de jovens camponeses desamparados, a solidariedade se expressa, num dado momento, motivada pela desgraça alheia. Mas não é mais do que uma manifestação de simpatia. Em seguida, mais uma vez, este meio social instável retorna à fragmentação. Os grupos se fazem e se desfazem. Apenas um mito tem aqui uma função unificadora: o da loteria, a possibilidade dos pobres, sua grande ilusão. Quando Lena levanta a possibilidade de suprimir esta loteria, Teodor replica: "Mas você não compreende que se fizesse uma coisa dessas não haveria mais nada em que ter esperança. É o nosso único consolo. O que era preciso era a reforma; sim... a reforma da roda da sorte". E Bigetta, a "mulher do povo", expressa assim a ideologia deste ambiente: "O que é que nos falta? Nada. Somos uns pobres diabos, é verdade. Mas aqui, na cantina, podemos comer por uns poucos tostões; se nos puserem na rua, temos os asilos noturnos; quando ficamos doentes, tem o hospital. O governo até nos deu uma loteria para que a gente possa viver com esperança. De que mais eu preciso? Viva Milão! A maior cidade do mundo!"

Estes "pobres diabos" são o produto e, na maior parte das vezes, as vítimas de uma sociedade em transformação, de um mundo que se industrializa... Vivem aquém da História e se submetem a esta exigência. Entre eles nada acontece; as palavras que trocam entre si nada modificam, neles ou nas relações que estabelecem com os demais. No fundo, só existem *no* e *para* o instante. Se, de um ato para outro, vemo-los cada vez mais premidos pela necessidade, cada vez mais escravos de suas necessidades mais elementares, é que a lógica de certa forma a-histórica de suas vidas coloca-os progressivamente à margem da sociedade.

Contudo, *El Nost Milan* não se limita à descrição de um modo de existência pré-histórico. A peça de Bertolazzi não é ainda *Esperando Godot*. É possível descobrir nela o movimento da História, seu poder de negação e de transformação. Tal é a função da aventura de Nina, que é melodramática apenas na aparência.

Esta aventura decompõe-se em três fases, que correspondem aos três atos da peça. A primeira é o amor de Nina por Rico, o *clown* tísico: "Meu Deus, como eu amava aquele homem! O único que eu já amei nesta vida — o único, a única pessoa! "Nina é ainda quase uma criança — a criança protegida pelo pai e que vive numa espécie de Tívoli interior, que acredita nas paradas e nas lanternas chinesas, sem saber o que está por trás de tudo isso, qual o preço que é preciso pagar. Repentinamente aparece Togasso, um pequeno manda-chuva do *bas-fond* milanês, um pobre coitado metido a durão. Nina não o ama e nunca o amará. Mas nele ela descobre o homem, o macho. A criança se torna mulher. Togasso é o primeiro contacto de Nina com a realidade. Por seu intermédio, Nina escapa ao mundo fechado e protegido que o pai havia criado em torno dela. E isto Peppon nunca perdoará a Togasso. Finalmente, a decisão de Nina, uma vez morto Togasso (embora ela já o tivesse decidido antes de saber da morte de Togasso, antes mesmo de seu pai ter confessado que o matara) de abandonar os pobres e ir viver "com os Senhores", é a última fase deste itinerário de desencantamento, de descoberta da realidade. Nina é a anti-Bigetta: ela não se contenta com viver em companhia dos "pobres diabos". No início, protegida pelo pai, afastada da realidade pelo resguardo do amor e das atenções paternas (aquela "qualquer coisa de bom" que, todas as noites, Peppon trazia para a filha, fazendo com que ela acreditasse que "era uma senhorita"), Nina era mais cega que Bigetta. Agora, duplamente desenganada pelo fracasso que foi seu amor a Rico e pelo processo de alienação que viveu junto a Togasso ("Aquele cara repugnante que me agarrava e me fazia ficar sem poder respirar! E eu odiava ele, mas me sentia obrigada a ficar com ele, a amar ele, quando ele me olhava nos olhos"), Nina não pode mais ser uma Bigetta. Não pode mais contentar-se com essa vida cotidiana onde "cada um tem suas preocupações, neste mundo baixo" e onde a esperança na loteria constitui o "único consolo". Nina não quer mais "ir levando a vida como ela é, sem perder muito tempo com os detalhes". Rompe com os "pobres diabos" e opta pelos outros: pelos "Senhores".

A aventura de Nina denuncia a ilusão da vida cotidiana dos pobres de *El Nost Milan,* que se contentam com ver satisfeitas suas necessidades mais elementares. Faz explodir o caráter falacioso de sua moral.

A este respeito, a explicação final — a única da peça — entre Nina e o pai, Peppon, é determinante. Enquanto Bigetta encarna o otimismo dos pobres, a comédia que vivem, Peppon vive o pessimismo e a tragédia dos mesmos — mas, como Bigetta, e talvez mais profundamente ainda, assume sua condição de pobre. Chega mesmo a reivindicá-la. É um idealista: a personagem típica dos melodramas do século XIX. Sabe que o mundo está dividido em dois e se conforma com o que a sua situação de pobre exige dele. Seu princípio fundamental, sua razão de viver, está em afirmar a honra e a virtude dos pobres face aos ricos. Por isso diz à Nina: "Ande esfarrapada, morra de fome, mas não vá com eles, não vá com os Senhores, pelo amor de Deus! Só de pensar nisso eu sinto que vou acabar louco. Não vá com eles!"

A decisão de Nina não é somente um ato de desespero: é um ato racional. Ela recusa tanto a felicidade estreita de Bigetta como a infelicidade nobre e cheia de virtudes de Peppon. E acusa este pobre tão correto de tê-la enganado: "Foi culpa tua! Você me educou sem me dizer o que nós éramos [...] O que mais eu podia fazer? Você pode me dizer? Se é que pode? Você que xinga os ricaços mas continua a engolir desaforos! (*com voz agressiva*:) Vocês nunca foram capazes de fazer seu papel! Você devia ter pensado na tua filha antes, e ter arranjado para ela uma vida menos miserável. Resultado? Eu me viro como posso".

Numa perspectiva estritamente individual, Nina tem razão. Ela é a única que é lógica e age com rigor. Longe de acentuar o melodrama, sua livre decisão denuncia a impotência melodramática na qual Peppon se debate, prisioneiro da moral dos pobres. E contudo a solução de Nina não tem valor geral: é também uma traição aos outros, aos seus.

Assim como não se identifica com a resignação dos pobres, a verdade de *El Nost Milan* não se encarna na decisão de Nina. Entre a revolta romântica desta o conformismo naturalista dos primeiros, há lugar para um outro futuro: o de uma coletividade que personagens de *El Nost Milan* desenham como um primeiro esboço, mas que ainda não realizam.

Neste sentido, o desequilíbrio da obra de Bertolazzi encontra sua plena justificação. Nada se completa, nada se resolve inteiramente em cena. Nada é proposto ao consentimento ou à adesão do espectador: nem o arraigamento dos pobres a uma condição cada vez mais precária, nem a escolha pessoal de Nina [3].

Pensa-se então em Tchekhov. Claro que não se trata de equilibrar Bertolazzi a Tchekhov. Mas *El Nost Milan* se aproxima das peças de Tchekhov em pelo menos um traço essencial: não nos defrontamos, em cena, com um conflito em que se opõem heróis exemplares; o que nos é mostrado são as contradições que podem viver os homens numa situação histórica dada, e estas contradições não são nunca superadas totalmente. As soluções propostas, por mais lógicas que possam parecer, permanecem sempre parciais. Cabe ao espectador descobrir, no fim das contas, qual o denominador comum aos dados expostos, ou mesmo às soluções propostas. Longe de estar fechado sobre si mesmo, o teatro de Bertolazzi, como o de Tchekhov, remete à História. É um apelo à História. Porém, enquanto que em Tchekhov este apelo está claramente expresso, aqui é apenas implícito: nasce da impotência de todos os personagens de *El Nost Milan* em fazer frente, coletivamente, às exigências impostas por sua condição [4].

A descrição de *El Nost Milan* que acabamos de esboçar não separa o texto de Bertolazzi da monta-

---

3. O programa do espetáculo comenta a obra nos seguintes termos: "A principal característica de *El Nost Milan* consiste justamente nestas bruscas aparições de uma verdade ainda não bem definida. Isto se expressa através do significado um pouco forçado das palavras, das conversas, das acusações, uma contínua obstinação dos sentimentos e das paixões que não conseguem se expressar unicamente nos diálogos e procuram, nos gestos e nos objetos, novos símbolos expressivos. *El Nost Milan* é um drama a meia voz, um drama continuamente transferido, repensado, que vez por outra se precisa para logo adiante se prorrogar, que é composto por uma longa linha cinzenta com os sobressaltos de uma mecha".

4. Encontrar-se-á uma excelente análise deste desnível entre o individual e o histórico, utilizado como elemento de estrutura dramatúrgica, no estudo realizado por Louis Althusser: "O *Piccolo*, Bertolazzi e Brecht (Notes sur un théâtre matérialiste)", em *Pour Marx*, Paris, François Maspéro, 1965.

gem de Giorgio Strehler. Jogando ao mesmo tempo com o aspecto concreto da ação bertolazziana e com a descontinuidade de sua estrutura, esta montagem é, na realidade, a mais ampla e a mais rica interpretação que possamos imaginar para *El Nost Milan*. Invariavelmente, a montagem respeita a espessura social do pequeno mundo milanês, sem a qual este se veria reduzido a uma pitoresca evocação folclórica, ao mesmo tempo que revela as falsas aparências nas quais vivem os personagens e a insuficiência de suas soluções, através de uma sutil utilização ou acentuação dos desníveis e desequilíbrios inerentes à própria obra.

Decerto, o ponto de partida de Strehler é a exatidão documentária. Os cenários de *El Nost Milan* constituem a reprodução literal dos lugares evocados por Bertolazzi. Em todo o espetáculo nada há que não seja historicamente fundamentado. Mas é na organização destes elementos de época, em sua reestruturação, que começa o trabalho propriamente criador de Strehler. Contudo, para entender este trabalho em toda sua riqueza, seria necessário analisar cada detalhe de sua realização; por exemplo o segundo ato: aqui o diagrama da encenação corresponde exatamente às relações sociais, e mesmo políticas, entre as personagens que, mal se esboçam, já se interrompem. Mais ainda, Strehler consegue o supremo *tour de force* de mediatizar todas as conversas entre as personagens: os objetos, os bens de consumo estão sempre, de algum modo, entre as palavras, entre as frases. O prato de sopa, que se toma lentamente ou com avidez, que satisfaz ou repugna, se torna mais que um simples acessório teatral: o prato é o próprio centro da ação, precede as palavras e as determina. Atos e palavras retificam mutuamente seus respectivos significados.

É que estamos em presença não de personagens que proclamam sua miséria ou seu destino, mas de homens que vivem, em primeiro lugar segundo a mais elementar das necessidades e que só depois disto abrem a boca para falar. A materialidade da encenação de Strehler restitui à peça de Bertolazzi a profundidade de alcance que é sua própria verdade.

E, contudo, semelhante quadro da vida cotidiana

dos pobres poderia se tornar um mero símbolo e nos oferece a imagem de um mundo onde nada acontece, onde nada jamais acontecerá, exceto algumas trocas de palavras descontínuas enquanto são consumidos pratos de sopa. Por isso, era preciso evocar a fragilidade, a instabilidade deste grupo social imerso numa sociedade em vias de transformação, a sociedade do Norte da Itália que começa a viver as primeiras grandes transformações da Revolução Industrial. É o que Strehler faz quando enfatiza as transformações que abalam incessantemente este pequeno mundo aparentemente imutável. As entradas e saídas assumem, portanto, visual e ritmicamente, uma importância capital no espetáculo. O elemento externo é constantemente trazido para o interno. E os ruídos — sinos e sirenes de fábricas — pontuam, ordenam o desenrolar de sua duração. Ao mesmo tempo que nos propicia a ilusão de uma vida cotidiana e a-histórica, a encenação denuncia impiedosamente esta ilusão. O desequilíbrio da estrutura de *El Nost Milan* tornou-se o próprio motor de sua representação teatral.

Seria necessário ainda descrever longamente a interpretação em *El Nost Milan*. Limitar-nos-emos a observar que, também neste aspecto, longe de buscar uma falaciosa unidade, Strehler optou por fazer coexistir os mais diferentes estilos de interpretação dos atores: enquanto os que interpretam os pobres (muitos dos quais são atores dialetais, especificamente milaneses) representam de forma naturalista, muito sóbria e concreta, a Nina de Valentina Cortese quase atinge o canto, numa movimentação de linhas contundentes, com uma veemência e tensão admiráveis. Da mesma forma, ao estilo a um só tempo irônico e decorativo que Tino Carraro imprime à personagem de Togasso, opõe-se o patético de Emílio Rinaldi (Peppon), que acentua tudo o que existe de moralidade impotente em sua personagem. Assim, mesmo ao nível dos atores, encontramos as contradições nas quais se baseia *El Nost Milan*: não a visão pitoresca ou poética de um pequeno mundo folclórico, mas o quadro de um meio social compósito, ameaçado de permanente dissociação.

Certamente só podemos nos alegrar com o fato

de que, depois de toda a incompreensão e até mesmo hostilidade que mereceu de boa parte da crítica parisiense, Giorgio Strehler tenha sido finalmente considerado como o "melhor diretor" no Théâtre des Nations. Mas tal distinção implica alguns mal-entendidos. Premiar a encenação talvez seja ainda uma forma de ver a versão de *El Nost Milan* do Piccolo Teatro como uma hábil reconstituição naturalista ou uma seqüência de variações estéticas sobre um tema de época. Para nós, ao contrário, não existe nenhuma separação entre a obra e sua representação. A montagem de *El Nost Milan* constitui um todo. O que lhe dá vida é esta vontade de conjugar, em cena, a descrição de uma existência cotidiana vivida em toda a sua diversidade por indivíduos singulares e a evocação da evolução histórica de uma sociedade. E com isto, indica-nos um caminho, talvez o único existente hoje, para um teatro realista.

## 6. CONDIÇÃO SOCIOLÓGICA DA ENCENAÇÃO TEATRAL

Toda reflexão sobre o teatro contemporâneo nos conduz ao acontecimento que literalmente fundou este teatro: a diferenciação da encenação enquanto arte autônoma e a aparição do encenador como único realizador do espetáculo. É, portanto, conveniente nos interrogarmos sobre este acontecimento, sobre a brusca mutação que então se produziu na atividade teatral, nela introduzindo, em certo sentido, uma nova dimensão: a de uma arte cênica diferente da arte dramática, apesar de permanecer estreitamente ligada a ela.

Somente por volta de 1820 se começa a falar em encenação, na acepção que hoje conferimos ao literário tendo em vista sua representação teatral: a encenação de um romance, por exemplo, era a adaptação cênica deste romance. Por outro lado, a expressão não se impôs imediatamente com seu novo sentido: em 1860, Jules Janin ainda deplorava que a expressão constituísse um "barbarismo", mas também reconhecia que não se poderia mais evitar empregá-la.

Quanto ao próprio encenador, ele faz sua aparição nos anos oitenta. Antoine funda o Théâtre-Libre em 1887. O fenômeno não é exclusivamente francês, é europeu. Richard Wagner preocupa-se tanto com a realização cênica de seus dramas musicais quanto com a execução musical dos mesmos. E a construção, de 1872 a 1876, do Festspielhaus de Bayreuth, que ele acompanha de perto, marca claramente sua vontade de considerar desde a base o problema da representação de suas obras. A partir de 1874, a companhia dos Meininger fornece à Alemanha e depois a toda a Europa o exemplo de um conjunto no qual o diretor (o Duque Georg II von Meiningen em pessoa) e seu encenador (Chronegk) comandam os atores. E seus espetáculos são concebidos, cada um, como um todo orgânico. Aliás é imitando os Meininger (que igualmente influenciaram Antoine) que Stanislávski se afirmará, segundo suas próprias palavras, como um "diretor-tirano".

*Um ritual*

É evidente que antes da aparição do encenador, o espetáculo não é um mero produto do acaso. Está regido por certa ordem. Esta ordem preexiste à representação teatral, se não ao próprio texto. A forma existe anteriormente, intangível. Cada representação não é senão uma manifestação, uma encarnação, a mais perfeita possível, desta forma que constitui em si mesma todo o sentido do espetáculo. Isto é verdade para o teatro ritual, tal como ainda é encontrado na África ou na Ásia. E mesmo que o teatro ocidental tenha rompido com tal ritualização, durante muito tempo conservou-lhe os vestígios. Temos o costume, quando nos referimos ao teatro dos séculos passados, de falar em encenação: Madame S. Wilma Deierkauf Holsboer intitulou sua tese: *História da encenação no teatro francês de 1600 a 1657*, e Gustave Cohen publicou o *Livro de conduta do diretor e a Conta das despesas para o Mistério da Paixão*, representado em Mons em *1501* que constitui uma verdadeira "encenação escrita" deste espetáculo. Mas não nos enganemos: trata-se da ordem do espetáculo concebido como um quadro imutável e estereotipado e não da significação cênica do texto. O homem de teatro que comanda a representação (às vezes o autor, às vezes o chefe da companhia, às vezes o cenógrafo) age como um mestre de cerimônias. "Ordena" o espetáculo ou a festa — segundo modelos mais ou menos consagrados, mais ou menos variáveis.

Na Inglaterra elisabetana, por exemplo, o "mestre de cerimônias" que é "agregado à pessoa do soberano e [...] par dos dignitários pertencentes à coroa imperial da Inglaterra" prepara as festas: assim, entre outras funções, tem a de "convocar as companhias de atores [...] e os autores a elas agregados" e "obrigar as referidas companhias a ensaiar diante dele as comédias, interlúdios e outros espetáculos que constituem seu repertório; enfim, de escolher e de corrigir as peças de acordo com sua vontade [1]".

*Ajustamentos*

Em seguida se assiste a uma personalização e a uma diferenciação crescente no trabalho teatral. Na ordem preestabelecida do espetáculo clássico, com seu lugar (o palácio) e sua duração fixados de uma vez para todas, o autor, o ator principal ou o diretor da companhia introduzem variantes. Retificam, adaptam. Os exemplos são inúmeros. Lembremos apenas Racine ensaiando a Champmeslé. E Molière, que se dirige a si mesmo no *Improviso de Versalhes* — este Molière de quem se dizia no século XVII: sabe "ajustar tão bem suas peças ao alcance dos atores que eles parecem ter nascido com todas

---

[1]. Sobre esta questão, consultar a importante obra de ANDRÉ VEINSTEIN, *La Mise en scène théâtrale et sa condition esthétique*, Bibliothèque d'estétique, Paris, Flammarion, 1955, principalmente pp. 165-166.

as personagens que representam". *Ajustar,* a palavra é significativa. É ainda o que fará Voltaire, ajudado por Lekain e Mlle Clairon: ajustará a forma clássica às exigências do Século das Luzes.

Apesar disso desde esta época certos teóricos vão mais longe e reclamam nada menos do que o aparecimento de um encenador. Jules de La Mesnardiàre, em 1640, pede "que o Poeta descubra a Arte de colocar a cena num estado suportável, se não pode expressá-la completa" e recorda que "esta ocupação tinha antigamente, na República [grega], um magistrado particular que era chamado diretor do coro. Comissário das Delícias, cujo encargo implicava não apenas a Estrutura e Aluguel do Teatro, mas ainda a compreensão da Obra Dramática e este cuidado, ainda mais importante, de fazer os Atores representarem, e de impedir que as Entradas demasiado rápidas ou demasiado lentas não cortassem os relatos ou não fizessem esmorecer a Cena [2]".

Um século mais tarde, Sébastien Mercier julga necessária "a intervenção de um poder intermediário que, não tendo os interesses do poeta nem os do comediante, saiba dizer ao primeiro: o amor-próprio cegou-o, e ao outro: isto é algo digno de ser representado diante do público [3]". Talvez deva-se ver no *Paradoxo do Comediante* de Diderot não apenas um ensaio de psicologia do comediante mas igualmente o anúncio de uma reforma radical do teatro que supõe a intervenção de um verdadeiro encenador [4].

Na verdade, é somente no decorrer do século XIX que se produziu aquilo que chamamos o aparecimento da encenação (já que não se pode falar de criação *ex nihilo*). Isto é, a passagem da "direção" à encenação, se atribuímos a estas palavras o sentido que lhes dá Marie-Antoinette Allévy, que vê nesta última "uma interpretação pessoal sugerida pela obra dramática e que coordena todos os elementos de um espetáculo, freqüentemente segundo uma estética particular", enquanto que a primeira não é ainda senão

2. André Veinstein, *op. cit.*, p. 172.
3. André Veinstein, *op. cit.*, p. 180.
4. Diderot comenta que em Nápoles "existe um poeta dramático cuja preocupação principal não é escrever a peça". ("Paradoxe sur le comédien", em *Oeuvres Esthétiques*, Paris, ed. Paul Vernière, Classiques Garnier, 1959, p. 364).

a "simples organização objetiva [...] da animação teatral e dos acessórios"[5].

## O reino do cenógrafo

Evidentemente esta evolução se realizou de maneira quase insensível. Seu principal motivo foi a preocupação, que já aparece no século XVIII, com a verdade histórica. Desta forma os homens de teatro do século XIX inicialmente não fizeram senão prolongar, desenvolver até suas últimas conseqüências, a reforma introduzida por Voltaire (conhece-se a anedota de Voltaire proibindo Mlle Clairon de usar vestidos com anquinhas para interpretar seu *Órfão da China*). Através da pesquisa da cor local e de um gosto pelo pitoresco, que chegava até a extravagância (é a época em que, na Ópera, se multiplicam atrações tais como a erupção do Vesúvio etc.), através também de preocupações com a verdade arqueológica e como resposta às exigências de burgueses arrivistas, contentes por encontrar no palco o luxo enganador que começavam a gozar em suas vidas... a noção de uma moldura particular, própria a cada obra, supera a idéia da moldura clássica *ad libitum*. Em breve já não se tratará mais nem de moldura nem mesmo de cenografia, mas de meio, de ambiente: um ambiente cênico onde se enraíza a obra escrita e do qual ela extrai todas ou parte de suas significações.

Cada vez mais cabe a um único homem a tarefa de organizar os elementos da representação. Às vezes o mestre do espetáculo é o cenógrafo: lembremo-nos do maior dos cenógrafos românticos, o pintor Ciceri, que não se contentava em pintar ou mandar pintar os imensos telões que lhe encomendava a Ópera ou a Comédie-Française — chegava mesmo a encomendar a um certo autor dramático uma peça que lhe permitisse realizar o cenário ou a atração de grande espetáculo que ele sonhava. Outras vezes é o diretor do teatro (por exemplo, Lanoue no Circo Olímpico ou Harel na Porte Saint-Martin, mais tarde ainda Mon-

---

5. MARIE-ANTOINETTE ALLÉVY (conhecida como Akakia Viala), *La Mise en scène en France dans la première moitié du XIX siècle*, Paris, Librairie E. Droz, 1938.

tigny no Gymnase) que impõe um estilo, que se especializa neste ou naquele gênero de peças ou de espetáculos e coordena todos os elementos. Às vezes é o próprio autor que se preocupa diretamente com a representação de sua obra, pronto a se transformar, se for necessário, em cenógrafo, ou inclusive em diretor, como foi o caso de Alexandre Dumas.

*Um salto dialético*

É somente com Antoine — pelo menos na França — que o encenador se distingue claramente dos outros participantes do espetáculo e os transforma em seus subordinados. Então a encenação se separa da tirania do cenógrafo — que havia sido a regra durante a primeira metade do século XIX — assim como da servidão a que era confinada pelos autores. O trabalho do encenador não é mais de ajustamento, de embelezamento ou de decoração. Supera o estabelecimento de um marco ou a ilustração de um texto. Torna-se o elemento fundamental da representação teatral: a mediação necessária entre um texto e um espetáculo. Anteriormente, esta mediação estava em certo sentido colocada entre parênteses, ignorada, quando não suprimida: ou o espetáculo existe apenas pelo texto ou o texto existe apenas pelo espetáculo; um se dissolve no outro e reciprocamente. Agora, texto e espetáculo se condicionam mutuamente, se exprimem um ao outro. Antoine assinalava em sua célebre conferência de 1903 sobre a encenação: "A encenação não fornece apenas uma justa moldura à ação; ela determina seu verdadeiro caráter e constitui sua atmosfera".

A brusca mutação, de que falei no princípio, se baseia neste fragmento da frase: "determina seu verdadeiro caráter". Não houve somente a criação de uma nova atividade técnica, a do encenador, por diferenciação das funções anteriores (cenógrafo, diretor, ator principal...). Houve também uma tomada de consciência do significado estético desta nova atividade. Passagem da quantidade à qualidade. Um salto dialético.

*Novas técnicas*

Tentemos saber senão *por que* ao menos *como* e em que condições esta mutação se produziu naquele momento (aparentemente, poderia perfeitamente ter ocorrido no século XVIII). A explicação geralmente proposta é de ordem tecnológica. A crescente complexidade dos meios de expressão cênicos teria provocado a especialização do encenador e teria atribuído a este uma verdadeira primazia sobre todos os outros fatores do espetáculo. Jacques Copeau e André Barsacq especialmente expressaram com freqüência este ponto de vista.

É um fato que a primeira metade do século XIX foi marcada por uma modificação na concepção do cenário de teatro e pela utilização de técnicas cada vez mais variadas. Assim passou-se de um cenário composto por um telão de fundo, de telões laterais destinados a permitir entradas e saídas, e de bambolinas representando o céu, simetricamente dispostas segundo o eixo da perspectiva, a um cenário composto de construções livres (os "praticáveis"), portanto suscetíveis de combinações muito mais variadas. Impôs-se o uso de painéis transparentes e pontes portáteis. Podia-se assim representar sobre diversos planos, não apenas em profundidade mas também em altura, e multiplicar os efeitos de perspectiva. Entretanto a riqueza e a abundância de técnicas pesam menos que um fato essencial: o espaço cênico não é mais imutável nem uniforme, ele se modifica a cada espetáculo. Toda representação de teatro coloca a questão de seu espaço cênico: é necessário construí-lo, imaginar um, novo e singular, em cada oportunidade.

Modificações importantes também se produziram na iluminação dos teatros. No novo Ópera da rua Le Peletier, em 1821, o gás substituiu os antigos candieiros, e, a partir de 1880, a lâmpada incandescente de Edison (descoberta em 1879) é empregada na maioria dos teatros. Charles Nuitter constatava naquela época: "A luz elétrica se presta aos mais diferentes efeitos. Não apenas produz uma iluminação que nenhum outro foco luminoso poderia igualar em intensidade, mas também vem em auxílio do cenógrafo para a imitação de fenômenos naturais ou para a realização de efeitos mágicos [6]".

Por esse motivo, o argumento que invoca a complexidade crescente dos meios técnicos para explicar o aparecimento da encenação é uma arma de dois gumes. Pois esta incontestável complexidade tende muitas vezes no sentido de uma simplificação do trabalho cênico. Podemos mesmo nos perguntar se, levando em conta precisamente os meios técnicos utilizados nas respectivas épocas, não era mais fácil realizar um grande espetáculo no século XIX do que uma ópera-*ballet* no século XVII. Na verdade, o que estes novos recursos provocaram — ou permitiram realizar — foi a transformação do espaço cênico, sua constante modificação, variando este espaço segundo cada peça montada. Mas este é mais um efeito do que uma causa: o polimorfismo do espaço cênico moderno somente irá adquirir todo seu sentido através da mediação do encenador.

*Um repertório ampliado*

Outros fenômenos fundamentais da evolução do teatro no século XIX devem ser ainda lembrados. Entre outros, a variedade e a amplitude crescente do repertório. Os teatros não somente montam peças contemporâneas e peças clássicas (antigamente estas eram representadas como obras da época) mas recorrem cada vez mais a peças estrangeiras, que representam usando um texto cada vez mais próximo ao original. Passou o tempo do Shakespeare adaptado, afrancesado por Ducis a partir de Alfred de Vigny *(Otelo)*. Desde este momento, colocam-se problemas de interpretação: não se trata mais de representar um herói shakespeareano (mesmo romantizado) como um personagem de Voltaire. E a preocupação com a verdade histórica, de que já falamos, se impõe também aqui. Assinalemos além disso a influência que exerceram as representações das companhias shakespearianas in-

---

6. Esta citação foi extraída do estudo de DENIS BABLET, "La Lumière au théâtre", *Théâtre Populaire*, n.º 38, segundo trimestre 1960.
Poderá ser consultado com proveito o rico trabalho que DENIS BABLET dedicou ao *Décor de théâtre de 1870 à 1914* (*Esthétique générale du*), Paris, edições do Centre National de la Recherche Scientifique, 1965.

glesas em Paris: sobretudo aquela que, de setembro de 1827 a julho de 1828, se instalou no Odéon ou nos Italiens, e que incluía Edmund Kean entre seus comediantes. Assinalemos que, apesar de tudo, será necessário esperar Antoine e seu *Rei Lear* (no Théâtre Antoine em 1904) para ver no palco não mais uma adaptação mas, sim, uma versão fiel e integral de uma obra de Shakespeare [7].

Mais numerosas, as peças montadas são também mais variadas. A ruptura definitiva com a regra das três unidades e com a clássica moldura do palco, datam do princípio do século. Cada vez mais os autores situam suas peças em ambientes claramente particularizados e sempre diferentes. Os próprios papéis escapam às categorias de "empregos". Como afirma Becq de Fouquières em *A Arte da Encenação — Ensaio de estética teatral* [8]: "O número de papéis aumenta à medida que se diferenciam uns dos outros". E continua: "Esta heterogeneidade da arte tem como conseqüência uma diferenciação cada vez maior entre as imagens iniciais das personagens do teatro moderno; e, por conseguinte, um ator se torna cada vez menos apto a preencher com êxito um grande número de papéis; sua imagem se associa a grupos de papéis cada vez mais restritos. Daí resultaria a necessidade de aumentar indefinidamente o número de atores que compõem uma companhia de teatro. Esta necessidade tem por conseqüência imediata: em primeiro lugar, o desaparecimento das companhias de província; em segundo, a fusão em que uma só de todas as companhias existentes em Paris [*Becq de Fouquières precisa:* os atores passam de um teatro a outro sem se fixar definitivamente]; em terceiro lugar, a exploração dos teatros de província pelas companhias de Paris" [9].

Esta afirmação, que não deixa de ser correta, acentua também um outro fenômeno importante da vida teatral parisiense do século XIX: a modificação de sua infra-estrutura. Com efeito, com o Segundo

---

7. Esta questão é estudada, entre outros, por JEAN JACQUOT, em seu excelente e preciso *Shakespeare en France, mise en scène d'hier et d'aujourd'hui,* coleção Théâtres, fêtes, spectacles, Paris, ed. Le Temps, 1964. Cf. principalmente p. 41 e ss.
8. L. BECQ DE FOUQUIÈRES, *L'Art de la mise en scène — Essai d'esthétique théâtrale,* Paris, G. Charpentier Editores, 1884.
9. BECQ DE FOUQUIÈRES, *op. cit.,* pp. 207-208.

Império, assiste-se ao desaparecimento das salas populares especializadas neste ou naquele gênero de espetáculos — como a Porte Saint-Martin ou a Gaieté, na qual havia reinado Pixérécourt (no final de sua vida, ele fala em cerca de 30 000 representações de suas obras). Uma parte do Boulevard du Crime é demolida durante os grandes trabalhos do Barão Haussmann...

Todas estas constatações: modificação do espaço cênico, ampliação e variedade crescentes do repertório, desaparecimento progressivo das companhias e das salas especializadas... são convergentes, mas, entretanto, não explicam inteiramente o aparecimento do encenador. É que lhes falta um denominador comum. Creio que este nos pode ser fornecido por uma análise do público de teatro ou, de forma mais ampla, da estrutura de consumo teatral daquela época. Esta é, portanto, a hipótese que proponho aqui: buscar para o aparecimento da encenação não somente explicações de ordem tecnológica, mas sobretudo um fundamento sociológico. Ver neste acontecimento menos o resultado de uma diferenciação progressiva das tarefas técnicas (que é mais uma consequência do que uma causa), mas, sim, uma modificação ao mesmo tempo quantitativa e qualitativa do público de teatro: modificação de seu número e de sua composição. Modificação, também, de sua atitude frente ao teatro.

*Novos públicos*

Não restam dúvidas de que no decorrer do século XIX o público dos teatros aumentou de maneira considerável. Ainda não dispomos de estatísticas precisas a este respeito [10]. Mas a tendência geral é incontestável. Becq de Fouquières se torna um eco deste fato (sem dúvida um eco que aumenta) quando constata, em 1884: "A Revolução rompeu as barreiras que separam umas classes das outras. A França é hoje uma democracia. Os mais humildes querem gozar os mesmos prazeres que os mais afortunados; desta

---

10. Infelizmente não as encontrei na obra de MAURICE DESCOTTES, *Le Public de théâtre et son histoire*, Paris, Presses universitaires de France, 1964.

forma, desde o fim do último século, pode-se dizer que o público que segue as representações dramáticas quase centuplicou. Não é necessário apenas um número maior de teatros para satisfazer a todos os seus gostos; mas também uma peça que antes atingiria no máximo vinte e cinco ou cincoenta representações, hoje atinge facilmente cem, mesmo duzentas e muitas vezes mesmo depois deste número de representações esgota apenas momentaneamente seu sucesso[11]". Sem dúvida não é preciso tomar Becq de Fouquières ao pé da letra e sua visão de um público "centuplicado" é excessiva. De qualquer forma, traduz ao menos uma realidade. E ainda mais a impressão geral, capital no que nos concerne, de uma multiplicação do público dos teatros.

Esta multiplicação se fez acompanhar de uma modificação na composição do público. Este tornou-se mais heterogêneo. Durante a primeira metade do século, produziu-se uma divisão: os espectadores de qualidade vão aos teatros oficiais enquanto que o público popular procura os teatros especializados (sobretudo os do "Boulevard du Crime"). No tempo do Segundo Império, ainda que em sua maioria os teatros sejam freqüentados por burgueses, ocorre uma mistura destes públicos. Como assinalava Francisque Sarcey: "Foi no tempo do Império que Paris deixou de ser uma pequena cidade para converter-se num grande abrigo reservado aos caravancarás. A demolição da velha cidade afastou para bem longe uma população de pequenos-burgueses, amantes do teatro; as estradas de ferro, enfim terminadas, verteram sobre o asfalto das avenidas multidões internacionais, ávidas de espetáculos; o bem-estar geral, crescendo a cada dia, permitiu a uma multidão cada vez mais numerosa pagar este prazer, reservado antes aos burgueses estabelecidos[12]". Sem dúvida aqui reside o ponto capital: desde a segunda metade do século XIX o teatro não mais possui um público homogêneo e claramente diferenciado segundo o gênero de espetáculos que lhe são oferecidos. Desde então não existe, entre espectadores e homens de teatro, um acordo fundamental e

---

11. L. BECQ DE FOUQUIÈRES, op. cit., pp. 29-30.
12. Citado por MAURICE DESCOTTES, op. cit., pp 311-312.

prévio sobre o estilo e o sentido destes espetáculos. O equilíbrio entre a platéia e o palco, entre as exigências da platéia e a ordem do palco, não é mais colocado como postulado. É necessário recriar a cada vez. Modificou-se a própria estrutura da procura do público. Produziu-se uma modificação de atitude frente ao teatro.

*Os ambientes cênicos*

O livro de Becq de Fouquières, *A Arte da Encenação — Ensaio de estética teatral*, revela perfeitamente esta modificação — tanto mais porque seu autor lamenta este estado de fato mas se vê obrigado, com incontestável honestidade e às vezes aguda penetração, a constatá-la. Assim, assinala, num estilo que é só dele: "As multidões que ascendem das trevas à luz e que dos porões da humanidade se elevam a todos os gozos de uma vida social superior [...] se interessam não somente pelo desenvolvimento poético e moral das personagens mas também pelo ato que realizam; não pela verdade geral que representam, mas pelos traços particulares segundo os quais esta verdade se manifesta e no fato de que esta é a ocasião. [...] Numa palavra, são atingidos pela ação trágica e ficam impressionados por ela, como seriam atingidos e ficariam impressionados no tribunal de justiça. [...] Este novo público, virgem de emoções estéticas, ao qual hoje se dirigem os poetas dramáticos, não está formado para julgar uma paixão ou um caráter em si, independentemente do circunstancial dos fatos; mas relaciona esta paixão e este caráter a sua experiência pessoal e atual, e para apreciar o que uma tem de horrível e a outra, de ridículo, só possui como escala de valores a realidade. [...] O público atual, portanto, se interessa menos pelo homem em geral que pelos homens em particular, e não concebe a estes isolados de todas as condições de clima, raça, temperamento e ambiente social, nem os concebe separados das influências exteriores, das circunstâncias e dos fatos[13]". Aqui, Becq de Fouquières, que é no entanto, um adversário do naturalismo, retoma o próprio vocabulário

13. L. BECQ DE FOURQUIÈRES, *op. cit.*, pp. 243-245.

de Zola, falando do "homem eterno" dos clássicos e a ele opondo o "homem fisiológico" dos naturalistas. E ainda vai mais longe e deduz que também o espetáculo, diante das exigências deste público que se interessa menos pelo geral do que pelo particular, deve ser a expressão de uma realidade independente, circunstancial. Desta forma é levado a acentuar o papel da encenação: "A encenação deve corresponder exatamente ao meio social. Isto é, deve estar de acordo com o estado social dos personagens colocados no palco e adaptar-se a seus costumes e hábitos. Todavia, e este é o ponto interessante, foi apenas numa época relativamente recente que a encenação conquistou um papel cada vez mais preponderante. Antes, foi possível conceber unicamente três cenários, em outras palavras, três ambientes: um ambiente senhorial, um ambiente burguês e um ambiente popular. Mesmo assim, é apenas teoricamente que enumero este último, que de fato não existia, resultando daí, por conseqüência, que sua decoração teria sido de uma perfeita inutilidade. O que existia era o ambiente camponês ou, em outras palavras, o ambiente pastoral. [...] Hoje, apesar de tudo o que possa subsistir de nossa antiga divisão social, não mais estamos repartidos segundo as regras estreitas de uma hierarquia imutável. As fileiras se confundiram. Em geral são o talento e o dinheiro que, bem mais que o nascimento, asseguram alta posição social. Por isso, no teatro, a antiga unidade decorativa não mais corresponde em nada às nossas idéias atuais. Enquanto que antes não havia senão um pequeno número de divisões gerais, hoje existe uma infinidade. E assimilamos a nossas funções, a nossos gostos, tudo o que nos cerca e participa de nossa existência. Em suma [...] nossa personalidade moral se reflete ao redor de nós até sobre os objetos mais ínfimos. Daí o papel da encenação nas peças modernas. Ou ao menos naquelas que procuram traduzir no teatro a sociedade francesa atual. E daí a necessidade de que todos os elementos estejam de acordo com a personalidade moral das personagens representadas. É portanto por uma conseqüência lógica que o cenógrafo e o encenador se converteram em tapeceiros e, de certa forma, decoradores. E que tiveram de procurar dar ao material figurativo esta fisionomia pessoal que é a característica da encenação moderna. [...] Daí porque a evolução da encenação não é o resultado de uma tendência, mas, ao contrário, resulta de uma transformação insensível da estética dramática e da sociedade moderna. A encenação adquiriu assim uma plasticidade que não possuía antigamente[14]".

*O relativo no teatro*

Na verdade, o que se transformou foi toda a relação entre a platéia e o palco. Antes, a uma sala socialmente homogênea correspondia uma cena relativamente uniforme (independente de ser ornada com variações puramente decorativas). Havia homologia entre uma e outra. Como um espelho, o palco tão-somente remetia sua imagem à platéia. Becq de Fouquières afirma expressamente a propósito do ator clássico: "A arte do ator consiste precisamente em objetivar diante dos olhos do espectador a imagem ou a idéia que este último tem em seu espírito. E sua representação, é preciso que se diga, será tanto mais verdadeira quanto menos real, isto é, menos complicada por detalhes particulares e especiais, não observados pela maioria dos expectadores. [... O público] relaciona a representação que lhe é oferecida com a idéia que se faz do fenômeno e com a imagem que possui em si mesmo. E o que aplaude não é a reprodução de uma realidade que não lhe foi dado observar diretamente, mas, sim, o grau de semelhança da imagem que lhe é oferecida com a idéia que se formou do fato representado[15]. Agora, esta relação de projeção está rompida. Importa, agora, constituir sobre o palco uma realidade que exista em si, sem ter necessidade de ser sustentada e completada pelo olhar do espectador. E a encenação constitui precisamente esta tentativa, retomada sempre, de estabelecer no palco a obra dramática com todas as significações que possa ter a nossos olhos — ou mais exatamente, tal como ela aparece não a todo o público (este, já vimos, se tornou hete-

---

14. L. Becq de Fouquières, *op. cit.*, pp. 78-82.
15. L. Becq de Fouquières, *op. cit.*, pp. 184-186.

rogêneo) mas àquele que é ao mesmo tempo o espectador e o ator privilegiado do teatro: o encenador.

Becq de Fouquières, ainda aqui parafraseando seu adversário, Zola, fala no "transporte do relativo ao teatro, que faz a riqueza da arte moderna[16]". O aparecimento da encenação traduz este fenômeno. É porque, diante de um público variado e em constante modificação, a obra não mais possui uma significação eterna, mas exclusivamente um sentido relativo, vinculado ao lugar e ao momento, que a intervenção de um encenador se tornou necessária. Anteriormente, uma certa ordem regia a troca de relações entre a platéia e o palco; hoje, esta ordem varia em cada espetáculo. E cabe ao encenador estabelecê-la, determinar de que maneira a peça será recebida e compreendida pelo público.

*A mediação do espetáculo*

A encenação moderna não nasce somente da transformação e da multiplicação das técnicas cênicas; não foi igualmente imposta, *ex nihilo*, por um só homem (Antoine na França). Seu surgimento coincide com uma profunda transformação na procura do público de teatro e com a introdução na representação teatral de uma tomada de consciência histórica. Na origem — por exemplo, com Antoine — tratava-se sobretudo de precisar o meio e a época, em resumo, de inscrever irrefutàvelmente a peça em sua realidade histórica e social. Antoine afirmava: "A encenação deveria desempenhar no teatro a tarefa que as descrições desempenham nos romances". Do mesmo modo, as encenações naturalistas em aparência se contentam em reconstituir, ao redor da peça, o ambiente exato das personagens e da ação. Mas mesmo estas encenações já vão mais longe: entre a peça e o espectador, introduzem a mediação de um espetáculo historicizado. No Odéon, com direção de Antoine, não apenas não se representava os clássicos com trajes do século XIX (aliás isso já havia cessado desde o princípio do século) mas também se procurava

16. L. Becq de Fouquières, *op. cit.*, p. 268.

interpretar alguns deles da maneira como teriam sido representados na época em que foram escritos, no século XVII: assim, por exemplo, um *Cid* com velas e com pseudomarqueses instalados no palco, e uma *Psyché* montada como *comédie-ballet*. O espectador é chamado a desfrutar menos a semelhança da peça com esta "imagem que ele mesmo possui" do que a distância que o separa desta obra e da singularidade da mesma. Aqui já está completamente traçado o caminho que leva de Antoine a Brecht, isto é, de uma representação teatral fechada sobre a imitação escrupulosa, ilusionista, de uma realidade fragmentária e fixada, para a evocação ampla e não ilusionista da realidade em suas incessantes transformações.

*Uma contradição essencial*

Está claro: é de suas próprias origens que a encenação moderna extrai sua vocação historicista (neste sentido, poderia ser interessante nos interrogarmos sobre uma certa incompatibilidade entre a encenação e a representação de uma tragédia, uma vez que esta última nega a História na medida em que lhe é, como escrevia Aristóteles, de certa maneira "superior"; e a encenação reinscreve a tragédia em uma perspectiva histórica). Seu surgimento coincide, na verdade, com o momento em que a heterogeneidade do público rompe o acordo fundamental entre a platéia e o palco, esta espécie de *consensus* mútuo graças ao qual a compreensão se realizava à meia-palavra, sem que fosse preciso as "circunstâncias". A encenação então substitui o referido acordo pela mediação de um "mestre do palco" que primeiramente se empenha em materializar as circunstâncias e que, em seguida, aproveitando-se da distância entre a peça e o público, encontrará no teatro um meio de fazer com que tomemos consciência de nossa historicidade (Brecht). Mas, inversamente, este "mestre do palco" poderá também tentar preencher esta distância e restabelecer a unidade entre a platéia e o palco através de uma íntima comunhão por entre as próprias espécies do espetáculo. À função da encenação como "transporte do relativo ao teatro", ele oporá a visão de uma criação autônoma e fechada em si. Neste caso o encenador aspirará à vocação de único criador teatral. Pretenderá ser o único "artista do teatro" — o artista deste teatro futuro que, segundo Craig, "comporá suas obras-primas com o movimento, o cenário, a voz".

A encenação moderna não está, como se afirma com freqüência, exclusivamente partilhada entre a fidelidade ao texto e o desejo de autonomia. Está mais profundamente dividida entre a função de comunicação histórica e social e a tentação de absolutismo do encenador. Aspira a produzir um espetáculo aberto, cuja compreensão se baseie na instituição de uma certa distância entre todos os seus elementos e ao mesmo tempo sonha com um espetáculo fechado que, sob a autoridade do encenador, provoque a comunhão entre platéia e palco.

Esta contradição é essencial: não poderia ser resolvida em proveito de uma ou outra de suas componentes fundamentais. Sem dúvida é ela que faz da encenação moderna uma arte, mais que um conjunto de técnicas. Pelo menos é ela que nos autoriza a estudar o teatro contemporâneo não do ponto de vista dos textos dramáticos, ou do ponto de vista da evolução dos processos cênicos, mas enquanto arte da representação teatral.

## 7. A GRANDE AVENTURA DO ATOR, SEGUNDO STANISLÁVSKI

Conhecemos Stanislávski. É uma questão que não colocamos com suficiente freqüência. Para a maior parte dos homens de teatro francês, o problema está resolvido de uma vez por todas. Stanislávski é uma espécie de santo, herói, sábio ou louco; basta citar religiosamente o seu nome em toda ocasião solene e ficamos quites com ele. Em resumo, escamoteamos Stanislávski debaixo de seu mito (o que Copeau já reconhecia no prefácio que escreveu para *Minha Vida na Arte*: "Durante longos anos a lenda de Constantin Stanislávski brilhou para mim numa distância que me parecia inacessível [1]"). Isto não aconteceu somente conosco, franceses, mas também com aqueles que, mais legitimamente, proclamam sua ligação com Stanislávski: norte-americanos e soviéticos. Na URSS, depois de mantido sob suspeita durante os primeiros anos que se seguiram à Revolução de Outubro, Stanislávski foi reposto em seu pedestal e transformado, para bem ou para mal, no temível "pai" do realismo socialista; nos Estados Unidos, ao contrário, tornou-se uma espécie de grande feiticeiro do teatro, uma espécie de minotauro, ao qual convinha sacrificar a cada ano, no templo adaptado do Actors Studio, alguns jovens escolhidos entre os melhores da tribo (aqueles que escapam a este sacrifício têm direito senão ao título de herói ao menos ao de *star*, e aos contratos dourados de Hollywood). O que é ainda uma maneira de se desembaraçar de Stanislávski.

*O sonho da Suma*

Mas então, como conhecer Stanislávski? É preciso confessar que não é fácil. Ele sem dúvida escreveu, escreveu muito. Para Stanislávski, fazer teatro não era natural. Suas primeiras experiências como ator e encenador, tanto na Sociedade Moscovita de Arte e Literatura como no Teatro de Arte de Moscou, que fundou em 1898 com seu amigo Nemirovitch-Dantchenko, convenceram-no imediatamente: o teatro não é uma arte se não preencher a condição de questionar, incessantemente, seus próprios processos — caso contrário, cai na categoria de "um conjunto de efeitos convencionais" ou se degrada como "imitação pura e simples". Convinha portanto acrescentar à prática uma reflexão sobre esta mesma prática. E também comunicar os resultados desta reflexão aos demais. Pois se é impossível suscitar o aparecimento de criadores, é possível e mesmo indispensável indicar aos homens de teatro, sobretudo aos atores, os caminhos através dos quais poderão atingir este "estado criador", fora do qual não existe a arte do teatro.

1. CONSTANTIN STANISLÁVSKI, *Ma vie dans l'art*, tradução de Nina Gourfinkel e Léon Chancerel, prefácio de Jacques Copeau, 1934 — segunda edição revista e corrigida, Paris, Librairie Théâtrale, 1950.

Daí o grande projeto de Stanislávski, o mais ambicioso que um encenador jamais concebeu: redigir uma Suma que pudesse abranger totalmente sua experiência na realização e na pesquisa. Mas Stanislávski está longe de ter conseguido concretizar o seu plano. Na verdade esta Suma permanece inacabada. Como assinala nossa melhor exegeta stanislavskiana, Nina Gourfinkel, a Suma deveria compreender ao menos oito volumes: depois de *O Trabalho do Ator sobre Si mesmo*, "*o Trabalho sobre a Personagem; A Passagem do Ator ao Estado Criador do Palco; A Arte de Representar* (a profissão propriamente dita); *A Arte do Encenador; A Ópera* e, enfim, como conclusão, *A Arte Revolucionária,* tudo acompanhado de um manual de exercícios: *Treinamento e Disciplina*[2]". Ora, apenas o primeiro, *O Trabalho do Ator sobre Si Mesmo* foi quase que inteiramente redigido por Stanislávski. O segundo, *O Trabalho do Ator sobre a Personagem* ficou em notas, esboços, "fragmentos de um livro", que acabaram sendo reunidos sob esta forma e somente bem mais tarde publicados. Os outros não foram escritos.

No caso da maioria dos textos escritos por homens de teatro, tal fato não teria grandes inconvenientes: em geral estes textos não passam de fragmentos rabiscados no ensejo de uma encenação ou pomposamente improvisados com o objetivo único de rivalizar com os literatos. No caso de Stanislávski, o fato do projeto ter ficado inacabado compromete o sentido dos textos que hoje nos são acessíveis. Eles se organizam segundo uma perspectiva de conjunto. Fazem parte de um *Sistema* e só valem enquanto peças deste Sistema. A ambição de Stanislávski era totalizante, como a dos grandes romancistas do século passado. É possível imaginar *Os Rougon-Macquart* inacabados? Falta-nos o ponto essencial do conjunto stanislavskiano: esta visão unitária da criação teatral acabada como um organismo perfeitamente constituído que, do artificial, acede ao natural. Bem sei que cada etapa deste processo de criação apenas repete, em outro nível, a fase precedente — podemos assim

---

2. NINA GOURFINKEL, *Constantin Stanislávski*, coleção Le Théâtre et les jours 5, Paris, L'Arche, 1951, p. 183.

inferir uma da outra — mas isto não impede que, por ausência de uma visão de conjunto, estejamos fora da possibilidade de apreciar o lugar que cada uma das partes, respectivamente, ocupa no conjunto do Sistema.

Além disso, o leitor francês ainda enfrentou outra dificuldade, que sem dúvida pesou bastante para o nosso desconhecimento de Stanislávski. Os escritos stanislavskianos nos chegaram com considerável atraso e na maior desordem. É verdade que a autobiografia *Minha Vida Na Arte,* escrita em 1923-1925, existe editada em francês desde 1934. Mas em seguida foi necessário esperar até 1958 para que surgisse o primeiro volume de *O Trabalho do Ator sobre Si Mesmo,* com o título talvez demasiado geral de *A Preparação do Ator*[3], ao passo que *A Encenação de "Otelo"*[4], que lhe é bastante posterior, fora traduzido dez anos antes. A título de comparação, acrescentemos que *An Actor Preparer* (versão inglesa de *A Preparação do Ator*) apareceu nos Estados Unidos em 1936, ou seja, cerca de vinte anos antes e teve imediatamente a mais ampla difusão (desde então mais de cem mil exemplares foram vendidos).

Mais ainda, e neste ponto é idêntica a situação na França e nos Estados Unidos, durante muito tempo *A Preparação do Ator* foi considerada a expressão completa da reflexão de Stanislávski sobre a arte do ator. Ignorou-se ou negligenciou-se o fato de que o volume na verdade era apenas a primeira parte de *O Trabalho do Ator sobre Si mesmo:* a parte onde Stanislávski trata do que denominava "o processo criador de reviver" (que, aliás, é o título exato da edição soviética desta obra). A segunda parte, *A Construção da Personagem*[5], teve seu texto em francês estabelecido por Charles Antonetti (a partir da edição inglesa de Elisabeth Hopgood, publicada nos EUA em 1949 com o título de *Building a Character):*

---

3. CONSTANTIN STANISLÁVSKI, *La Formation de l'acteur,* traduduzido do inglês por Elisabeth Janvier, introdução de Jean Vilar, Paris, Olivier Perrin Editor, s.d.

4. SHAKESPEARE, *"Othello"* — *mise en scène et commentaires de Constantin Stanislávski,* traduzido do russo por Nina Gourfinkel, prefácio de Pierre-Aimé Touchard, coleção Mise en scène, Paris, Le Seuil, 1948.

5. CONSTANTIN STANISLÁVSKI, *La Construction du personnage,* tradução de Charles Antonetti, prefácio de Bernard Dort, Paris, Olivier Perrin Editor, 1966.

versão realizada com as exigências e os conhecimentos do psicólogo, homem de teatro e pedagogo que é Antonetti.

*O processo criador da encarnação*

Ora, esse livro se não modifica radicalmente a imagem que se poderia ter (a partir da leitura de *A Preparação do Ator*) do ator segundo Stanislávski, ao menos a completa e enriquece de maneira decisiva. Sobretudo é um desmentido categórico às interpretações abusivas, oriundas de uma leitura ao mesmo tempo demasiado literária e parcial de *A Preparação do Ator*. Refiro-me principalmente à imagem de um Stanislávski preocupado apenas com "o instrumento psíquico interior" do ator, desprezando tudo aquilo que é forma e expressão exterior da personagem — imagem transformada em lei sob o nome de "Método" no Actors Studio, onde estudos e exercícios stanislavskianos muitas vezes se converteram em psicodrama. Aliás, desde 1934, quando Stella Adler — uma das atrizes do Group Theatre — visitou Paris, Stanislávski advertiu seus "discípulos" americanos contra o abuso do recurso exclusivo à "memória emotiva" e aos exercícios de "lembrança dos sentimentos". Ora, por essencial que seja a "técnica interior" do ator, que lhe permite mobilizar o "eu" mais profundo em favor da personagem, isto ainda não é suficiente para que possa interpretar a personagem. É necessário ainda "encontrar uma forma física da personagem, correspondente à imagem interior que se faz dela, sem o que (é) impossível transmitir aos demais a própria vida desta imagem interior". É este o objetivo de *A Construção da Personagem:* não se trata mais de apenas chegar à vida interior da personagem, ou então — para empregar termos mais exatos — de pôr o intérprete em condições de colocar a sua própria vida afetiva a serviço da vida afetiva da personagem (o ator deverá então "sentir sua própria vida no interior da vida da personagem e a vida de sua personagem como idêntica à sua própria vida"), mas sim de dar uma forma cênica, visível, a esta criação, ou seja, de encarnar a personagem no palco, em vez de contentar-se em revivê-la. Mesmo que Stanislávski não mude nada nas grandes linhas de seu Sistema, este sofre um desvio: não mais negligencia os exercícios de dicção, de respiração, de expressão corporal, de canto ou de ritmo (que antes parecia excluir como processos que apenas refaziam o que chamava com desdém de "a escola da representação"). Esses exercícios agora passam a ser integrados. É certo que essas técnicas não valem por si mesmas: o falar bem, o andar bem etc., são e continuam estranhos a Stanislávski. Mas também constituem meios para atingir o objetivo do processo criador do ator: o nascimento natural da personagem.

*O ator, a personagem e o público*

Paralelamente, descobrimos como que um jogo próprio no interior do Sistema: este não se fundamenta numa rigorosa e por assim dizer hermética identificação entre o ator e a personagem. Stanislávski nos sugere: o ator elabora a personagem — com sua própria carne, seus próprios sentimentos e toda sua alma — mas não se transforma integralmente na personagem. A própria sinceridade com a qual o ator se dá à personagem, não exclui o controle e a crítica de si mesmo: "Uma metade da alma do ator é absorvida pelo superobjetivo, pela linha de ação, pelo subtexto, pelas imagens interiores, elementos que concorrem para construir o estado de criação ativa. Mas a outra metade continua a funcionar segundo os métodos que lhes ensinei. Quando um ator interpreta, ele está dividido [...] É esta dupla existência, este equilíbrio entre a vida e a interpretação dramática que condiciona toda obra de arte[6]".

Sem dúvida o "reviver" e a "encarnação" não possuem senão um único e mesmo objetivo: dar ao ator a possibilidade de criar naturalmente uma personagem fictícia. Mas em *A Construção da Personagem* se esboça já a evolução que conduzirá Stanislávski, se não a modificar totalmente o seu Sistema, ao menos a proceder a uma espécie de inversão dos

---
6. CONSTANTIN STANISLÁVSKI, *La Construction du personnage*, op. cit., p. 181.

termos do mesmo A encarnação passa então para o primeiro plano; não é mais concebida como o necessário complemento ao "estado interior" do intérprete; é a própria condição que o ator deve preencher para atingir este resultado. Será o "método das ações físicas". Stanislávski dedicou os últimos anos de sua vida a precisar esta teoria, principalmente quando trabalhava sobre o teatro lírico. Desta vez a ênfase é dada às tarefas propriamente físicas do ator, à "vida corporal do papel", pois será através destas, literalmente apoiando-se nelas, que se realizará a criação da personagem. Na cena, a "vida espiritual do papel" não surge do nada: existe em relação estreita com a vida corporal "que constitui o terreno favorável" para seu desenvolvimento. O corpo, a realização de necessidades estritamente materiais, são o ponto de partida; anteriormente se fez mesmo tábua rasa do texto e de toda idéia de interpretação preconcebida.

Em *A Construção da Personagem*, Stanislávski ainda não chegou a este ponto. Mas o resumo que faz de seu ensinamento, no fim da obra (ver Cap. XV: *Perspectiva do caminho percorrido*) deixa uma impressão bem diferente da que se impunha na conclusão de *A Preparação do Ator*. A perspectiva mudou: ao lado da maneira de viver um papel, Stanislávski concede um lugar, igual, à maneira de encarná-lo, de mostrá-lo. O Sistema não está mais fechado em si mesmo como um círculo mágico ao qual o ator remeteria ao papel e o papel ao ator. Ele não mais desconhece o espaço físico próprio do palco — espaço aberto para uma sala, para um público. Inscreve o processo do "reviver" num contexto: o contexto de uma comunicação (de olhar, participação e julgamento) entre uma personagem e o público; o contexto da produção, pelo ator, de uma personagem viva e compreensível *para* este público.

Diante dos espectadores, vida interior e vida exterior da personagem se sustentam mutuamente: "Quanto mais a passagem da forma interior para a forma exterior for imediata, espontânea, viva, precisa, mais a compreensão da vida interior da personagem que vocês interpretam será, para o público, justa, ampla e plena. É para atingir este resultado que as peças foram escritas e que o teatro existe[7]". A identificação, encarnação e representação são partes ligadas. Longe de ser apenas um problema de sentimento entre o ator e sua personagem, o teatro solicita também o olhar do espectador, sua emoção e seu julgamento.

## Um romance teatral

Detenhamo-nos agora diante de uma última dificuldade: a que se refere à forma semi-romanceada conferida por Stanislávski aos dois volumes de *O Trabalho do Ator sobre Si mesmo*. Com efeito, em vez de nos entregar diretamente suas reflexões ou de nos propor um manual de exercícios práticos, recorreu a uma fabulação: é através da narração ou de reflexões um tanto ingênuas de Kostya, um aprendiz de ator que freqüenta o curso do professor Torțsov, que, em *A Preparação do Ator* e em *A Construção da Personagem*, o ensinamento de Stanislávski-Tortsov nos é entregue. Que Stanislávski escreva com repetições entediosas e com falta de habilidade, que às vezes, em sua preocupação de contar a história de Kostya e seus companheiros, de torná-la mais plausível e mais exemplar, tenha sido levado a introduzir na obra várias cenas inúteis ou então comentar seu próprio ensinamento com uma aparente falsa modéstia... isto é bastante evidente. Já foi assinalado e lamentado: "Stanislávski teve a deplorável idéia de redigir *O Trabalho do Ator* sob a forma romanceada de um diário íntimo de um aluno de escola de arte dramática, esperando assim melhor mostrar as hesitações dos principiantes, assim como os diferentes tipos e temperamentos dos alunos [...]. Infelizmente isto o incita a introduzir mil detalhes cansativos, nos quais se perdem as observações justas, preciosas, e os exercícios que servem como ilustrações[8]". E muitas vezes sentimos a tentação de saltar esta ou aquela página, ou mesmo reescrever para nosso uso próprio, em vez deste semi-romance, um tratado no qual os comentários não mais corrompam os exercícios.

---

7. CONSTANTIN STANISLÁVSKI, *La Construction du personnage*, op. cit., p. 294.
8. NINA GOURFINKEL na obra, já citada, dedicada a Stanislávski, p. 185.

Entretanto, a forma adotada por Stanislávski é menos incongruente do que parece à primeira vista: ela possui um sentido, é a expressão de seu próprio andamento e nos remete à sua ambição mais profunda. Não tenhamos dúvida de que Stanislávski tinha condições de escrever seja uma coletânea de aforismos sobre o teatro, seja um guia destinado às escolas de interpretação. Mas não era este seu objetivo. Já sublinhei: o que desejava escrever era efetivamente uma Suma teatral, isto é, não a reunião de uma série de preceitos ou de receitas, mas um livro que, segundo a definição de Suma que consta no *Littré*, "trata resumidamente de todas as partes de uma ciência" (aqui, de uma arte). E se experimentou a necessidade de esboçar duas personagens, não foi somente para tornar seu livro mais "vivo", mas ainda para extrair daí toda a evolução de sua reflexão e de sua prática — pois estas duas personagens são na verdade duas imagens do próprio Stanislávski: um, Tortsov, é Stanislávski no momento em que escreve; o outro, Kostya, é o jovem Stanislávski, aquele que, ator amador no Círculo Alexeiev ou na Sociedade Moscovita de Arte e Literatura e mesmo fundador do Teatro de Arte de Moscou (que aliás deveria ser intitulado "acessível a todos"), começava a interrogar-se sobre sua arte ao mesmo tempo que a transformava fundamentalmente. Com efeito, para ele o teatro não é um mistério que convém celebrar a golpes de fórmulas sibilinas, nem uma técnica cujas regras poderíamos fixar de uma vez por todas. É uma experiência contínua, uma educação que não acaba nunca. Uma formação do próprio homem. Assim, o que Stanislávski quis escrever foi o que ele mesmo chamava um "romance pedagógico" — um destes *Bildungsromance* tão caros aos escritores alemães do século XIX (e um de seus modelos, o *Wilhelm Meister*, de Goethe, compreende justamente numerosos episódios dedicados à vida de uma companhia teatral). O romance da chegada do ator, e, mais amplamente ainda, do homem de teatro, à sua verdade — à verdade do teatro e à sua própria verdade confundidas — através dos artifícios e das falsas aparências da cena.

Com efeito, a questão inicial é esta: como ser

verdadeiro quando tudo no teatro é artificial, desde a obrigação de interpretar uma outra personagem que não a si mesmo e pronunciar palavras escritas por uma terceira pessoa, até a necessidade de se entregar a esta espécie de uso do falso ou de substituição de personalidade não na intimidade, entre a própria pessoa e seu espelho, mas diante de um público? *A Preparação do Ator* e *A Costrução da Personagem* nos descrevem a conquista desta verdade — a exemplo de *Wilhelm Meister* narrando como Wilhelm tem acesso, através das ilusões (inclusive a do teatro) e das formas da vida social, ao domínio de si.

## A dupla criação

Seria preciso retomar nesta perspectiva do "romance de educação" o que Stanislávski diz de seu "Sistema" (ver principalmente o cap. XVI e o último: *Algumas conclusões a propósito da arte do ator)*. Contentemo-nos em notar que efetivamente existe um *sistema*, pois se trata de encontrar um método que, ao mesmo tempo possa abranger completamente a atividade teatral e permitir regularizá-la. Mas que este Sistema "não é como uma roupa feita com que podemos passear assim que a vestimos"; não possui valor em si, não proclama mandamentos estéticos absolutos. Não existe senão para ser superado, para ser negado enquanto conjunto de regras, de exercícios etc. Isto é, para permitir ao ator chegar à sua liberdade e à sua verdade. Estabelece um processo de educação, não um código estético. Stanislávski não cessa de sublinhar "o caráter progressivo de seu treinamento". É "todo um estilo de vida no qual é preciso acreditar e se educar durante anos [9]".

Compreender-se-á assim que *O Trabalho do Ator Sobre Si Mesmo* não poderia ter a forma de um manual, por mais exausto que fosse, sobre a formação e a profissão do ator: é bem mais que isso, é o livro da liberação do ator pelo domínio de técnicas de sua profissão, o romance pedagógico da transformação do ator que representa sem as limitações de seu instru-

---

9. CONSTANTIN STANISLÁVSKI, *La Construction du personnage*, op. cit., p. 302.

mento. E isto não através de alguma misteriosa e repentina metamorfose, mas através do próprio aperfeiçoamento deste instrumento, pela técnica consciente. O Sistema é o meio para o ator passar da condição de indivíduo absolutamente alienado por seu trabalho à condição de homem inteiro — mais homem mesmo que os demais homens, pois, nesta operação, adquire um poder sobre aquilo que Stanislávski denomina o "subconsciente".

Ainda hoje uma tal reflexão sobre a prática teatral conserva, além das incertezas da formulação (principalmente no que toca às noções de ordem psicanalítica), um valor fundamental. É certo que os exercícios que Stanislávski propõe aos atores asseguraram a fecundidade do ensinamento de numerosas escolas: se é possível criticá-lo por ter deformado o stanislavskismo, o Actors Studio, mais que qualquer outro curso de formação de ator, contribuiu para a renovação das companhias e grupos teatrais norte-americanos. E não resta a menor dúvida de que a aparição recente na Inglaterra de numerosos jovens atores de talento, dotados para interpretar Shakespeare, tanto quanto para interpretar modernos dramaturgos neonaturalistas, é resultado da aplicação de métodos stanislavskianos no teatro anglo-saxão (ao contrário, justamente, do que acontece na França). Mas sua lição é ainda mais ampla: denunciando como falsa a opinião habitualmente admitida, segundo a qual o trabalho do ator não seria "regido por leis, técnicas, teorias e muito menos por um *sistema*" ("os atores curvam-se sob seu gênio entre aspas, diz Tortsoví não sem ironia [10]"), afirma a inteligibilidade deste trabalho. Converte-o numa verdadeira produção humana. Através dele, longe de submeter o ator, torna-o dono de sua própria atividade. Ao mesmo tempo não submete esta atividade a leis, técnicas, teorias ou sistemas: estes últimos, para o ator, não constituem senão meios de atingir o estado criador por excelência, àquele no qual ele empresta sua própria vida à personagem, o ator se produz livremente a si mesmo: como escreveu Louis Jouvet, "encontrando o sentido

10. CONSTANTIN STANISLÁVSKI, *La Construction du personnage*, op. cit·, p. 304.

de sua profissão, pode então dar um sentido à sua vida [11]". (Jouvet comenta: "Até aqui o ator quis representar para ser *outro* ou *mais* que ele mesmo. Agora representa para ser *melhor*. Sente que a peça que interpreta não é um estado de exercício, não apenas um meio de educação ou sucesso pessoal, mas o próprio objetivo de sua vida [12]"). O ator ao qual o "sistema ajudou a restaurar as leis naturais confundidas pelo fato de o ator ser obrigado a trabalhar diante de um público" pode, assim, reencontrar "o estado criador de um ser humano normal [13]".

O teatro não é nem uma mágica nem um exercício de cães amestrados à disposição do chicote do encenador-domador. O ator não é nem um possesso ignorante de seus próprios poderes nem um escravo que vendeu o corpo, o rosto e até mesmo a alma (ou a sombra) ao encenador para que este os mostre ao público. Aqui Stanislávski e Brecht, o outro grande teórico moderno que procurou pensar integralmente o "trabalho" do teatro, coincidem. Ambos, a despeito dos caminhos bem diferentes que seguiram, nos propõe a visão (não é também, um pouco, uma utopia?) de um teatro plenamente adulto — entendamos por isto uma atividade criadora responsável onde reproduzindo imagens e sentimentos, o homem se faz também a si mesmo. A Suma inacabada de Stanislávski é exatamente o romance desta grande aventura.

---

11. Louis Jouvet, *Témoignages sur le théâtre*, Bibliothèque d'esthétique, Paris, Flammarion, 1952, p. 227.
12. *Id., ibid.*, p. 240.
13. Constantin Stanislávski, *La Construction du personnage*, op. cit., p. 301.

## 8. UM REALISMO ABERTO

O realismo não possui uma reputação de santidade. Se acreditássemos em alguns, seria sinônimo de deselegância, aplicação, prosaísmo... e portanto incompatível com o teatro, que não deveria acatar senão heroísmo, invenção e poesia. Este mal-entendido já é muito antigo. Data de quase um século. Mais precisamente, da "reação idealista[1]" que opôs Lugné--Poe, Craig e Jacques Copeau ao naturalismo de Antoine.

No período entre guerras, nossos dramaturgos não se privaram de fazer ironias a este respeito. Co-

1. Conhece-se o importante estudo de DOROTHY KNÓWLES: *La Réaction Idéaliste au théâtre depuis* 1890, Paris, Droz, 1934.

nhece-se a frase de Cocteau, definindo Antoine como "o homem que introduziu as maçanetas de portas na literatura dramática". E esta tirada de Giraudoux no *Improviso de Paris*: "Era engraçado, o Théâtre-Libre. Alguém dizia: são cinco horas. E havia um relógio de verdade que soava cinco horas. A liberdade de um relógio não é bem isto" — e acrescentava nosso autor: "Quando o relógio soar duzentas horas, aí é que começará a haver teatro". E é fato que o teatro francês, então, virou as costas se não ao realismo pelo menos ao naturalismo: postulando a necessidade de uma arte cênica "pura", unicamente fundada na magia do verbo, o melhor ainda, segundo o desejo de Edward Gordon Craig, composta apenas pelo movimento, pelo cenário e pela voz, desdenhava toda referência direta à realidade aparente — pronto a deixar aos autores de *boulevard* o cuidado de evocar esta realidade de segunda mão.

A questão do realismo, entretanto, não ficou assim determinada. Pouco depois da Liberação, as peças de idéias ou de teses de um Sartre ou de um Camus reabrem a questão: dando ênfase à situação de homem num mundo obscuro, sangrento ou "absurdo", se afastam dos jogos de reflexos do teatro no teatro (ainda que Sartre tenha sofrido a influência do pirandellismo) e voltam a formas quase naturalistas (cf. *A Prostituta Respeitosa*.) No terreno oposto, dando as costas às exigências de engajamento como também às técnicas tradicionais, os dramaturgos que hoje chamamos de dramaturgos do "absurdo", preocupam-se em devolver o teatro à *sua* realidade: a realidade, elementar, da palavra, do espaço e do gesto. Recusando o que Jean Vilar chamava "os ornamentos do diálogo e da intriga", ambicionam transformar o palco, para além de todas as significações literárias, psicológicas ou filosóficas, "no local por excelência da ação".

Esta volta ao realismo, ou antes esta busca de um novo realismo, aparece com mais clareza quando evocamos os espetáculos deste últimos vinte anos. A experiência do TNP, principalmente, é reveladora. Partindo de um estilo quase abstrato, no qual o cenário tinha uma função apenas decorativa e a interpretação dos atores era regida por rigorosa simplificação, Jean Vilar foi lentamente levado não a renunciar a este estilo, mas a nele integrar elementos figurativos, a duplicar tapeçarias e cortinas negras, móveis e objetos cotidianos (basta comparar o trabalho de André Acquart para *Arturo Ui* com o de Gischia para *O Cid* ou para *Ricardo II*, ou mesmo a trabalho do próprio Gischia para *Os Rústicos* ou *O Alcaide de Zalamea*). E a dotar a interpretação de seus atores de um peso de carne suplementar que testemunha a espessura das contradições vividas mais do que expressas (um ator como George Wilson encarna perfeitamente bem esta nova maneira, face ao ascetismo e ao lirismo de Jean Vilar). Depois de terem feito seus estudos com Vilar, a maioria dos jovens diretores franceses hoje se coloca mais do lado de Roger Planchon (que também começou sob o signo do TNP, todo oriflamas estalando-se ao vento do heroísmo — veja-se seu primeiro *Eduardo II* no Casino de Lyon-Charbonnières em 1953) e procuram, como ele, combinar elementos funcionais, e não mais apenas decorativos [2], com materiais concretos, quase em estado bruto, que parecem arrancados da própria realidade imediata. É que Brecht, ou mais exatamente, os espetáculos do Berliner Ensemble marcaram sua presença. Nossos homens de teatro não reataram relações com a moldura ilusionista, com a caixa na qual faltava apenas a "quarta parede" tão cara aos naturalistas. Mas romperam com o estilo decorativo ou simbólico, até mesmo com o palco nu proposto por Jacques Copeau. Ao mesmo tempo que permanecia aberto — não ao vazio da tragédia ou ao amável *no man's land* das comédias poéticas, mas sim, às infinitas transformações da História tal como as vivem as nossas sociedades [3] — o palco francês foi repovoado. Não é mais somente um

---

2. René Allio às vezes fala numa "máquina de representar" que deveria ser ao mesmo tempo o esqueleto e o motor de um espetáculo: o cenário-escultura que ele construiu para o último *Eduardo II* do Théâtre de la Cité era um esboço da mesma, mas na verdade ele só realizou uma "máquina de representar" para seu *Tartufo*.
3. O "que está contido" nos cenários de René Allio, por exemplo, muitas vezes têm por função significar a História: lembremo-nos do mapa da época da Inglaterra, no qual se representava *Henrique IV* e os *croquis* de Watteau que cercavam *A Segunda Surpresa do Amor* de Maurivaux.

trampolim para o verbo. Propõe-nos novamente um local, até mesmo um ambiente.

Baty dizia de Antoine que ele havia tornado a ligar "às coisas(...) o homem isolado do mundo pelos clássicos [4]". Semelhante tentativa voltou a ser atual. Longe de apenas evocar os sonhos do homem ou de materializar sua liberdade ilusória, hoje nosso teatro mostra este homem às voltas com "o mundo como ele existe". E, em primeiro lugar, com os objetos e as coisas deste mundo que lhe opõe uma resistência obstinada e muda ou que o submergem debaixo de sua proliferação. O drama não é mais entre o homem e um destino invisível e transcendente, mas entre o homem e a realidade cotidiana, com seu peso e sua opacidade, a História se perfilando no horizonte do espetáculo.

Desde 1880 (para a França seria mais justo reter a data de 1887, que é a data da fundação do Théâtre-Libre e do advento de nosso primeiro encenador moderno, Antoine), o conteúdo e as formas do realismo se transformaram. O realismo naturalista se baseava na ilusão: tratava-se de reproduzir a realidade como era possível vê-la ou então concebê-la cientificamente (assim Antoine, para seu *Júlio César* no Odéon, ou Stanislávski, para o do Teatro de Arte de Moscou, procuraram reconstituir a Roma antiga). Era ainda supor a possibilidade de apreender um conhecimento global e acabado do real — assim como na época clássica. Certamente o objeto da reprodução não mais era a natureza humana, eterna, mas sim a natureza social. Não obstante havia-se procedido somente a uma inversão dos termos. No universo clássico o homem traz em si a sua verdade, face a Deus e ao mundo; no universo naturalista, o mundo existe só: "a raça, o meio e o momento" são o suficiente para definir o homem. Este não passa de um pedaço do mundo. E a representação teatral naturalista conduz precisamente à "fatia de vida", isto é, à evocação de um ambiente homogêneo, cortado de toda evolução histórica e assim condenado a não

---

4. Gaston Bati & René Chavance, *Vie de l'art théâtral des origines à nos jours*, Paris, Librarie Plon, 1932, p. 244.

ter senão um significado anedótico ou levado a usurpar um sentido simbólico.

É nisto que o realismo de hoje difere, fundamentalmente, do naturalismo. Não mais está fechado em uma certeza pseudocientífica. Recusa todo essencialismo e volta a ligar-se à historicidade. Basta somente compararmos duas representações teatrais: a de *A Terra* de Émile Zola dirigida por Antoine no Théâtre Antoine em 1902 e a de *La Remise* de Roger Planchon no Théâtre de la Cité. Ambas apresentam surpreendentes semelhanças — ao ponto de, para citar uma experiência pessoal, tendo que classificar documentos iconográficos relacionados com uma e outra, e que não tinham legenda, mais de uma vez errei atribuindo a Planchon o que era de Antoine e vice-versa. Entretanto, ambas se diferenciavam fundamentalmente pela própria estrutura do espetáculo: o mundo de *A Terra* de Zola-Antoine é um mundo fechado, tem em si mesmo sua própria significação (o enterrar-se na matéria da terra cultivada) e, se se inscreve na "história natural e social de uma família sob o Segundo Império" que constitui os *Rougon-Macquart,* é como um elemento autônomo que se integra num todo, como uma peça mecânica que antecipadamente já possui um lugar particular e determinado em um motor. Ora, o mundo de *La Remise* não é nem autônomo nem completo em si, além de não se inserir harmoniosamente num todo mais vasto: é um universo marginal em relação ao conjunto da sociedade francesa, e precisamente se define por esta situação marginal. Por isso, aparece sempre como que em desequilíbrio e nos remete à evolução da sociedade tomada em seu conjunto. O naturalismo de *La Remise* se nega a si mesmo e institui uma perspectiva histórica mais ampla.

Aliás, desde o fim do século XIX, Antoine havia ultrapassado os limites de um naturalismo rigoroso. Proclamando que se tratava de "colocar a natureza no teatro" — entenda-se, a natureza social — Zola havia sublinhado que a mesma não poderia ser representada no teatro senão "em sua ação sobre o homem[5]". E Antoine falava do realismo como de "uma

---

5. "Este é o papel do cenário. Amplia o domínio dramático colocando a própria natureza no teatro, em sua ação sobre o homem".

escolha expressiva". Isto já é atacar os imperativos de uma reprodução global e pretensamente imparcial da realidade. Quando Antoine montou no Odéon alguns clássicos com o cuidado de "situá-los [...] no país e na época em que nasceram [6]", dotava o espetáculo de uma dimensão histórica, mas parecia ainda fazer trabalho de puro naturalismo.

Hoje a ruptura com a ilusão é um fato. Ninguém mais a questiona. Mas, como notava Meyerhold: "É um erro opor o teatro estilizado ao teatro realista. Nossa fórmula é: teatro realista estilizado [7]". Também o nosso realismo repousa não numa confusão entre o palco e a realidade evocada, mas numa tomada de consciência do que os diferencia. Quanto mais o palco for um local de "convenção consciente" (para tomar ainda uma expressão de Meyerhold), mais será suscetível de evocar uma realidade mais ampla e complexa: além da realidade de um ambiente estreito, a realidade de toda uma sociedade — e de um mundo que se transforma. Como escrevia Brecht: "Se quisermos hoje fornecer representações realistas da vida social, é indispensável restabelecer o teatro em sua realidade de teatro [8]".

Daí não mais existir contradição entre a restituição do mundo real em sua diversidade e também em sua maleabilidade e o que Artaud chamava "a tentação física do palco". Ao contrário, uma acarreta a outra. Seus significados se trocam na própria articulação interna do espetáculo. O palco pode ser "este local físico e concreto que pede para ser preenchido e para falar sua linguagem concreta", como reclamava Artaud [9], e ao mesmo tempo se abrir para uma época e para uma História.

A distinção fundamental não é mais entre um

Émile Zola (*Le Naturalisme au théâtre*, Paris, Ed. Charpentier, 1881, p. 101).
6. ANTOINE, *Causerie sur la mise en scène*, *Revue de Paris*, 1.4.1903.
7. Cf. VSEVOLOD MEYERHOLD, *Le Théâtre Théatral*, tradução e apresentação de Nina Gourtinkel, col. Pratique du théâtre dirigida por André Veinstein, Paris, Gallimard, 1963, p. 275.
8. Cf. BERTOLT BRECHT, *Écrits sur le théâtre*, texto francês de Jean Tailleur, Gérald Eudeline e Serge Lamare, Paris, L'Arche, 1963, p. 213.
9. Cf. ANTONIN, ARTAUD, *Oeuvres Complètes*, v. IV: *Le Théâtre et son Double*, Paris, Gallimand, 1964, p. 45.

teatro que se contenta com a ilusão e um outro que não recorreria senão à alusão. Entre o que Meyerhold definia como um teatro de "reprodução exata da natureza" e o teatro da "convenção consciente". Ela se estabelece, antes, entre uma arte idealista, que só admite como válidas as soluções que impõe ao espectador, e uma arte materialista, que remete o espectador, através do jogo de estruturas imaginárias (por mais abstratas que sejam) à inesgotável riqueza significante do mundo e da sociedade.

No teatro, como em qualquer outra expressão artística, o realismo não poderia definir-se pela utilização deste ou daquele processo de cópia ou de evocação dos dados. Ao contrário, ser realista é precisamente recusar a utilização de um procedimento que ontem pode ter sido um meio de decifrar o real, mas que, hoje, nos desviaria dele; é mesmo, algumas vezes, destruir este procedimento, levando-o até o absurdo (algumas peças contemporâneas, veremos, podem mesmo ser consideradas obras naturalistas exacerbadas). Por isso este realismo problemático nos aparece, por definição, como experimental: procede por aproximações e não cessa de questionar suas maneiras de reproduzir ou de interrogar o mundo.

Não se pode portanto falar, como se fez a respeito do naturalismo, de um só e único realismo no teatro francês contemporâneo. De fato, estamos, antes, em presença de uma multiplicidade de tentativas realistas que podem parecer contraditórias entre si, mas que são animadas pela mesma vontade de permitir a explicação de uma realidade complexa, contraditória, em incessante transformação, além de todas as conclusões ou de todas as soluções parciais, mesmo das que reivindiquem uma objetividade científica.

Talvez a obra de Jean Genet nos forneça o melhor exemplo de uma dramaturgia que recorreu aos procedimentos aparentemente mais afastados de toda preocupação de cópia ou de reprodução da natureza — dos jogos de máscaras às cerimônias rituais, passando por todos os disfarces possíveis — não para desencaminhar ou drogar o espectador, mas para levá-lo a descobrir sua posição exata em nossa sociedade. Aqui o teatro se critica enquanto teatro, se denuncia como impostura: a festa de *Os Negros* existe para esconder a realidade de um ato realmente perpetrado por negros. O "torniquete" de *As Criadas* nos remete a nossa condição de exploradores diante de explorados e de subproletários, assim como o jogo de espelhos de *O Balcão* nos revela o fracasso de uma revolução que cometeu o erro de se transformar a si mesma em espetáculo. É incrementando, através da intervenção dos artifícios do teatro, a artificialidade de nossa sociedade que Genet nos convida a descobrir — fora do teatro — a realidade.

Ao contrário, boa parte da dramaturgia contemporânea preocupa-se em primeiro lugar em retranscrever, com aparente objetividade, a linguagem e os gestos da vida cotidiana. Daí nasceu o que agora se chama "teatro do absurdo", que na origem não passa de um hipernaturalismo. O homem não é mais apreendido no nível de uma psicologia de convenção, mas no nível de suas palavras, de seus atos desvinculados de todo contexto. O cotidiano manifesta-se enquanto tal, sem a menor pressuposição e separado de qualquer causalidade. Neste sentido, dramaturgos como Beckett ou Ionesco, ao menos em suas primeiras peças, fizeram obras realistas: não apenas em virtude da exatidão da transposição, mas também porque a colocação do cotidiano entre parênteses conduzia necessariamente os espectadores a se interrogarem sobre seus próprios comportamentos habituais e a reconsiderá-los. Mas, a esta interrogação sobre o cotidiano, Ionesco substituiu a "lição" de seu herói anti-herói, Bérenger. E Beckett organizou o mundo de *Fim de Jogo* como um universo trágico. Em vez de permanecer inacabada, aberta a diversas interpretações, a criação de ambos está agora fechada numa idéia ou numa atitude.

Em compensação, principalmente em *Pingue-Pongue* e *Paolo Paoli*, Arthur Adamov passou da descrição minuciosa, quase maníaca, de um pequeno mundo no qual seus personagens inutilmente repetem até o fastio as mesmas obsessões e as mesmas palavras, para a evocação de um universo mais amplo: o de uma sociedade que estes personagens aparentemente negam, mas na qual, no final, se inscrevem seus atos e suas palavras.

Neste ponto podemos pensar em Tchekhov (que Adamov traduziu, cuja obra teatral conhece bem). O tão sutil vaivém de suas peças entre o cotidiano plenamente vivido, minuto após minuto, por cada indivíduo, e a evolução geral de uma sociedade que coloca seu selo nesta sucessão de minutos aparentemente insignificantes, transformando assim o que parecia contingente em um verdadeiro destino histórico (basta lembrar *O Jardim das Cerejeiras*)... este vaivém é também característico de nosso novo realismo.

Sem dúvida dever-se-ia citar muitos outros dramaturgos: alguns mais jovens, como Michel Vinaver e Armand Gatti, outros mais idosos, como Sartre. Por trás de tudo que os separa, principalmente no que se refere à forma e às técnicas adotadas para a representação teatral, não possuem eles alguma coisa em comum? Justamente a vontade de estabelecer uma espécie de ir e vir entre o individual e o coletivo, entre os dados imediatos do cotidiano e as grandes transformações da história. Sartre assinalava, a propósito de Brecht, quando escrevia *Os Seqüestradores de Altona* — mas poderia ter dito o mesmo de sua própria obra ou daquela dos dramaturgos acima mencionados: "Ele (Brecht) procura simplesmente mostrar que não existe drama individual que não esteja inteiramente condicionado pela situação histórica e que ao mesmo tempo não se volte para a situação social para condicioná-la. É por esta razão que suas personagens são sempre ambíguas: ele focaliza suas contradições, que são as contradições da época em que vivem, e tenta mostrar, ao mesmo tempo, como fazem seu destino [10]".

É verdade que são raros os dramaturgos franceses que tiveram pleno êxito num tal empreendimento: reproduzir com exatidão o cotidiano e ao mesmo tempo apelar para uma compreensão histórica mais ampla. Talvez alguns de nossos encenadores e de nossos cenógrafos tenham ido mais longe que os dramaturgos nessa trilha. Pensemos, por exemplo, no trabalho de Roger Planchon, com obras clássicas como *George*

10. Cf. "Deux Heures avec Sartre" no *L'Express* de 17.9.1959.

*Dandin* de Molière e *A Segunda Surpresa do Amor* de Marivaux. Recusando a eternidade assim como a atualização dos caracteres e dos sentimentos, Planchon recorreu simultaneamente a uma reconstituição minuciosa como uma pintura do ambiente, dos fatos, dos gestos e das palavras das personagens, e à evocação, em grandes traços, de toda uma sociedade engajada em vastas metamorfoses históricas (a conversão dos burgueses à aristocracia em *Dandin;* as exigências, senão reivindicações, dos criados em *A Segunda Surpresa)*. Desta forma, o espectador é chamado a desfrutar os jogos da Marquesa e do Cavalheiro, mas também a compreendê-los de fora, como divertimentos (que podem ser graves, até mesmo mortais) de ociosos mais ou menos inconscientes, e que correm o risco de ser aproveitados pelos criados que, eles sim, sabem o que desejam e conhecem suas próprias necessidades.

Este é um exemplo entre cem. Na verdade seria preciso analisar a atividade da maior parte dos jovens diretores. De Jean Tasso a André Steiger, passando por Gabriel Garran e numerosos diretores dos Centros Dramáticos Nacionais, ocorre a mesma preocupação: unir a descrição exata de um ambiente e de uma época a uma reflexão sobre as circunstâncias históricas que cercam este ambiente e esta época. O que, no plano cênico, se traduz pela coexistência de objetos e de gestos naturalistas com uma estilização de conjunto.

O trabalho de cenógrafos como René Allio ou André Acquart nos oferece também uma imagem muito clara deste novo realismo. Lembremo-nos do cenário, ou "máquina de representar", concebida por Allio para o *Tartufo,* no Théâtre de la Cité: conjugava visivelmente a descrição naturalista (a descrição do apartamento de um burguês rico), a alusão simbólica (a penetração de Tartufo no que havia de mais íntimo na casa de Orgon) e a evocação histórica (a evocação de uma época que está asfixiada sob a autoridade do Rei-Sol e que encontra alguns derivativos no exercício de uma piedade fortemente erotizada).

Diante deste nível de êxito, as pseudo-oposições caem por si mesmas: nada é menos pesado, menos cansativo e menos prosaico que esta forma de realismo. E também nada é mais teatral. Ilusão e alusão, realidade e poesia nele estão conjugadas. Todas contribuem para o desvendar progressivo (e nunca concluído) da totalidade histórica vivida. Aqui nem o herói nem as coisas, nem o autor, nem o encenador (ou o cenógrafo) têm a última palavra. Trata-se tão- -somente de colocar o espectador em condições de pronunciá-la.

III. UMA NOVA UTILIZAÇÃO DOS CLÁSSICOS

## 9. POR QUE GOLDONI, HOJE?

É um fato: Goldoni é muito representado. Não somente pelos teatros oficiais, pelos grandes teatros de repertório (é verdade que há muito tempo a Comédie-Française não apresenta Goldoni...), mas também pelas companhias jovens. Um dos primeiros espetáculos de Gabriel Monnet na Comédie de Bourges, foi uma adaptação, realizada por Michel Arnaud, de diversas peças de Goldoni, reunidas sob o título de *É a Guerra, Arlequim*. O Grenier de Toulouse montou *Mirandolina* (La Locondiera) e o Théâtre de l'Est Parisien também apresentou a mesma peça, com um considerável sucesso de público. Planchon igualmente se ocupou de Goldoni, já que Jacques Rosner montou a trilogia de *A Vilegiatura* em Villeurbanne. Goldoni está portanto presente em todo o jovem teatro francês. O mesmo acontece na Itália: conhecemos as encenações feitas por Luchino Visconti das peças *Mirandolina* e *L'Impresario delle Smirne* e também o grande trabalho realizado, sobre Goldoni, por Giorgio Strehler. Mas Gianfranco De Bosio em Turim, Luigi Squarzina em Gênova, De Lullo e sua companhia "dei Giovanni" em Roma... todos montaram comédias de Goldoni. Por isso, cabe perguntar: por que Goldoni, hoje? A representação de suas peças possui um sentido para o teatro contemporâneo? neste caso, que sentido? Trata-se de uma operação filológica e arqueológica ou de um trabalho que traz alguma coisa de novo ao nosso teatro?

É significativo que o Goldoni moderno apareça no teatro sob um signo duplo: o do naturalismo e o da estilização. Prova disso são os nomes de dois dos maiores encenadores europeus: de um lado Stanislávski, que montou *Mirandolina* no Teatro de Arte de Moscou, e, de outro, Max Reinhardt, cujo célebre *Arlequim, Servidor de Dois Amos* foi representado no mundo inteiro e até mesmo em Milão, em 1932.

É que duas tradições reivindicam Goldoni: a tradição do século XIX, retomada e revalorizada pelo naturalismo, e a tradição da *commedia dell'arte,* ou pelo menos de uma certa concepção moderna da *commedia dell'arte.*

*O "mattatore"*

É verdade que na Itália não existe uma tradição goldoniana [1]. Com o declínio de Veneza, perdeu-se o segredo do jogo goldoniano. E, talvez mais do que Molière na França, tornou-se ele presa dos grandes atores italianos, dos *mattatori* do século XIX. (Neste sentido pode-se comparar a situação de Goldoni não tanto com a de Molière, mas com a de Marivaux, cujas peças, criadas pelos comediantes italianos, não foram retomadas senão tardiamente pela Comédie-

―――
1. Cf. LUIGI FERRANTE, *I comici goldoniani* (1721-1960), Documenti di teatro 19, Bolonha, Capelli Editore, 1961.

-Française e muitas vezes de maneira contestável.) Estes grandes atores, como Emílio Zago, que foi um célebre Pantaleão goldoniano, interpretavam de uma maneira quase verista (a propósito de Emílio Zago fala-se sempre em sua *naturalezza*), isto é, com profundidade, sinceridade, bondade de coração e *pathos*. Ora, a interpretação goldoniana exige mais artifício.

Mas há um fato mais grave: a própria estrutura das companhias italianas, dominadas por um grande ator, colocava um problema de interpretação. Nas obras de Goldoni, como nas de Molière, raramente existe uma única personagem principal: o que conta sobretudo é o relacionamento entre as diferentes personagens; não existe um tipo psicológico que domine a obra, existem vários e às vezes estão uns muito próximos dos outros (poder-se-ia falar de "variações" dramatúrgicas em torno de um tema dado; isto é evidente em *Os Rústicos*). O próprio Goldoni explica isso muito bem em *O Teatro Cômico,* quando compara o seu teatro ao teatro francês: "Não podemos recusar aos franceses a construção de belas personagens, bem fundamentadas, a arte de manejar as paixões, uma língua delicada, espiritual e brilhante; mas o público daquele país se contenta com muito pouco: uma única personagem é suficiente para conduzir uma comédia francesa; é uma gente que faz girar em torno de uma só paixão bem armada e bem conduzida uma porção de períodos cuja força de expressão confere à peça um ar de novidade; os italianos exigem mais, querem que a personagem principal seja forte, original e conhecida, que todas as personagens episódicas sejam também definidas como tipos psicológicos, que a intriga esteja cheia de incidentes e novidades; querem ver a moral misturada às brincadeiras e às falas sutis, exigem um desfecho inesperado mas extraído do próprio cerne da ação; precisam enfim de tantas coisas que eu não terminaria de enumerar; é somente com tempo, prática e experiência, que podemos chegar a conhecê-las e executá-las". Assim, a primazia do grande ator italiano destruía o que se constitui no essencial das comédias de Goldoni, nas quais o equilíbrio entre as diferentes personagens talvez seja mais importante que o próprio caráter das mesmas.

Entre os grandes atores, entretanto, é preciso conceder um lugar à parte para Eleonora Duse, que interpretou *Os Namorados* em 1885 e *Mirandolina* em 1890. Sem dúvida a Duse exibia muito brio e elegância em sua interpretação de *Mirandolina*, mas mostrava também algo de diferente: um sentido da precisão e da situação social da personagem que lhe permitia, ao contrário de sua grande rival Sarah Bernhardt, escapar ao *pathos* romântico.

*Dança e polifonia*

Na França são raras as referências a Goldoni durante o século XIX, sendo característico o fato de não ter sido redescoberto no momento do naturalismo — o Théâtre-Libre não montou peças de Goldoni —, mas, sim, no momento da reação contra o naturalismo. Foi Jacques Copeau quem desenterrou Goldoni. Copeau estava então bastante preocupado com o jogo corporal, o problema das máscaras, com todas as técnicas da *commedia dell'arte* e para ele Goldoni surgiu como um representante da *commedia dell'arte*. Léon Chancerel escreveu em 1960 que se Goldoni conduzira a ofensiva contra a comédia das máscaras, isso aconteceu depois que "tomara delas emprestado números e excelentes esboços (estes esboços, acrescentava, são aliás o melhor de sua abundante produção)". Num mesmo ano Copeau montou, de forma muito semelhante, Carlo Gozzi e Goldoni: em fevereiro de 1823 *A Princesa Turandot* de Gozzi e, em outubro do mesmo ano, *Mirandolina*. A mesma conjunção Goldoni-Gozzi encontra-se na Rússia: se Stanislávski encena *Mirandolina*, um de seus discípulos, Vakhtangov, dele separado por sua concepção do papel da *commedia dell'arte* no trabalho do ator, monta em 1922 *A Princesa Turandot* (foi um dos espetáculos mais admiráveis do teatro soviético da época e talvez tenha sido seu sucesso que atraiu a atenção de Copeau para Gozzi).

Logo, existe ainda um mal-entendido a respeito de Goldoni: ele foi libertado do *pathos* romântico-naturalista, mas para ser entregue à dança e à música, para servir de pretexto a uma exaltação da teatralidade pura. Na Itália esta reação foi influenciada por *Arlequim, Servidor de Dois Amos*, montada por Max Reinhardt em Milão em 1932, e pelas montagens de *O Leque* e *Confusão em Chioggia,* realizadas em 1936, em Veneza, pelo grande crítico italiano Renato Simoni. Estes espetáculos desenvolviam-se na linha da concepção que Silvio D'Amico tinha de Goldoni, e que expressa quando diz a respeito de *Confusão em Chioggia:* "Com as palavras do dialeto, o artista compôs uma das mais belas sinfonias que o teatro jamais conheceu; esta realidade que parece trepidante, desordenada, convulsiva, é uma polifonia admirável, com voltas e confluências temáticas, ondas de música, pausas melódicas, adágios, andantes, alegretos, coros; tudo isso respirando e transmitindo vida".

Esta concepção teve considerável importância: fez Goldoni escapar ao século XIX e afirmou — na época, na Itália, isso era muito importante — a primazia do encenador sobre o ator. Assim a obra de Goldoni aparecia não mais como a descrição de uma ou duas personagens, mas como um organismo vivo, cuja temática é superior às personagens. O perigo de tal concepção é que diminuiu o peso de realidade do mundo goldoniano e o substituiu pela visão de um universo agitado por um movimento perpétuo (o da intriga) onde tudo se ata e desata sem deixar marcas.

*A "italianidade"*

Encontramos assim, na França, uma série de representações goldonianas caracterizadas pelo emprego de cores vivas, cambalhotas e piruetas, buscando antes de tudo a "italianidade". A propósito de uma *Mirandolina* apresentada há muitos anos atrás no Concurso de Jovens Companhias, Roland Barthes assinalava a presença de "achados", em lugar de idéias, que procuravam restituir o "clima de viva irreverência que atribuímos tradicionalmente à *commedia dell'arte".* E concluía: "O estilo é sempre um álibi destinado a esquivar as motivações profundas da peça; fazer uma comédia de Goldoni com um estilo puramente italiano (arlequinadas, cores vivas, meias-máscaras, jogo de pernas e retórica da rapidez) é baratear o conteúdo social ou histórico da obra, é desarmar a subversão aguda dos relacionamentos cívicos; em uma palavra, é mistificar". Outro exemplo desta tendência foi *Mirandolina* montada por Sarrazin no Grenier de Toulouse. Também neste caso o espetáculo não respondia senão a uma exigência: a do movimento endiabrado. Todas as personagens eram títeres, salvo Mirandolina, a condutora do jogo, que multiplicava seus olhares, encantos e gestos. A partir daí não mais existem caracteres, nem conflito e muito menos uma descrição social. Como Audiberti gostava de dizer, a representação é "gelatinosa". O espetáculo se situa em todos os lugares e em lugar nenhum e remete tão-somente a uma italianidade absoluta, aliás bastante banal, já que a moral da história é que tudo termina sempre com danças, cambalhotas e canções. Uma variante deste gênero de interpretação podemos encontrar numa versão de *A Viúva Astuciosa* apresentada em Paris: a viúva era interpretada como uma "parisiense" de teatro, enquanto que o resto do espetáculo se desenrolava no *no man's land* da *commedia dell'arte*. Neste ângulo o caso Goldoni é bastante semelhante ao caso Marivaux. Durante muito tempo Marivaux foi interpretado na tentativa de reencontrar, em suas peças, uma psicologia da *coquetterie*, com a abstração do movimento, do cenário e das cores vivas. Foi necessária uma conferência de Louis Jouvet[2] ou uma encenação de Roger Planchon para romper este estilo. Aliás, a oposição entre um Goldoni burguês, pintor de caracteres, e um Goldoni mestre de dança, deve ser superada. Na verdade ela pede um terceiro termo: a referência goldoniana a um determinado estado da história e da sociedade. É aqui que se institui o vaivém entre o mundo e o teatro, de que fala Goldoni. Sua obra não cessa de mostrar que o mundo remete ao teatro e o teatro ao mundo. Separar um de outro é consentir num Goldoni alterado, alienado.

*A mediação dos objetos*

Os grandes espetáculos goldonianos realizam de

---
2. "Marivaux, le théâtre et ses personnages", conferência pronunciada em 6.2.1939, publicada em *Conférencia*, anos 1938-1939, v. II, p. 17 e ss.

fato a síntese entre mundo e teatro. Em primeiro lugar falemos das encenações de Visconti, que acentuaram a materialidade goldoniana. *Mirandolina*, apresentada por Visconti no Théâtre des Nations em 1956, se caracterizava desde o princípio por uma série de recusas. Recusa da imagem tradicional que os franceses (e talvez mesmo os italianos) fazem da hospedeira. Rina Morelli, que fazia o papel, não possuía nem os atrativos físicos nem a idade atribuídos tradicionalmente à hospedeira. Sua Mirandolina surgia como uma mulher seca, experiente, mais como mulher de negócios do que como apaixonada.

Recusa também de um lugar abstrato. Com Visconti o albergue é ao mesmo tempo real e transposto: seu pátio é o de uma habitação burguesa; seus quartos parecem cômodos de um palácio um pouco arruinado. O oscilação entre a aristocracia e a burguesia, entre, de um lado, o *status social* do Marquês e do conde, e de outro lado o de Fabrício e Mirandolina — o Cavalheiro se encontrando literalmente sem apoio entre dois universos — estava inscrita no cenário, na oposição entre as salas quase vazias e as suntuosas poltronas, entre as paredes nuas e impregnadas de salitre e as mesas cobertas de tecido branco e engomado. Enfim, a última recusa de Visconti, a recusa do movimento: sua *Mirandolina* era bastante lenta. Ele conseguiu criar momentos de espera, indecisão, *suspense,* nos quais nada é decidido. Assim, a obra de Goldoni não mais se referia unicamente ao conflito entre duas psicologias diferentes, mas ao conflito entre dois estados sociais diferentes. E não eram somente as relações entre os personagens que poderiam resolver tal conflito. Faltavam elementos mediadores e estes elementos eram os objetos. Roland Barthes viu com precisão: "A opção de Visconti nunca é gratuita. Goldoni não é um autor de *commedia dell'arte*. Certamente ainda utiliza certos esquemas degradados desta forma anterior de teatro (assim como Molière), mas sua arte anuncia vigorosamente a comédia burguesa. Em *Mirandolina* mesmo os tipos *caracteriais* do teatro improvisado cedem lugar aos tipos sociais (o nobre depenado no jogo, o *nouveau riche).* E os relacionamentos *sentimentais* não mais decorrem de uma simples mecânica de situações (raptos, seqüestros etc.), mas estão de certa forma *mediatizados* por objetos reais, vivendo de uma existência material, totalmente funcional, e é justamente isso que Visconti valoriza de maneira admirável. É *através* de trabalhos domésticos que se faz o jogo do amor; é *através* do suculento molho que lhe servem que o Cavalheiro sucumbe a Mirandolina; é *através* do ferro de passar roupa, que deve trocar, que Fabrício afirma sua superioridade sobre o Cavalheiro. Substituindo com precisão a retórica vazia de uma italianidade intemporal, o Goldoni de Visconti nos concerne, enfim, na medida em que é historicamente situado, na aurora dos tempos modernos, neste momento no qual a afetividade humana, por mais que ainda esteja encarnada nos tipos, começa entretanto a se socializar, a se tornar prosaica, a abandonar a pura álgebra das combinações amorosas para se engajar e se comprometer numa vida objetiva, a do dinheiro e das condições sociais, dos objetos e do trabalho humano. Nós deveríamos estar familiarizados com este momento da história, nós que possuímos em Molière o próprio exemplo de um teatro no qual a natureza é precisamente um compromisso da essência humana e da condição social [3]". O que nos fazia sentir a fascinação que podia exercer sobre o Cavalheiro um novo mundo entrando na história, este mundo burguês e material representado por Mirandolina e Fabrício, é justamente a maneira através da qual Visconti valorizava a espessura e o aspecto cotidiano do mundo do albergue (lembre-se que ele se inspirou nas naturezas mortas de Morandi).

A encenação de *L'Impresario delle Smirne* nos reconduzia à dualidade goldoniana. A descrição do mundo cotidiano, do albergue, era levada bastante longe, mas estava comprometida por um maneirismo no detalhe, uma vontade de efeitos estetizantes (a roupa suspensa no terraço, às vezes agitada por um golpe de vento...). Em compensação, Visconti tinha acentuado um outro elemento, isto é, o teatro; os atores eram conduzidos à caricatura, uma caricatura herói--cômica do teatro. Neste caso Visconti não reencon-

[3]. ROLAND BARTHES, *"La Locandiera"*, em *Théâtre Populaire* n. 20, 1. 9. 1956.

trava mais a harmonia e a coerência de sua *Mirandolina*. O mundo e o teatro coexistiam, cada um exasperado. É verdade que em *L'Impresario delle Smirne*, ao contrário do êxito em *Mirandolina*, Goldoni não superou o dilema: o mundo ou o teatro.

*A representação em situação*

Na França, sob influência de Visconti e de Strehler (ainda que o *Arlequim Servidor de Dois Amos* deste último tenha sido talvez compreendido erroneamente), também houve uma passagem do pseudo-Goldoni italianizado a um teatro, mais amplo, de descrição social. Neste sentido os três espetáculos mais importantes foram o *Arlequim Servidor de Dois Amos* montado por Tamiz, a encenação de *Os Rústicos* por Jean Vilar e enfim *Mirandolina*, realizado por Guy Rétoré no TEP. Como diz Mario Baratto, a propósito de *Arlequim Servidor de Dois Amos*, "o verdadeiro tema da peça é a própria *commedia dell'arte*, um universo de ficção evocado e manejado com a lucidez de um balanço definitivo[4]". Por isso, Tamiz fez seus comediantes interpretarem uma *commedia dell'arte* elevada à segunda potência, "*situando* a peça através de máscaras e de trajes fiéis à tradição, explorando seu cenário para *demonstrar* este teatro que se faz e desfaz diante de nós, atribuindo, finalmente, um alcance *coletivo* às interpretações, o de um grupo de atores que chega, sobe num palco e tem a consciência de interpretar um gostoso divertimento" (Mario Baratto). Desta forma, distancia seu espetáculo da *Commedia dell'arte*. Também *Os Rústicos* no TNP foram um êxito na medida em que Vilar criou no palco um espaço duplo: o espaço fechado dos *Rústicos*, que não era tratado de forma naturalista mas figurado sobre um pequeno *podium* no meio do palco, em torno do qual a vida coletiva de uma Veneza em pleno carnaval era representada de maneira sumária. Do mesmo modo, sugeriu a coexistência de duas linguagens: a linguagem inutilmente repetida que esvazia as relações entre os seres, a das disputas goldonianas, e, in-

---

4. Mario Baratto, "Arlequin, valet de deux maîtres", em *Théâtre Populaire*, n. 45, primeiro trimestre de 1962.

terceptando-a, uma outra linguagem, diretamente vinculada à sociedade, linguagem que constitui ação e ruptura da loquaz inércia cotidiana.

Ao contrário de Visconti em *L'Impresario delle Smirne*, Vilar, paradoxalmente, acentuou a unidade goldoniana essencial: este teatro da palavra, dos gestos cotidianos, fortemente estilizados, que giram em círculos, constitui também a descrição do movimento de uma sociedade. Algumas de suas personagens permanecem fechadas em sua linguagem, esta linguagem da qual Lunardo faz a caricatura dizendo "eu digo as coisas como elas são", ao passo que, de fato, nunca diz as coisas como elas são (Lunardo é justamente prisioneiro deste teatro artificial). Outras personagens, como Cancian, são, ao contrário, repensadas numa evolução social mais ampla. A representação do TNP mostrava com clareza: Goldoni superpõe ao tema fechado dos rústicos, a imagem de uma sociedade que continua a viver sua história racional em torno deles e consegue transformar alguns deles.

*Mirandolina* no TEP é um produto destas diferentes tentativas. Seu primeiro mérito é mostrar o albergue inteiro, toda a casa de Mirandolina, este espaço goldoniano no qual o Cavalheiro vai renunciar à misoginia. Sem dúvida pode-se perguntar se era necessário reconstruir todo o albergue e se não teria sido mais válido seguir o exemplo de Visconti, que sugeriu todo o local somente por algumas peças. Isto teria evitado que Guy Rétoré cedesse, às vezes, à tentação de povoar este albergue e assim recair no movimento goldoniano, na retórica italianizante goldoniana: os empregados que se ocupam das roupas, transportam frutas, deslocam objetos de uma maneira totalmente arbitrária... Em compensação poderia ter prestado mais atenção aos objetos, a estes objetos mediadores que deveriam ter uma verdadeira espessura material e pesar na ação. Mas o segundo mérito de sua realização é o de ter impedido os atores de cederem à tentação da *commedia dell'arte:* desta forma Jean-Jacques Lagarde interpreta o papel de Fabrício com firmeza, secura. Rétoré igualmente fez com que os atores que interpretavam o Marquês e o Conde não caíssem numa estilização à maneira de Labiche. Mas neste ponto não teve êxito. Rejeitando a estilização excessiva, caiu às vezes na comédia de costumes. A Mirandolina de Arlette Téphany não é mais a condutora do jogo: tem a psicologia da *coquette* burguesa que, por ser mais maligna que as demais, triunfará sobre todos. Enfim, o movimento de conjunto, difícil de obter por causa da multiplicação dos planos cênicos, foi criado de maneira um pouco artificial. A encenação não possui os momentos de indecisão, perturbação, nos quais os relacionamentos individuais recortam os relacionamentos sociais e se mantêm mutuamente em suspense. Momentos que eram tão admiráveis na encenação de Visconti. Mas permanece o fato de que Rétoré "desitalianizou" Mirandolina. E, a partir deste espetáculo, outras tentativas mais radicais puderam ser realizadas.

*Um itinerário goldoniano*

O último trabalho sobre Goldoni que eu gostaria de evocar é sem dúvida o mais completo: o trabalho realizado por Strehler no Piccolo Teatro de Milão. Strehler nunca deixou de montar Goldoni nos dezessete anos de sua carreira; inicialmente, em 1947, *Arlequim Servidor de Dois Amos,* depois, em 1954, a trilogia de *A Vilegiatura* e, em 1964, *Confusão em Chioggia.* Encenou igualmente muitas outras comédias de Goldoni, mas estes três espetáculos constituem três momentos essenciais da encenação goldoniana contemporânea. Strehler seguiu, de maneira quase cronológica, o próprio desenvolvimento da obra de Goldoni.

O *Arlequim* do Piccolo foi inicialmente concebido por Strehler como uma experiência no terreno da *commedia dell'arte.* Um pouco comparável à de Copeau, que tinha como objetivo o desempenho do ator e principalmente o desempenho com a máscara. Num admirável texto dedicado ao ator Marcello Moretti *(Quaderni del Piccolo Teatro* 4, 1962), Strehler descreve a maneira pela qual Moretti se habituou à máscara e conseguiu, em certo sentido, formar a máscara em seu próprio rosto; inicialmente a máscara atrapalhava Moretti; foram necessárias diversas tentativas para que ele encontrasse *sua* máscara, que é exatamente uma meia-máscara feita de couro leve; todos os atores de Piccolo tiveram que se adaptar às máscaras da mesma maneira. Para Strehler, o espetáculo foi uma maneira de afirmar a posição do encenador. Seu primeiro *Arlequim Servidor de Dois Amos* ainda dependia, em certa medida, da mitologia da *commedia dell'arte*. Mas rapidamente o espetáculo evoluiu: Strehler realizou cinco ou seis versões do *Arlequim*, situando cada vez mais historicamente a representação. Sua última versão era um espetáculo quase didático. Considerando que o *Arlequim* constitui, na obra de Goldoni, como que um adeus a uma forma superada de teatro, Strehler organizou uma espécie de argumento elevado à segunda potência, em torno da peça. Tratava-se de um grupo de comediantes que, na época do fim da *commedia dell'arte*, vinham interpretar *Arlequim Servidor de Dois Amos* num albergue de campanha: havia dois planos, o albergue, que tinha como fundo algumas ruínas romanas, e a cena, formada pelo *podium*. O pessoal do albergue contemplava os comediantes interpretando a peça. O *Arlequim* tornara-se a representação de uma interpretação. O mesmo desnível se encontrava no desempenho dos atores. Strehler empenhou-se em que a interpretação dos mesmos fosse ao mesmo tempo boa e má, que desse a impressão de uma representação improvisada que chegasse ao cabotinismo, pronto a balançar no vazio, de forma que a retórica da *commedia dell'arte* fosse explorada ao ponto de se negar a si mesma. E o espetáculo terminava com a partida dos comediantes, que retornavam ao mundo real, localizado além das destruídas colunas romanas.

O argumento da *Vilegiatura* montada por Strehler é bastante semelhante ao do *Arlequim*. Mas desta vez é um argumento completamente integrado na ação, que mostra um grupo de burgueses que querem passar por aristocratas e partem em vilegiatura. Interpretam, portanto, uma comédia. Mas esta comédia não resiste, se destrói a si mesma. E, no final, tal jogo é completamente desencantado. Na encenação de Strehler este final levou muitos a falar em Tchekhov. O espetáculo era muito longo e esmorecia gradativamente. As cenas, muito vivas no início, eram seguidas pela vacuidade das férias: o mundo artificial, que os burgueses haviam sonhado, se desfazia literalmente diante de nós. A obra aparecia assim como uma crítica da comédia social que era feita pelos personagens da *Vilegiatura*. O teatro criticava a teatralidade, na qual uma classe social buscava a fuga para sua responsabilidade histórica verdadeira.

*Criticar e descrever*

Finalmente, última etapa deste itinerário de Strehler, o *Baruffe Chiozzotte*, apresentado em Milão em fins de 1964. É um admirável exemplo de síntese entre a descrição bastante precisa da vida social e uma estilização da teatralidade goldoniana. Neste sentido a maneira como Strehler preparou o espetáculo é bastante significativa. Não anotou a partitura da peça, como pedia Silvio D'Amico, nela pesquisando "os adágios, os andantes, os alegretos" etc. Seu ponto de partida foi a vida de Chioggia e para isso mandou tirar centenas de fotografias do local. Com base nessas fotografias, erigiu sua encenação. Mas esta permanece, ao mesmo tempo, extremamente abstrata. Tomemos por exemplo o espaço cênico de *Chioggia*, construído por Luciano Damiani: um porto com duas casas de cada lado. O palco é emoldurado por construções altas, absolutamente naturalistas. Mas estas casas só ocupam pequena parte da cena, que é bastante ampla; resta um grande tablado de madeira visível. Daí nasce um desnível entre esta área de representação e a moldura que representa com exatidão a realidade. O mesmo desnível se repete no fundo do cenário, entre o barco, que acaba de acostar no cais, e o grupo de velhas casas de Chioggia, que parecem situadas no extremo limite do horizonte (trata-se de pequenas maquetes construídas e dispostas atrás de uma tela transparente, numa perspectiva deliberadamente falsa). Cria-se assim uma espécie de tensão entre o lugar cênico concebido como tal e a realidade, representada ao ponto de se tornar ilusória. Esta tensão é ainda acentuada pela luz. Todo o espetáculo é organizado por uma série de efeitos de iluminação que separam o palco em zonas diferentes. Estes recursos de iluminação permitem atribuir uma espécie de profundidade à interpretação dos atores. E colocam em relevo os três planos da peça, os três planos do mundo de Chioggia: o plano dos pescadores, o das mulheres e, finalmente, o plano de uma personagem à qual Strehler conferiu grande importância, Isidoro, o substituto. Strehler fez deste último um verdadeiro mediador entre o palco e a platéia. É através de Isidoro que vemos Chioggia: aliás Isidoro é como que a personificação do próprio Goldoni, já que Goldoni exerceu em Chioggia funções análogas às de seu substituto.

Desta forma, o mundo destes pescadores e destas mulheres nos aparece como um mundo fechado, que vemos de fora. Nós o observamos, por intermédio de Isidoro, com nostalgia e comiseração. É um mundo desvinculado da história e nós o vemos a partir de um ponto de vista histórico. Strehler acentuou mesmo o aspecto fechado deste mundo, fazendo com que o espetáculo todo fosse representado numa continuidade absoluta, com um só intervalo. Um dos aspectos mais admiráveis do texto de Goldoni, afirmava Strehler, é que tudo nele poderia continuar sem parar e recomeçar sem descanso. As brigas entre as mulheres, o desfile de famílias comparecendo diante do juiz... estes jogos são regulados de maneira bastante estilizada, abstrata, e, de certa forma, musical. Mas o importante é que, neste pequeno universo fechado (Strehler insistiu bastante no fato de que a comédia se passa no outono, portanto, na época em que termina a atividade dos pescadores), no qual se fala uma linguagem quase incompreensível para os italianos de hoje, uma irresistível vitalidade interior, primitiva, restaura o movimento da realidade: as brigas vão ser resolvidas, as pessoas vão se amar, vão se casar. Assiste-se então a uma reconciliação do teatro e do mundo, à resolução da dualidade goldoniana. É por isso que Strehler julga este espetáculo como o término de seu itinerário goldoniano. Teatro e mundo não mais estão opostos, estão conjugados. E, pela interferência do substituto, assistimos a um verdadeiro casamento entre ambos. Casamento que Strehler celebra no fim do espetáculo: atenua-se a rigorosíssima estilização das brigas, o baile dos pescadores e das mulheres é a reconciliação da palavra e dos gestos, dos objetos e das linhas.

A encenação de Goldoni vem assim de encontro a um dos problemas essenciais do teatro realista contemporâneo, que ainda é vítima da oposição entre o naturalismo segundo Antoine ou Stanislávski e a estilização segundo Craig ou Copeau. Entre um teatro que se limitaria a refletir o mundo e um outro teatro que seria superior ao mundo, revelador de verdades essenciais. Ora, através de Goldoni, alguns dentre os maiores encenadores conseguiram eliminar esta oposição e propôr uma descrição da vida cotidiana que ao mesmo tempo se constitui numa abertura para a história. Espetáculos que não se fixam em símbolos abstratos e em formas decorativas, mas que nos reconduzem à transformação geral e incessante do mundo: um jogo cênico em equilíbrio entre o cotidiano e a história, entre a cópia e a invenção, entre o consentimento e a recusa. Em resumo, um teatro que ao mesmo tempo, como afirmava Planchon a respeito do teatro de Marivaux, sabe criticar e descrever.

## 10. O "DESVIO" DO TEATRO: "LORENZACCIO" EM PRAGA

*Lorenzaccio* continua a ser o carneiro de cinco patas do teatro francês[1]. Certamente não estamos mais no século XIX e a obra-prima de Musset não é hoje apenas um "espetáculo para uma poltrona". É verdade que é representada menos freqüentemente que outras peças de Musset. E mais ainda: quando Sarah Bernhardt teve a audácia de querer interpretar, em 1906, esta peça considerada irrepresentável[2], recorreu

[1]. Não somente no teatro francês, mas também na Alemanha, já que a excelente coleção Friedrichs Dramatiker des Welttheaters, onde figuram um *Zuckmayer* e um *Camus*, não possui nenhum *Musset*.
[2]. A adaptação de *Lorenzaccio* feita pelo irmão de Musset, Paul de Musset, foi recusada pela Comédie Française (duas vezes: em 1863 e em 1874) e pelo Odéon (em 1864).

aos serviços de um senhor Armand d'Artois para cortar "passagens e cenas inteiras que tocavam muito de perto assuntos da religião" (o papel do Cardeal Cibo ficou assim reduzido a quase nada), proceder a "supressões exigidas pela moral e pela decência" e suprimir da peça tudo o que se referisse a Florença — ao ponto de não restar de *Lorenzaccio* senão um drama psicológico, talhado à medida de uma atriz que já se havia tornado célebre em papéis como Aiglon e mesmo Hamlet.

*Um "Lorenzaccio" mutilado*

O teatro francês atual, entretanto, ainda está longe de ter ousado enfrentar *Lorenzaccio* em sua totalidade. Depois de Sarah Bernhardt foi preciso esperar quase cincoenta anos para Lorenzo reencontrar seu sexo: Gérard Philipe, de forma definitiva — ao menos é o que podemos esperar — devolveu a virilidade à personagem, ainda que corrigida por uma suspeita de homossexualidade. Por mais brilhante que tenha sido o *Lorenzaccio* do TNP (Théâtre National Populaire), realizado em 1952, ainda não era uma versão completa de *Lorenzaccio:* numa encenação assinada por Philipe (mas que, no essencial, era de Jean Vilar) o que se impunha era Philipe. Não *Lorenzaccio*, mas, sim, o drama de Lorenzo. Uma nova metamorfose do herói romântico. A representação, aliás, cuidadosamente deixava de lado mais da metade do quinto e último ato (após o assassinato do Duque). A coroação final de um novo Duque aparecia assim como um simples epílogo da aventura de Lorenzo, uma prova de seu fracasso, não como o restabelecimento de uma situação histórica, na qual se inscrevem as veleidades da ação de Lorenzo. Mais recentemente, no TEP (Théâtre de l'Est Parisien), depois de procurar fundamentar seu espetáculo na situação de Florença, cidade ocupada, onde o Papa e o Imperador reinam por intermédio do Cardeal e do Duque, Guy Rétoré também escamoteou o quinto ato, como se fosse impossível fazer de *Lorenzaccio* outra coisa senão a história da inútil revolta de um adolescente contra os adultos.

Em vão comentaristas modernos viram em *Lorenzaccio* uma "tragédia da revolução" e não a tragédia de um único indivíduo (principalmente o sociólogo Henri Lefebvre, que talvez tenha enxergado, na encenação do TNP, mais do que ela continha). Outros assinalaram que, contrariando a opinião geralmente aceita, a construção da peça é perfeitamente coerente. É certo que não corresponde às regras da dramaturgia clássica, mas nem por isso é menos rigorosa (Hassan el Nouty compara-a precisamente à estrutura de um "mosaico refinado")[3]. Para caracterizá-la seria necessário recorrer a critérios que não pertencem à forma dramática, mas, sim, à forma épica do teatro. As realizações cênicas francesas de *Lorenzaccio* nem sempre captaram esta nova maneira de ler a obra de Musset. Detiveram-se no que os críticos do século passado chamavam de "drama de uma alma complexa". No máximo, com a interpretação de Gérard Philipe, o que nos foi proposto foi um Lorenzo existencial, parente próximo dos "bastardos sartrianos". Nada mais legítimo, aliás, em 1952. Mas hoje não mais estamos envolvidos na problemática das "mãos sujas", na opção entre pureza dos fins e impureza dos meios. Brecht e Genet, pelo menos, já deram sua contribuição.

Em resumo, guardadas todas as proporções, continua-se a tratar *Lorenzaccio* como Paul de Musset fez com quase todo o teatro de seu irmão, adaptando-o de maneira a torná-lo imediatamente consumível. *Lorenzaccio* tem sido adaptado, e pelo menos interpretado, sem antes ter sido "lido". A última representação do TEP me fez mesmo duvidar da possibilidade de uma leitura teatral completa de *Lorenzaccio*: por pouco estive a ponto de colocar a peça de Musset na lista deste "teatro invisível", de que falava Goethe a propósito das peças de Kleist.

*Tábua rasa*

Ora, a encenação de *Lorenzaccio* pelo Teatro

---

3. Numa interessante análise dramatúrgica de *Lorenzaccio*, "L'Esthétique de *Lorenzaccio*" por HASSAN EL NOUTY, no número especial "Présence de Musset" da *Revue des Sciences Humaines*, da Faculdade de Letras e Ciências Humanas de Lille, fascículo 108, out.-dez. 1962.

Za Branou de Praga, em tradução tcheca de Karel Kraus e com direção de Otomar Krejca, me forneceu o mais radical dos desmentidos. Aqui estamos, finalmente, diante de uma leitura completa da obra. Para começar, Krejca faz tábua rasa das interpretações anteriores: não aborda *Lorenzaccio* na perspectiva da problemática existencial de seu herói, nem por seu conteúdo aparentemente histórico (a Florença do século XVI), nem por seu valor de atualidade (a tentação, entretanto, deve ter sido grande em Praga em 1969!). Krejca não procura referências *a priori*. O que lhe interessa é inscrever o texto numa duração e num espaço propriamente teatrais, onde a peça possa desenvolver-se integralmente. Mesmo efetuando alguns cortes e às vezes, muito raramente, alterando a ordem da sucessão das cenas, conserva escrupulosamente a arquitetura do texto em toda sua complexidade: não elimina nada do que possa parecer secundário em relação à história de Lorenzo. Ao contrário, sublinha o paralelismo das diversas ações, e faz representar o quinto ato em sua totalidade, incluindo mesmo a cena em que o estudante é massacrado pelos soldados — cena escrita por Musset e por ele mesmo retirada da primeira edição do texto.

Esta vontade de exatidão quase filológica não teria maior interesse se não conduzisse à constituição de um universo teatral suscetível de abranger, com precisão, a complexidade da obra. Auxiliado pelo cenógrafo Josef Svoboda, Otomar Krejca põe as cartas na mesa. Não procura reconstituir uma pseudo-Florença do século XVI (sabe-se hoje que não foi *depois,* mas, sim, *antes* de sua famosa viagem à Itália, em companhia de George Sand, que Musset escreveu a peça, ao menos no que se refere ao essencial). Nem mesmo (como Gaston Baty fez com *Os Caprichos de Mariana)* procurou recolocar a obra no ambiente histórico que serviu de ponto de referência básico para o autor: Paris após o fracasso da revolução de 1830. *Lorenzaccio* é representado num palco quase vazio. Apenas um conjunto de biombos com espelhos, que ora refletem o que se passa diante deles, ora deixam entrever, por transparência, o que se passa atrás, permite a Krejca multiplicar os diferentes planos de seu espaço cênico, utilizado em toda a largura e profundidade (no plano do fundo, um espaço vazio lembra a sensação de prolongamento sombrio do fundo do palco, recurso de que já havia tirado grande partido no último ato de *As Três Irmãs).* Cubos escuros, manejados pelos atores, servem como assentos ou pedestais e, principalmente, de pontos de apoio para a interpretação. Além disso, a iluminação não cessa de remodelar este espaço, ora cortando-o nitidamente em dois (no primeiro plano, uma cortina de luz separa a cena), ora prolongando-o até o infinito.

*O espaço de uma sociedade*

Este local nada tem de simbólico: é um espaço complexo, transformável, o espaço de um jogo que se assume como jogo. Uma espécie de tabuleiro maleável à vontade. Aquilo que Siegfried Melchinger, já a propósito de *As Três Irmãs,* chamava "campo de forças" [4]. No início do espetáculo todos os atores vêm ocupar este espaço; não o abandonarão (a não ser no intervalo) até o final. Estão todos com malhas de diversas cores. Vão vestir-se diante dos nossos olhos e trocarão de roupa também à vista do público. Pois realmente se trata de teatro: não da descrição de uma realidade preexistente, mas, sim, a evocação, por meios deliberada e especificamente teatrais, de uma realidade cuja definição cabe ao espectador encontrar. Krejca gosta de consigná-lo: "O verdadeiro caminho da arte consiste nesse desvio pelo qual esta arte sai da realidade para voltar a ela" [5].

Assim todos os episódios de *Lorenzaccio* se desenvolvem de maneira paralela e simultânea, neste local de certa forma polivalente. Aqui nada é estritamente público ou estritamente privado. Às intrigas de gabinete do Cardeal Cibo e às manobras de alcova da Marquesa respondem os lamentos dos banidos exilados de Florença e os escândalos do Duque, a quem Lorenzo serve de alcoviteiro. Tudo coexiste: cada palavra e cada gesto repercutem mesmo fora dos locais

4. SIEGFRIED MELCHINGER, "Die Prager *Drei Schwestern*: das Prager Experiment", *Theater Heute,* jan. 1969.
5. OTOMAR KREJCA, "Wie soll das Theater weiter gehen?", *entrevista coletiva,* Praga, 21.10.1969, *Theater Heute,* art. cit.

onde foram produzidos. Otomar Krejca e Karel Kraus deliberadamente romperam com a estrutura de *Lorenzaccio* em quadros separados. Reagrupando cenas que se sucediam ou aproximando outras que, no original, estavam distantes (mas tais modificações são bastante raras), reconstruíram a obra em uma série de seqüências, de forma que cada uma delas contém um pouco de quase todos os motivos principais da múltipla ação da peça e é organizada em torno de um grande tema. O duelo entre Pierre Strozzi e Salviatti, por exemplo, sempre visível, interrompido e depois retomado, unifica a sucessão das cenas que compõem o segundo ato da peça de Musset; a presença de Pierre e Thomas Strozzi acorrentados e presos a um pelourinho, bem no fundo da cena, é o elemento permanente da seqüência seguinte.

A todo instante, portanto, o espectador pode observar todo o universo de *Lorenzaccio*. Algumas personagens agem, outras estão paradas, com o rosto coberto por uma máscara apenas indicada, como se fossem estátuas de cera (a máscara é também o equivalente exato da transformação que Marie Soderini, a mãe de Lorenzo, descreve a Catherine, sua jovem tia: "Como uma fumaça maligna, a desonra de seu coração lhe subiu ao rosto. O sorriso [...] fugiu de sua face cor de enxofre"). Como sobre um tabuleiro de xadrez, uma rede de ações e reações se desenha com clareza: a sorte de cada um está ligada à sorte de todos, mesmo que as personagens se recusem a reconhecer esta verdade e queiram, cada uma, jogar seu próprio jogo. Os comentaristas de *Lorenzaccio* costumam distinguir na peça três intrigas separadas, ainda que convergentes: "1) a que opõe Lorenzo ao Duque, cujo desenvolvimento é de uma simplicidade linear; 2) a que coloca em cena a Marquesa Cibo, seu cunhado, o Cardeal e o Duque, cujo desenho é duplo, já que o Cardeal e a Marquesa cobiçam um mesmo objetivo mas não seguem os mesmos caminhos [...]; 3) a intriga, enfim, que ergue os Strozzi contra o Duque, e que se desenrola em dois degraus: efetivamente é por um salto que a hostilidade ativa dos Strozzi, a princípio voltada contra Salviatti, se dirige contra Alexandre de Médicis"[6]. Em vez destas três intrigas, entretanto, no espetáculo de Krejca existe um encadeamento de linhas de força que ora cria o tumulto e o caos (então não mais se distingue quem age e quem é objeto da ação), ora se petrifica num cerimonial imutável. Nada mais surpreendente, neste sentido, que as cenas de sublevação popular do quinto ato: basta uma fileira de soldados, cortando o palco em dois, para que a imagem de uma insurreição suceda à imagem de uma Corte distraída e pacífica, na qual as damas e os cavalheiros nada mais têm a fazer senão jogar péla.

Cada imagem cênica nos comunica um momento desta microssociedade, com todas suas contradições: enquanto Lorenzo e Scoronconcolo ensaiam o assassinato do Duque, na outra extremidade do palco Philippe Strozzi e Marie Soderini esboçam alguns passos de uma dança nobre. Toda a obra se inscreve na dinâmica deste espaço que se faz e se refaz diante dos nossos olhos. A palavra encenação encontra aqui seu sentido mais poderoso: é realmente de uma dramaturgia no espaço e no tempo que se deve falar.

*Do teatro à segunda potência*

Krejca não se contenta com uma visão coreográfica. Não esquece a dimensão duplamente teatral de *Lorenzaccio*. Em Musset, com efeito, o *jogo* é essencial. Não é somente Lorenzo que não pára de representar um papel (no fim nem mesmo ele sabe qual papel: o de um libertino, que lhe permite adquirir a confiança de Alexandre, ou, ao contrário, o de um revoltado, que permite ao libertino conservar a boa consciência?). Toda a sociedade florentina se transformou em teatro. Desde a segunda cena os cortesãos e o próprio Duque nos aparecem disfarçados de freiras.

Tomando ao pé da letra as alusões ao carnaval, feitas no decorrer desta segunda cena, Krejca situa quase todo *Lorenzaccio* durante este carnaval. No princípio assistimos a um desfile de máscaras embria-

6. Cf. Hassan el Nouty, art. cit.

gadas (as máscaras foram desenhadas por Jan Koblasa; comparando os esboços com a execução, decepcionam um pouco): algumas personagens usam monstruosas cabeças de animais ou pássaros, outras usam seus próprios rostos, desmedidamente agigantados, como figuras de espantalhos. Pouco a pouco, entretanto, as máscaras caem: os rostos nus se confrontam. A morte fere verdadeiramente. E somente depois do assassinato do Duque e do restabelecimento da ordem dos Médicis é que três criados voltam a atravessar o palco com máscaras na mão: *Lorenzaccio* terminará em meio a outro carnaval.

Conhece-se o gosto de Krejca pelo uso de máscaras e a maneira como as utilizou, por exemplo, em *Fim do Carnaval* de Topol ou em *Máscaras de Ostende* de Ghelderode. Neste caso sua visão de uma cidade disfarçada, onde um carnaval perpétuo se transforma em pesadelo, é ainda plenamente justificada. Mas a superabundância de máscaras é, às vezes, excessiva ou complacente. A multiplicação das mesmas atenua seu significado. Por outro lado, o princípio segundo o qual foram distribuídas as máscaras de animais e as humanas nem sempre é decifrável. O prazer de montar uma festa teatral supera, às vezes, a vontade de descrever a festa de uma sociedade, festa que é, ao mesmo tempo, uma fuga diante da realidade e um álibi para os que manipulam esta realidade.

*O jogo dos "duplos"*

A esta teatralidade externa se junta uma outra teatralidade interna, importante sob outro aspecto. Já se disse muitas vezes: Lorenzo não cessa de representar seu próprio papel. Tomando também esta idéia ao pé da letra, Krejca evidenciou esta teatralidade. Não que tenha pedido a seu intérprete de Lorenzo, o excelente Jan Triska, para acentuar a cabotinagem de seu herói: atualmente é forte a tendência de fazer de Lorenzo um psicopata desdobrado em simulador; Triska, ao contrário, representa o papel com uma calma e uma frieza aparente que concorrem ainda mais para destacar os bruscos acessos de covardia ou cólera da personagem. Mas, autorizado pelas alusões de Marie e do próprio Lorenzo, a respeito do "espectro" que às vezes o acompanha, Krejca atribuiu um "duplo" a Lorenzo: um outro Lorenzo, com o rosto petrificado sob uma máscara, que não é o Renzo de antes, sobre o qual falava Marie, mas que, assim como o retrato de Dorian Gray, parece ter tomado a si a desgraça de Lorenzaccio. E este duplo não se afasta um momento de Lorenzo: será mesmo por sua mão que, no final, Lorenzo será morto. (O que é contestável. Compreendo perfeitamente que a morte de Lorenzo em Veneza tem toda a aparência de um suicídio: a morte de Lorenzo por seu duplo, com efeito, indica isso. Mas talvez Lorenzo não mais devesse, então, ter um duplo: uma vez assassinado o Duque, ele fica reduzido a ser apenas ele mesmo, ou seja, quase nada. Sua morte em Veneza não é senão o atestado de uma morte que ele próprio provocou no instante mesmo em que matava o Duque).

O jogo de duplos não se detém neste ponto. O Lorenzo do Za Branou não possui apenas um, mas vários duplos. Scoronconcolo não é somente seu mestre de esgrima e cúmplice no assassinato de Alexandre: ele o segue como sombra, imagem, desta vez, não de sua desgraça, mas, sim, do assassinato com o qual sonha. Além disso, Krejca colocou em primeiro plano a personagem do jovem pintor, Tebaldeo, cuja única utilidade na ação é levar o Duque, enquanto está posando para um retrato, a se desfazer de sua cota de malhas, mas que encarna o artista, sem dúvida alguma o próprio Musset — este artista, cuja "arte, esta flor divina, algumas vezes precisa de estrume para adubar e fecundar o solo" (II,2). Aqui Tebaldeo (interpretado por Otomar Krejca Jr.) não se contenta em salmodiar o credo do artista, como numa peça de concurso de Conservatório: também ele, sempre presente, aparece como um duplo de Lorenzaccio. O que Lorenzaccio poderia ser, enquanto ele, Tebaldeo, talvez venha a se tornar um Lorenzaccio. No final é justamente Tebaldeo quem usa o manto de Lorenzo morto. Enfim, um último reflexo de Lorenzo-Scoronconcolo-Tebaldeo nos é proposto: a silhueta de um estudante, presente principalmente no início e no fim do espetáculo.

Em torno de Lorenzaccio, Krejca estabeleceu como que uma constelação de outros rostos. Assim seu drama não é mais o de um indivíduo isolado: é o drama de toda uma juventude impotente para a ação, que não encontra outra saída a não ser a loucura, o crime, a arte ou uma revolta inútil, em meio a uma sociedade que procura, a todo preço, manter sua ordem sob a aparente desordem das máscaras.

*Por trás da festa*

Não nos enganemos. É tentador qualificar o *Lorenzaccio* do Za Branou de *espetáculo barroco* e assim aproximá-lo do teatro concebido como festa, tal como é sonhado por Arrabal e alguns encenadores parisienses (Jorge Lavelly e Victor Garcia, por exemplo). Pensar que Krejca tenha querido anexar a peça de Musset ao *teatro pânico,* e com ela realizar um espetáculo no qual o espectador fosse submergido pelo "ruído e furor", seria o mesmo, julgo eu, que condenar-se a não compreender nada deste *Lorenzaccio*. As máscaras, as contradanças das idas e vindas das personagens, até mesmo a partitura sonora que acompanha a representação (seria preciso descrever em detalhes a mistura de música gravada, de cantos reais, gritos, efeitos de microfone... que compõem uma substância sonora tão complexa quanto o espaço cênico), toda esta teatralidade manifesta não é explorada por si mesma, por seu efeito direto sobre o público. Krejca se preocupa, inclusive, o tempo todo, em quebrar o que poderia constituir um *morceau de bravoure* e assim arrebatar a adesão imediata do espectador. Cada momento de tensão (alguns de extrema intensidade, como o treinamento de Lorenzo e de Scoronconcolo, a morte de Louise Strozzi em verdadeiros espasmos...) é cuidadosamente isolado do resto do espetáculo, que desta forma não é contaminado. Não existe um crescendo irresistível. Este espetáculo deliberadamente teatral não se torna vítima de sua própria teatralidade (basta lembrar, como prova, a rapidez e a secura com que termina a primeira parte, no fim do grande diálogo entre Lorenzo e Phillippe — quando teria sido tão fácil produzir um efeito de teatro).

*Lorenzaccio,* ao contrário, denuncia esta teatralidade. O espectador é instigado a descobrir o que ela esconde. Por trás das máscaras, do carnaval, do jogo de duplos e do próprio drama de Lorenzo, há uma realidade precisa: a realidade de uma cidade submetida ao poder do Papa e do Imperador. No fundo, nem o Duque, nem a Marquesa, nem Philippe Strozzi não sentem nem podem ter nas mãos os fios da situação: o Duque (admiravelmente interpretado por Milan Riehs, que é também o Prosoroff de *As Três Irmãs* de Tchekhov) lembra mais uma criança dada a bruscos e perigosos acessos de cólera ou ressentimento, do que um grão-senhor carniceiro; Philippe Strozzi que, depois de ter enfim se decidido a agir, é como que fisicamente destruído pela morte de sua filha Louise, apresenta o comportamento de um velho líder radical-socialista que teria passado mais tempo nas tribunas dos congressos do que nas barricadas (Philippe Strozzi fala sobre si mesmo: "Pensam que Philippe Strozzi é um homem honesto, porque fez o bem sem impedir o mal"); a Marquesa reúne em si todas as fraquezas e todas as vaidades de uma Madame Bovary que sonhasse ser Joana D'Arc.

Ficam, face a face, a burguesia florentina e o Cardeal Cibo. Krejca fez com que todas as personagens que dependem pouco ou muito dessa burguesia (no mais amplo sentido da palavra) sejam interpretadas por apenas dois atores, facilmente reconhecíveis sob seus múltiplos disfarces: Borik Porchazka e Ladislav Fiser. Estes, que no princípio são o mercador de sedas e o ourives, cujo diálogo (na segunda cena) nos fornece um quadro da situação de Florença, se tornam, respectivamente, Bindo Altoviti e Venturi, burgueses revoltados que o Duque, a pedido de Lorenzo, logo acalma com a atribuição de uma embaixada em Roma e de um privilégio para a manufatura; depois aparecem como banidos, monges, preceptores das crianças Salviatti e Strozzi, até mesmo como dois membros do Conselho dos Oito (um deles é Ruccellai, que vota em branco nas eleições para o novo Duque e deixa a sala proclamando: "Eu lavo as mãos")... Em todos os níveis, encarnam, assim, o mesmo comportamento: compreendem a situação, às vezes são até vítimas dela, mas por nenhum preço querem olhá-la de frente, muito menos lutar para que mude; contentam-se com piedosos protestos e tentam, cada um por si, tirar de alguma forma algum proveito da desgraça comum.

Em oposição se ergue o Cardeal Cibo. É ele, politicamente, quem dá as cartas. É ele quem puxa pelos cordões o Duque e a Marquesa; é contra ele que, antes mesmo de ter verdadeiramente estourado, se desfaz a pseudo-revolta de Philippe Strozzi. Ele é a chave deste campo de forças traçado por Krejca. É ele quem encena, por assim dizer, a coroação final. Uma vez assassinado o Duque, seu corpo é enrolado num tapete que permanece sobre o palco durante todo o quinto ato. Abafada a insurreição, massacrado o estudante pelos soldados, Lorenzo eliminado em Veneza, a cena mais uma vez invadida pelas máscaras, o Cardeal Cibo preside a cerimônia de coroação do novo Duque, Cosmo de Médicis. O tapete que contém o cadáver de Alexandre é trazido para o centro do palco, desenrolado. E eis que o próprio Alexandre se ergue e vai instalar-se no trono. O lençol do crime, um lençol manchado de sangue, estendido de um lado ao outro do palco, esconde-o por um instante ao nosso olhar; em seguida, sempre obedecendo ao comando do Cardeal, este lençol desaparece: ao pé do Duque, deste Cosmos que não é outro senão Alexandre, um outro Lorenzaccio, o rosto coberto por uma máscara branca, está agachado. Portanto nada se passou. A ordem do Papa e do Imperador é restabelecida pelas próprias mãos do Cardeal. E esta ordem não pode ser outra senão aquela que reinava no princípio. O carnaval pode recomeçar!

Talvez seja evocado, a este propósito, as teses shakespearianas de Jan Kott e seu "grande mecanismo" da história. Mas seria um erro. Krejca não nos sugere que tudo sempre se repete. Mostra-nos somente que, numa determinada situação, e levando em conta as forças presentes, nada mudou, nada foi transformado. De fato, a história foi apenas uma miragem. Ocorreu apenas uma série de gestos e palavras individuais. O teatro substituiu a ação. Cabe a nós compreender e tirar nossas próprias conclusões.

*Lorenzaccio* não se encerra com uma inelutável prova de fracasso. Com uma fidelidade tanto mais surpreendente para com a peça de Musset quanto rompeu com todas as tradições de interpretação do texto, com a *imagerie* romântica que ainda nos mascara demasiado esta obra, Krejca nos entregou, ao mesmo tempo que a visão fascinante de um mundo atordoado com seu próprio teatro, uma análise crítica deste universo fechado em si mesmo tão precisa como uma radiografia. É o paradoxo de sua encenação de *Lorenzaccio:* não apela em nada para a atualidade; nenhuma piscadela de olhos vem relacionar qualquer de suas personagens a alguns de nossos contemporâneos; não sacrifica sequer à tentação de encontrar, na Florença de Musset, um eco tanto da Revolução de julho de 1830 quanto da "Primavera de Praga". Entretanto, semelhante espetáculo encenado hoje em Praga assume o valor de um ato de reflexão política. O público percebe perfeitamente: é com uma atenção quase angustiada que segue o espetáculo, intervindo com aplausos só em raros momentos, quando uma ou outra fala não pode deixar de evocar a "restauração" que está começando a viver. Não há dúvida de que o público se reconhece nesta tragédia histórica que *representa,* com muito mais exatidão do que poderiam fazer espetáculos diretamente engajados na atualidade, sua própria tragédia.

Elaborado durante o verão de 1968, ensaiado durante quase seis meses, apresentado em cidades do interior antes de estrear em Praga, este *Lorenzaccio,* no qual a riqueza e a complexidade da encenação só podem ser comparadas ao rigor da análise dramatúrgica, assume a nossos olhos o valor de um exemplo: o que este espetáculo afirma de maneira soberana é a realidade do teatro.

## 11. BRECHT DIANTE DE SHAKESPEARE

Desde 1963, figura no programa do Berliner Ensemble *Der Messingkauf* (A compra do cobre), um espetáculo didático que é de certa forma a exposição e a ilustração do método brechtiano.

Este *Messingkauf* começa assim: quando a cortina clara do Berliner Ensemble, enfeitada com uma pomba de Picasso, se abre, não aparece o palco mas uma outra cortina: a tradicional cortina de veludo vermelho dos teatros. É apenas depois que esta, por sua vez, se abre, que começa realmente a representação. Uma representação singular, pois se trata da última cena de *Hamlet* encenada no estilo que Brecht qualificava de "estilo monumental de papelão tão ao gosto de pequenos burgueses" e que constituía, no seu entender, "a tradição shakespeariana do palco alemão". Evidentemente, esta paródia é interpretada com a maior seriedade: Hamlet, inteiramente vestido de negro, desmorona e Fortinbras aparece, radiante de brancura — seguem-se os aplausos e as saudações, pois a verdadeira conclusão de *Hamlet* está, como freqüentemente acontece, cortada. O que é deste modo apresentado à nossa crítica é não apenas um certo tipo de representações shakespearianas mas também todo o teatro dramático tradicional, ao qual a dramaturgia brechtiana se opõe. E o público do Berliner Ensemble ri às bandeiras despregadas...

Neste mesmo teatro, porém, algumas horas antes, eu havia assistido a um ensaio de *Coriolano,* de Shakespeare: neste caso, nem sinal de paródia. Pelo contrário: raras vezes, no Berliner Ensemble, uma peça foi tratada com tanto cuidado, raras vezes, deu ensejo a pesquisas tão aprofundadas. Os ensaios deste *Coriolano* duraram cerca de um ano...

Este contraste, esta oposição: Shakespeare ao mesmo tempo exaltado e objeto de moda... é característico da própria atitude de Brecht. Uma atitude dupla. Para ele, de fato, Shakespeare era ao mesmo tempo o representante mais qualificado ( e portanto o mais nefasto) do que chamava de antigo teatro, e o precursor deste teatro novo que pretendia promover: não apenas o teatro épico brechtiano, mas também o teatro dialético e histórico no qual Brecht dos anos cinqüenta via o apogeu bem sucedido e necessário da forma épica.

Esta dualidade de Brecht pode ser encontrada em todos os trabalhos que realizou a partir de Shakespeare: das adaptações aos comentários sobre o teatro shakespeariano (e mesmo sobre o teatro elisabetano — pois Brecht não dissociava Shakespeare do teatro elisabetano; preferia mesmo destacar este último). É esta dualidade que tentaremos definir, sem pretender esgotar o tema (um volume dificilmente bastaria: esta é a razão por que, esboçando o "caminho para Shakespeare", que foi o de Brecht, não adotaremos a ordem cronológica e assim negligenciaremos diversas variações brechtianas) e sem retomar por nossa conta as afirmações de Brecht: este não falava na qualidade de historiador do teatro mas enquanto dramaturgo — um dramaturgo facilmente provocador — e a imagem de Shakespeare que formou está muitas vezes longe de corresponder à realidade do dramaturgo elisabetano.

Observemos inicialmente: durante toda a sua vida, Brecht foi literalmente assombrado por Shakespeare. A edição mais recente, por enquanto "completa", dos *Schriften zum Theater,* em sete volumes, pode comprová-lo. Se não em todos os momentos, pelo menos em cada grande transformação de suas reflexões sobre o teatro, teve a necessidade de referir-se a Shakespeare, de enfrentar Shakespeare. Assim, encontraremos, por volta de 1926-1929, início da elaboração do conceito de "forma épica", a *Introdução a "Macbeth",* redigida para uma transmissão radiofônica da tragédia de Shakespeare e o *Kölner Rundfunkgespräch* (Palestra na Rádio Colônia). E depois, mais tarde, por volta de 1937-1939, época do *Messingkauf,* um texto tão importante quanto *O teatro de Shakespeare* — sem contar a série de "estudos shakespearianos" de que restam apenas fragmentos e que deviam, ao que parece, constituir um conjunto. Também no *Pequeno Organon* datado de 1948, vários parágrafos são dedicados a Shakespeare. Finalmente, o trabalho sobre *Coriolano* ocupa um lugar importante nos últimos anos da vida de Brecht: a princípio pela adaptação da peça em 1951-1952 — acompanhada pela redação de inúmeras notas sobre *Coriolano* (pude tomar conhecimento de algumas delas, que figuram hoje no *dossier* do Berliner Ensemble sobre *Coriolano);* depois, por diversas discussões do "coletivo" de encenação do Berliner Ensemble quanto à futura realização cênica de *Coriolano* (destas discussões foi tirado o *Estudo da primeira cena de "Coriolano",* publicado na primeira coletânea dos *Schriften zum Theater* e considerado por Brecht como uma peça essencial de um futuro conjunto teórico: *die Dialektik auf dem Theater* — "a dialética no teatro").

Inicialmente, Brecht opõe uma recusa ao teatro shakespeariano, definido como a dramaturgia das grandes individualidades que voltam as costas à sociedade e vão se perder e se exaltar na solidão. Esta recusa data dos anos 1926-1929, quando optou pela "forma épica do teatro". Pode-se perceber nesta recusa a influência do sociólogo Fritz Sternberg, com quem Brecht teve então inúmeros encontros e até uma troca de cartas abertas sobre o drama. Sternberg via em Shakespeare o pai do teatro ocidental: em sua obra, dizia, a tragédia do indivíduo começa a se separar da tragédia da sociedade; e chegava mesmo a concluir pela inutilidade, em nossos dias, de uma dramaturgia em que se haja consumado a ruptura entre o indivíduo e a sociedade. Sem chegar a este ponto, Brecht compartilhava as opiniões de Sternberg sobre o teatro shakespeariano. Pode-se encontrar um eco disto no *Kölner Rundfunkgespräch,* palestra com Ihering e Sternberg, onde Brecht declara precisamente: "Ao longo de quatro atos, Shakespeare arranca a grande individualidade *(der grosse Einzelne),* Lear, Otelo, Macbeth, de todos os laços que a ligam à sua família, ao Estado, e expulsa-a, para o deserto, para a solidão completa, onde ela deverá, no mesmo momento em que sucumbe, mostrar sua grandeza. Resulta disto uma forma dramática semelhante, por exemplo, às ondulações de um campo de aveia. O primeiro movimento de uma tragédia existe apenas para o segundo, e todos os seus movimentos existem apenas para que o último possa existir. É a paixão que mantém em atividade todo este mecanismo, e a finalidade deste mecanismo é a grande experiência individual *(das grosse individuelle Erlebnis).* Épocas posteriores definiram esta forma de drama como um drama para canibais e constataram que no início, em Ricardo III, o homem era devorado alegremente e no fim, como o cocheiro Henschel, lamentavelmente; mas que, de qualquer modo, ele era devorado [1]".

Cerca de vinte anos mais tarde, Brecht voltaria a esta questão no *Pequeno Organon* e retomaria, quase que palavra por palavra, esta condenação de um teatro para "canibais": "As grandes individualidades shakespearianas que trazem em si mesmas a estrela de seu destino, lançam-se em um fatal e inútil frenesi de assassinatos e precipitam sua própria perda: tan-

1. Em *Schriften zum Theater,* Suhrkamp Verlag, Frankfurt,- sobre--o-Meno, 1963, p. 121.

to que, em seu desmoronamento, é a vida e não a morte que se revela obscena, pois a catástrofe escapa a qualquer crítica. Sacrifícios humanos sempre e em toda a parte! Festas bárbaras! Sabemos perfeitamente que os bárbaros têm uma arte. Façamos uma outra! [2]"

Esta recusa do teatro shakespeariano considerado como uma forma anacrônica, absolutamente imprópria para satisfazer nossas necessidades, foi formulada incessantemente por Brecht de diversas formas. Na *Introdução a "Macbeth"* refere-se à sua improdutividade:

"Alguns de meus amigos me garantiram, de maneira franca e clara, que *Macbeth* não poderia de nenhum modo lhes interessar. Esta tagaralice de feiticeiras, disseram, não nos inspira nenhum pensamento; estados de alma poéticos são nocivos, pois impedem que o homem ponha ordem em seu mundo; e uma glorificação geral das terras incultas chega decididamente tarde demais em uma época em que toda a energia da humanidade deve ser empregada para persuadir estes desertos a passarem a produzir cereais. De resto, tentar transformar os desertos em campos cultivados e os regicidas em socialistas seria bem mais útil e mais poético. Estas objeções devem ser escutadas muito seriamente, pois partem de pessoas despertas, de pessoas que, no meu entender, devem ser incitadas a freqüentar os teatros [3]."

Mas é verdade que um pouco mais adiante, após ter verificado que as "partes centrais" da tragédia, esta "seqüência de cenas que envolvem Macbeth em feitos sangrentos mas sem saída" não podem "ser representadas", Brecht parte para o sentido inverso desta opinião e apresenta o teatro de Shakespeare como um teatro brechtiano: no teatro shakespeariano, teatro que, para ser encenado, pressupõe, exige o "estilo épico". Voltaremos a esta questão.

Por enquanto, vamos nos restringir ao primeiro teatro brechtiano: no teatro shakespeariano, teatro

---

2. Em *Écrits sur le théâtre*, texto francês de Jean Tailleur, Gérald Eudeline e Serge Lamare, Paris, *L'Arche*, 1963 — "Petit Organon pour le théâtre", parágrafo 33, p. 186.
3. *Schriften zum Theater*, v. I, p. 106.

das grandes individualidades que fogem da sociedade e retornam à solidão, teatro das forças improdutivas, o homem é sempre batido pelo destino: "O que encontramos no velho teatro é uma técnica muito aperfeiçoada que lhe permite descrever o homem como um ser passivo. É mostrando como ele reage psiquicamente ao que lhe acontece que seu caráter é construído. O Ricardo III de Shakespeare responde a seu destino de aleijado esforçando-se por estropiar o mundo. Lear responde à ingratidão de suas filhas, Macbeth ao convite das feiticeiras que o incentivam a ser rei, Hamlet à incitação de seu pai, que o exorta à vingança. Wallenstein responde à tentação de ser infiel ao imperador. Fausto à tentação de viver, apresentada por Mefistófeles. Os tecelões reagem à opressão promovida pelo fabricante Dressger e Nora à opressão que seu marido exerce sobre ela. A questão é colocada pelo *destino*, e trata-se apenas de resolver a crise, fora do quadro de qualquer atividade humana; é uma questão eterna, e não deixará de tornar a surgir, nenhuma ação fará com que desapareça, ela não é humana em si, e jamais poderá ser identificada a uma atividade humana. Os homens agem sob coerção, de conformidade com seu caráter, e este caráter é *eterno*, imutável, pode apenas se manifestar, mas não tem causas sobre as quais o homem possa ter influência. Pode-se, é bem verdade, dominar o destino, mas apenas se acomodando a ele; a *má sorte* pode ser suportada, eis todo o domínio que é possível ter [4]."

Brecht não nega, é claro, que às vezes o herói shakespeariano é livre, mas na realidade sua liberdade é apenas a liberdade de reagir às paixões: "O teatro elisabetano dotou o indivíduo de uma poderosa liberdade e o abandonou generosamente às suas paixões: a paixão de ser amado (*Rei Lear*), a de reinar (*Ricardo III*), a de amar (*Romeu e Julieta, Antônio e Cleópatra*) a de punir e de não punir (*Hamlet*) e assim por diante [5]." Uma liberdade, em suma, romântica: esta liberdade que o jovem Brecht admirava e criticava ao mesmo tempo no *Dom Carlos* de Schiller. A liberdade de cantar, mas não de agir. O contrário da ver-

---

4. *Schriften zum Theater*, v. III: "Shakespeare-Studien", p. 144.
5. *Ibid.*, p. 145.

dadeira liberdade que é agora, a seu ver, a liberdade "para a sociedade, de transformar o indivíduo e torná-lo produtivo".

Em Shakespeare, Brecht recusa a concepção dramática do teatro, que ele define assim: "O indivíduo é sua matéria-prima; a paixão, o meio; e a experiência vivida *(Erlebnis)*, a finalidade [6]."

Entretanto, Brecht vê também em Shakespeare um precursor da forma épica do teatro, que ele opõe precisamente a esta forma dramática. O teatro shakespeariano não se restringe, de fato, à dramaturgia que engendrou: é bem mais amplo que ela.

Ao mesmo tempo que rejeita a "ideologia" shakespeariana e sua visão trágica do universo, Brecht aceita as formas do teatro elisabetano que para ele se apresentam, com referência à sua própria experiência e a suas próprias preocupações, como uma antecipação do teatro épico.

Daí a imagem, um pouco simples, que Brecht faz das condições da representação elisabetana: "Fuma-se também nos teatros; na sala, vende-se tabaco; no palco estão sentados *snobs* que, fumando seus cachimbos, observam sonhadoramente como o ator representa a morte de Macbeth [7]", e que corresponde a um dos temas prediletos de Brecht: no teatro, deve-se poder "acender os charutos"... Mas Brecht não se limita a isto: para ele, é essencial que as peças shakespearianas sejam compostas a partir de obras já existentes — que *Hamlet,* por exemplo, se origine de "uma peça mais antiga, obra de um certo Thomas Kyd, que, alguns anos antes, já havia obtido grande sucesso". Deste modo, estas peças que não são apenas a adaptação de obras anteriores, mas também conservam fragmentos inteiros destas obras, parecem-lhe construídas conforme a técnica fundamental de toda a literatura épica: a da montagem, que permite incluir, em uma mesma obra, elementos heterogêneos.

Em seu diário, em 1940, Brecht assinala mesmo que o teatro de Shakespeare pode ser considerado como o produto de um trabalho coletivo. Não que che-

---

[6]. Nota de Brecht que figura no arquivo de trabalho do Berliner Ensemble sobre *Coriolano* — sem indicação precisa de fonte.
[7]. *Schriften zum Theater,* v. V: "Der Messingkauf: das Theater des Shakespeare", p. 121.

gue a contestar que Shakespeare tenha sido o autor de suas peças, mas vê na técnica dramatúrgica empregada o resultado de um trabalho que, segundo ele, é menos individual que coletivo — e sabe-se que Brecht, que era sempre assistido por vários amigos ou colaboradores, encarava seu próprio trabalho de dramaturgo como uma obra coletiva:

"O que me leva a crer que um pequeno *coletivo* haja terminado as peças de Shakespeare, não é que eu ponha em dúvida a possibilidade de um só homem ter escrito estas peças, nem de ter tido suficiente talento poético, ou suficiente habilidade técnica, em matéria de versificação, e nem de ter sido culto o bastante para fazê-lo. É mais porque eu reconheço em suas peças, em matéria de construção, de montagem, a maneira de trabalhar de um coletivo [...] Shakespeare foi sem dúvida a personalidade mais forte deste grupo. E assim, inclino-me a ver em Shakespeare uma espécie de *chef-dramaturg* [8]". E Brecht dá destaque às "inovações técnicas" que um coletivo shakespeariano teria deste modo introduzido no teatro.

Um outro ponto lhe parece importante: é que as obras shakespearianas são o produto de um trabalho que nunca é definitivo e sempre suscetível de revisão. Brecht alega assim não apenas a existência de várias versões de uma mesma peça, mas ainda o fato de que em uma só obra impressa coexistem, de certa forma, várias versões da mesma.

"Em um manuscrito teatral de 1601", assinala, "diversas variantes são citadas e, à margem, o autor coloca esta anotação: *escolha a modificação que lhe parecer melhor,* e também esta: *se essa formulação é difícil de compreender ou não convém ao público, pode-se usar a outra* [9]".

E constata ainda: "As peças de Shakespeare são extremamente vivas. Elas parecem ter sido impressas a partir dos libretos dos atores, incluindo as improvisações destes e as correções realizadas ao longo dos ensaios. [...] *Hamlet* sempre me interessou particular-

---

8. Nota de Brecht que figura no arquivo de trabalho do Berliner Ensemble sobre *Coriolano* — fonte mencionada: "Diário de trabalho de Brecht, 8.12.1940".
9. *Schriften zum Theater,* v. V, p. 120.

mente pela seguinte razão: sabemos que se trata de uma adaptação de uma peça anterior, obra de um certo Thomas Kyd, que, alguns anos antes, já obtivera grande êxito. Ela tratava da limpeza de uma estrebaria de Áugias. O herói, Hamlet, punha ordem em sua família. Parece que o fazia sem a menor dificuldade, tudo parece ter sido concebido em função do último ato. Mas o ator principal do Teatro Globo shakespeariano era um homem atarracado, de fôlego curto, de modo que após um certo tempo todos os heróis daquele Teatro tornaram-se atarracados e de fôlego curto, tanto Macbeth quanto Lear. Foi para ele possivelmente graças a ele que a ação *(de Hamlet)* foi então aprofundada. Foram introduzidos alguns curto-circuitos. A peça tornou-se assim mais interessante. Tem-se a impressão que trabalharam e remodelaram a peça no palco até o quarto ato e esbarraram na dificuldade de chegar com este Hamlet hesitante ao banho de sangue final, que havia feito o sucesso da peça anterior. No quarto ato, encontram-se assim várias cenas, cada uma das quais constituindo uma solução do problema. Talvez o ator as utilizasse todas, mas talvez também mantivesse apenas uma, e contudo todas chegaram ao livro. Todas elas têm as características de uma inspiração súbita [10]."

Este trabalho shakespeariano, reconstituído com alguma fantasia, passa desse modo a figurar como modelo. Brecht louva seu caráter "profano, terra a terra e sadio". Recomenda mesmo a seus atores estudar os contratos feitos por Shakespeare com seu elenco, isto porque vê na atividade do Teatro Globo um exemplo comparável ao de Galileu em Florença (todos estes textos de Brecht datam de 1939-1940: acabara de terminar sua primeira versão de Galileu Galilei: "Eles [ Shakespeare e os membros de seu *coletivo* ] experimentavam. Não experimentavam menos que Galileu em Florença e Bacon em Londres, e por isto devemos também montar estas peças entregando-nos a experiências [11]."

Até mesmo com relação aos *efeitos V* (efeitos de distanciamento ou de afastamento) Brecht descobriu exemplos na obra de Shakespeare. De início, nela os papéis são, como em todo o teatro da época, represen-

10. *Schriften zum Theater,* v. V. p. 123.
11. *Ibid.*, p. 124.

tados por homens: já é uma maneira de afastar de nós as personagens. As paisagens não são imitadas pelo cenário, mas pintadas, descritas pelo poeta — e isto em pleno fogo da ação:

"O palco não tem nenhuma determinação, ele pode ser todo um deserto. Em *Ricardo III* (V, 3), entre os dois acampamentos em que se situam as tendas de Ricardo e de Richmond, aparece, no sonho de ambos, visível e audível para todos os dois, um fantasma que a eles se dirige." E Brecht se admira: "Um teatro cheio de efeitos V [12]".

Contra o absoluto do destino e das paixões shakespearianas, Brecht exalta a relatividade da forma, cênica e dramatúrgica, do teatro elisabetano. "A peça (trata-se de *Hamlet*) tem", constata, "alguma coisa da permanência do provisório [13]." E é por este lado que o teatro de Shakespeare escapa à condenação que Brecht formulara contra ele. "Devemos, portanto, tentar mostrar as coisas como o *até-aqui-e-não-mais-além* ou o *não-mais-além-mas-até-aqui* [ ... ]. Ocorre aqui um *relativamente* [14]." Brecht passa então de uma relatividade da forma, que é função das condições de trabalho da época, a uma relatividade de conteúdo. Neste ponto de sua reflexão, sua recusa torna-se uma aceitação. Ouçamos dialogar, no fragmento do *Messingkauf* intitulado *o Teatro de Shakespeare,* o ator, o dramaturgo e o filósofo. O ator se indigna: "Um Macbeth mais gentil: às vezes ambicioso, e às vezes não, e apenas relativamente mais ambicioso que Ducan. E teu Hamlet: bastante hesitante, mas também bastante inclinado à ação irrefletida, hem? E Clitemnestra: bastante vingativa. E Romeu: um tanto apaixonado!"

O dramaturgo responde: "Mais ou menos, é. Não há razão para rir. Em Shakespeare, Romeu já está apaixonado, antes mesmo de ter visto Julieta. Depois, ele fica mais apaixonado".

Isto provoca um novo acesso de indignação do ator: "Ah! ah! Testículos inchados! Como se outros que não Romeu não os tivessem, e nem por isso são Romeus".

12. *Schriften zum Theater.* v. V, p. 121.
13. *Ibid.*, p. 125.
14. *Ibid.*, p. 125.

Mas o filósofo tem a última palavra: "De qualquer forma, Romeu também os tem. Que Shakespeare tenha anotado isto já é um grande traço realista [15]".

A partir de então, não se trata mais de rejeitar as "velhas peças" de Shakespeare. Elas podem ser consideradas como novas não apenas em vista das condições de sua elaboração e da sua forma (das técnicas teatrais que utilizam) mas também porque seu conteúdo permanece consumível ainda hoje — contanto que não seja absolutizado, mas visto como uma coisa relativa.

Certamente, é a tragédia do indivíduo que, como assinalou Sternberg, encontra-se em primeiro plano nas peças de Shakespeare. Mas por um lado não se pode ainda separá-la da tragédia da sociedade e, por outro lado, ela nos é mostrada de forma bruta, sem ter sido transposta, sem ter sido indevidamente metamorfoseada em idéia. Brecht insiste especialmente neste último ponto: na obra de Shakespeare, o drama não perdeu todos os laços com a realidade concreta, mas permanece imediato, conectado com a própria vida. O teatro de Shakespeare é um teatro de feitos, de comportamentos, mais que um debate de idéias. Deste modo, após ter, na *Introdução a "Macbeth"*, citado seus amigos que haviam assegurado que "em caso algum *Macbeth* poderia interessar-lhes", Brecht retoma esta argumentação em sentido inverso, assinalando precisamente tudo o que separa Shakespeare de seus continuadores, dos dramaturgos alemães do século XIX, por exemplo: "O mal de nossa literatura dramática é a enorme diferença que existe entre a inteligência e a sabedoria. Na altura em que os autores alemães puseram-se a pensar, Hebbel por exemplo, ou já antes Schiller, começaram a construir. Shakespeare, por sua vez, tem necessidade de pensar, e precisa tampouco construir. Em sua obra, é o espectador que constrói. Shakespeare não modifica no segundo ato a trajetória de um destino humano para tornar possível um quinto ato. Em suas peças, tudo termina naturalmente. Na incoerência dos atos do teatro shakespeariano pode-se reconhecer a incoerência de um destino humano, como é relatado por um homem que não tem interesse em ordená-lo para sustentar, com a ajuda de um argumento que não pro-

15. *Ibid.*, p. 126.

vém da vida real, uma idéia que só pode ser preconcebida. Não pode haver nada mais tolo do que representar Shakespeare de modo a torná-lo claro. Ele é obscuro por natureza. Ele é a matéria, o dado imediato [*absoluter Stoff*] [16]".

Na obra de Shakespeare, nada é conceitualizado: seus dramas colocam em cena o mundo real com todas as suas contradições. O conjunto dos fatos e dos comportamentos, nela, não é ordenado conforme idéias preconcebidas. Nisto reside sua superioridade. Brecht retorna incessantemente a esta idéia ao longo dos diálogos de *Messingkauf*: no teatro shakespeariano, não há solução de continuidade entre a vida e o pensamento, assim como não havia, na época elisabetana, entre a taverna e a academia: "A academia controlava a taverna e a taverna, a academia". Esta época, também foi "cheia de progressos rápidos, impetuosos e brutais. As peças eram certamente consideradas como mercadorias, mas as relações de propriedade eram ainda caóticas. Nem as idéias, nem as imagens, acidentes, achados, invenções, eram legalmente protegidos. O palco era, portanto, tanto quanto a vida, uma mina. As grandes personagens são personagens grosseiras que foram polidas; a língua cheia de arte, uma língua rude que foi refinada [17]".

Mas o teatro shakespeariano não é apenas esta reunião de materiais brutos onde a vida e a arte ainda se confundem: é também o teatro de um grande momento histórico. Um grande teatro histórico. Brecht passaria a insistir cada vez mais neste ponto.

A tragédia, em Shakespeare, não é um clima vago e indeterminado: é, essencialmente, a tragédia das classes reinantes, a tragédia dos senhores feudais: "O declínio dos senhores feudais é visto de maneira trágica. Lear, prisioneiro de concepções patriarcais; Ricardo III o não-amável que se torna amedrontador; Macbeth, o ambicioso enganado pelas feiticeiras; Antônio, o voluptuoso, que põe em jogo a dominação do mundo; Otelo que é morto pelo ciúme — todos vivem em um mundo novo contra o qual se despedaçam [18]".

16. *Schriften zum Theater*, v. I, pp. 105-106.
17. *Ibid.*, v. V, p. 120.
18. *Schriften zum Theater*, v. V, pp. 122-123.

Para representar Shakespeare, deve-se portanto interpretá-lo não do ponto de vista do protagonista, mas se colocando de alguma forma do lado deste mundo novo, do ponto de vista da História. Agora Brecht não se atém mais aos critérios formais do teatro épico (montagem, efeitos V etc.). Ele descobre em Shakespeare um dramaturgo não apenas épico, mas também profundamente histórico. Um teatro cujo objeto é, além do destino do protagonista, toda uma sociedade.

É por isto mesmo que Shakespeare, uma vez historicizado e relativizado, pode, na opinião de Brecht, ser-nos restituído hoje.

Brecht ilustra sua tese com numerosos exemplos. Um dos fragmentos do *Teatro de Shakespeare* (incluído no *Messingkauf*) diz a respeito ao *Rei Lear*:

O FILÓSOFO: Esta peça contém uma crônica da vida social em uma época antiga. Vocês precisam apenas completar esta crônica.

O "DRAMATURGO": Muita gente é favorável a montarmos estas peças como elas são, e qualificam de bárbara qualquer modificação.

O FILÓSOFO: Mas trata-se também de uma peça bárbara. Naturalmente, devemos proceder com muita atenção, de maneira a não destruir sua beleza. Se vocês forem representá-la conforme as regras novas, de modo que o espectador não se identifique completamente com este rei, vocês podem representar quase toda a peça, com acréscimos mínimos que vão permitir ao espectador manter todo o seu bom senso. O que não deve ocorrer é que os espectadores, mesmo se houver entre eles empregados domésticos, tomem o partido de Lear com tanta convicção que venham a rejubilar-se quando — como ocorre na quarta cena do primeiro ato — um empregado doméstico é surrado por ter executado a ordem de sua patroa.

O ATOR: Mas como se pode impedi-lo?

O "DRAMATURGO": Oh! Ele poderia ser primeiro surrado, e depois ir embora, ferido, se arrastando e apresentando todos os sinais de grandes dores. O clima mudaria então inteiramente.

O ATOR: Então, toma-se posição contra Lear por uma razão que resulta de uma época recente.

O "DRAMATURGO": Não se esta linha for seguida: pode-se mostrar os empregados domésticos deste rei expulso de todos os lugares, um pequeno grupo, que não é mais alimentado em lugar nenhum e que o persegue com suas recriminações mudas. Sua mera aparição atormentaria Lear, e isto seria uma boa razão para sua loucura furiosa. As relações feudais devem ser figuradas de maneira simples.

O ATOR: Aí, poder-se-ia levar a sério a partilha do reino e na primeira cena fazer com que um mapa fosse rasgado. Lear poderia lançar os pedaços a suas filhas, acreditando garantir assim sua afeição. O espectador poderia, pelas mesmas razões, ser levado a refletir, sobretudo quando Lear rasga o terceiro pedaço do mapa, o que se destinava a Cordélia, e entrega um novo pedaço às duas outras filhas.

O "DRAMATURGO": Mas a peça seria destruída, porque nela iríamos introduzir uma coisa que não comporta uma continuação.

O FILÓSOFO: Talvez haja uma continuação. É preciso estudar a peça. Aliás, não haveria nada de mais em encontrar deste modo passagens que fogem a todas as normas — ninhos em que são incubadas dissonâncias. As velhas crônicas estão cheias destas coisas. De qualquer maneira, não se pode representar assim estas peças medievais para espectadores desprovidos de qualquer sentido histórico. Isto seria apenas uma besteira. No meu entender, Shakespeare, que é um grande realista, resistiria muito bem a esta prova. Ele sempre acumulou no palco muitos materiais em estado bruto, pinturas não executadas de coisas vistas. E em suas obras encontram-se muitas destas passagens preciosas em que o que havia de novo em seu tempo choca-se com o que havia de antigo. Nós também somos os pais dos tempos novos e ao mesmo tempo filhos dos tempos antigos, e compreendemos muitas coisas de um passado distante e somos capazes de compartilhar os sentimentos que, um dia, foram todo-poderosos e comuns a quase todos. A sociedade em que vivemos não é, também, muito complexa?" [...] E o Filósofo conclui: "O essencial é representar estas velhas obras de maneira hitórica, e isto quer dizer: colocá-las em vigorosa oposição a nossa época. Pois é apenas contra o pano de fundo de nossa época que sua figura se revela velha, e duvido que sem este pano de fundo elas cheguem sequer a ter uma figura [19]".

Desta vez, não há mais oposição entre o antigo e o novo teatro, entre o teatro dramático shakespeariano e o teatro épico brechtiano. A oposição não é negada ou suprimida: ela é colocada de certa forma dialeticamente. É por ser autenticamente velho que o teatro de Shakespeare pode e deve ser representado hoje de maneira histórica. É por ser velho que ele pode integrar-se no novo, que é mesmo capaz de mostrar o caminho para o que é novo.

Shakespeare assume uma importância cada vez maior para Brecht. Seu trabalho sobre *Coriolano* demonstra-o muito bem: trata-se menos de ajustar Shakespeare às regras do teatro épico do que servir-se de Shakespeare para superar este teatro épico e chegar a um teatro verdadeiramente histórico, isto é, ao mesmo tempo descritivo e crítico — ao que Brecht chamava, nos últimos anos de sua vida, de um "teatro dialético".

Chegamos aqui às adaptações de Shakespeare ou, de modo mais amplo, de peças elisabetanas, por Brecht. Por não poder tratar completamente deste assunto, vamos nos limitar a evocá-las [20].

Estas adaptações revelam, elas também, as principais tendências de sua atitude diante de Shakespeare. Inicialmente, trata-se da recusa do trágico shakespeariano: Brecht parodia ou "desmistifica" Shakespeare. A seguir, aceita a forma shakespeariana como forma épica mas inverte Shakespeare — entenda-se por "inverter" que ele tenta recolocá-lo de pé, no sentido em que Marx falava de recolocar a filosofia de Hegel sobre os pés. Finalmente, aceita o teatro de Shakespeare em sua integralidade, senão em sua literalidade, pois relativiza seu conteúdo e o considera de "maneira histórica".

A paródia shakespeariana pode ser encontrada

---

19. *Schriften zum Theater*, v. V, pp. 127-129.
20. Jean Tailleur estudou esta questão em uma tese de estudos superiores não publicada: *Bertolt Brecht und das elisabethanische Drama*, que teve a gentileza de nos comunicar e do qual utilizamos alguns elementos.

evidentemente na *Resistível Ascensão de Arturo Ui*. Brecht, nesta obra, dá um golpe duplo: serve-se do *pathos* shakespeariano para tornar ainda mais risíveis seus pseudo-heróis: o dicurso de Marco Antônio é "grande" demais para Ui, como um terno de confecção mal adaptado a suas medidas, e Ui incha-se desmesuradamente para atingir a grandeza dos heróis shakespearianos; e critica o *pathos* shakespeariano através do comportamento baixamente criminoso de seus pseudo--heróis: quando Ui representa para a Sra. Dollfott, sobre o próprio caixão do esposo desta, a cena de sedução de Lady Anne por Ricardo III não é mais por erotismo ou por um satanismo qualquer, mas para obter dela a "proteção" de Cícero, isto é, o monopólio do comércio de couves-flores. O frenesi do assassinato, a fuga para o deserto e a confrontação com o destino tornam-se trapaças comerciais puras e simples, sórdidas histórias de *gangsters*. Em resumo, há uma dupla desmistificação de Shakespeare: desmistificação do herói shakespeariano que é apenas uma máscara atrás da qual se dissimulam *gangsters* lamentáveis, e desmistificação da linguagem shakespeariana, cuja própria nobreza parece suspeita, ante o uso que dela fazem *gangsters* como aqueles. Mas a paródia continua a ser limitada: de fato, Brecht se atém principalmente ao Shakespeare romântico da tradução dos irmãos Schlegel — este Shakespeare obrigatório em todos os palcos alemães durante o século XIX.

Mas as tentativas de "inversão" de Shakespeare vão além de uma simples contestação. *Cabeças Redondas e Cabeças Pontudas* é um bom exemplo disto. Sabe-se que esta peça originou-se de uma adaptação de *Medida por Medida* que a Volksbühne de Berlim havia encomendado a Brecht e que devia montar na primavera de 1932: *Die Salzsteuer* (O Imposto Sobre o Sal — montagem adiada em razão dos acontecimentos políticos da época. Chegando à Dinamarca, Brecht retomou *Die Salzsteuer* e transformou esta adaptação de Shakespeare em uma obra que tem apenas relações distantes com *Medida por Medida*: *Cabeças Redondas e Cabeças Pontudas*, se bem que tenha querido fazer desta peça um equivalente do original shakespeariano: "*Medida por Medida*, que muitos consideram como a obra mais filosófica dentre as peças de Shakespeare, é, na realidade, a mais progressista delas. Ela mostra que os privilegiados não devem julgar os outros segundo critérios diferentes dos que empregam para eles próprios. E mostra também que não devem exigir de seus subordinados um comportamento moral que não seja o deles mesmos. *Cabeças Redondas e Cabeças Pontudas,* propõe-se, se possível, a ser tão progressista em nossa época quanto o foi, em seu tempo, esta peça do grande poeta do humanismo [21]".

Mas esta equivalência de sentido apresenta grandes diferenças no tratamento da fábula. É assim que, na obra de Brecht, o problema a ser resolvido não é de ordem moral (não se trata mais de restabelecer a virtude) mas meramente econômico (em *Die Salzteuer*: extorquir dos camponeses um imposto sobre o sal) e mais tarde político (em *Cabeças Redondas e Cabeças Pontudas*: esmagar a revolta dos camponeses de A Foice). Do mesmo modo, de Shakespeare para Brecht, o desenlace difere fundamentalmente. Na peça do dramaturgo elisabetano, tudo acaba bem: o Duque de Viena pune Ângelo, que não respeitou suas próprias leis; na peça de Brecht, Iberin é felicitado pelo vice-rei: "Salvaste o Estado, cuja grandeza prezamos. E uma Ordem, que é tão conforme às nossas tradições [22]".

De intelectual e moral, a problemática tornou-se econômica e política; o idealismo shakespeariano converteu-se em materialismo. *Cabeças Redondas e Capeças Pontudas* não termina com uma reconciliação geral sob a égide do Duque de Viena, que encarna o novo humanismo da Renascença, mas com a visão de uma sociedade dividida em classes, em pobres e ricos, em camponeses e proprietários, onde não é "a cabeça pontuda que paga pela cabeça redonda, mas o pobre pelo rico e a meretriz pela freira". A relativização do conteúdo shakespeariano provocou uma transformação profunda, total — a tal ponto que o que sobra da problemática shakespeariana em *Cabeças Redondas e Cabeças Pontudas* combina pouco com o historicismo brechtiano e compromete a coerência da obra.

21. Citação de Brecht tomada de empréstimo à tese de Jean Tailleur citada acima.
22. *Cabeças Redondas e Cabeças Pontudas,* quadro XI.

Brecht procede também a uma reviravolta de Shakespeare nos "exercícios para atores" incluídos no *Messingkauf*. Trata-se de "cenas paralelas" e "cenas intermediárias" escritas não para serem integradas na representação das peças originais mas para transmitirem aos atores, ao longo dos ensaios, uma nova visão da obra. Em cinco das cenas deste tipo, quatro baseiam-se em peças de Shakespeare. Uma "cena paralela" está escrita à margem da cena 2 do II ato de *Macbeth*: a do assassinato de Duncan. Desta vez, trata-se apenas da quebra, na casa do porteiro, de um grande vaso chinês e de como o porteiro e sua mulher acusam deste desastre um mendigo que aí dorme num canto. Aqui, estamos ainda à beira da paródia. A finalidade de Brecht é apenas permitir aos atores que escapem ao *pathos* shakespeariano (a outra cena paralela é a do encontro das duas Rainhas, no *Maria Stuart* de Schiller, transformando em uma discussão entre duas vendedoras de peixe).

As "cenas intermediárias" — entenda-se como tal as cenas destinadas a ser colocadas (sempre durante os ensaios) entre duas cenas da obra original — são mais fecundas. Pois o que Brecht propõe aos atores é colocar em primeiro plano o que, na obra de Shakespeare, existia apenas em segundo plano ou então nem era mesmo mencionado. Assim, imagina uma cena que seria representada entre as cenas 3 e 4 do III ato de *Hamlet*, no momento da partida de Hamlet para a Inglaterra: o príncipe da Dinamarca conversa com o piloto do barco, e seu diálogo faz com que de certa forma vejamos do exterior o castelo de Elsinor e a tragédia de Hamlet; reinscreve esta última um contexto mais amplo e mais concreto: o da guerra entre a Dinamarca e a Noruega e o do comércio de peixes. Brecht retorna a isto, também, em um texto do *Pequeno Organon* dedicado a Hamlet, que cito adiante. As duas outras cenas intermediárias concerne a *Romeu e Julieta*: ambas precedem a famosa cena do balcão. Em uma delas, Romeu toma dinheiro emprestado de seu tesoureiro para poder cortejar a Julieta; na outra, Julieta proíbe que sua aia vá a um encontro amoroso, pois precisa que ela fique vigiando durante a visita de Romeu. Assim, o dueto amoroso dos dois heróis de Shakespeare não surge mais *ex nihilo*: a paixão de Romeu e Julieta não é parodiada, mas relativizada. Para se realizar precisa do dinheiro de um tesoureiro e da submissão de uma aia. Ela é restituída com seu contexto social. Julieta tem direito ao dueto, não sua aia. A tragédia volta a ser um drama histórico.

É uma transformação do mesmo tipo que Brecht pretende quando, no *Pequeno Organon,* parágrafo 68, nos propõe, não sem alguma intenção provocativa, a seguinte "leitura" da *Tragédia de Hamlet, Príncipe da Dinamarca*: "Consideramos *Hamlet,* esta peça repetitiva, como exemplo de interpretação. Nas circunstâncias sombrias e sangrentas em que escrevo estas linhas, ante o espetáculo de crimes perpetrados pelas classes dirigentes e da tendência geral a duvidar de uma razão sempre mal utilizada, creio poder ler esta peça da seguinte maneira: a época é de guerra. O rei da Dinamarca, pai de Hamlet, matou o rei da Noruega no curso de uma guerra de rapina em que alcançou a vitória. No mesmo momento em que Fortinbras, filho do rei da Noruega, forma um exército para uma nova guerra, o rei da Dinamarca é morto por seu próprio irmão. Tornando-se rei, os irmãos dos reis falecidos evitam a guerra: fazem um acordo segundo o qual as tropas norueguesas poderão atravessar a Dinamarca para ir pilhar a Polônia. Entretanto, eis que o jovem Hamlet é levado pelo espírito de seu pai, que manteve sua disposição belicosa, a vingar-lhe a morte. Após ter hesitado em responder ao crime pelo crime, decide exilar-se, quando encontra, no litoral, com o jovem Fortinbras que, à frente de suas tropas, marcha para a Polônia. Este exemplo guerreiro o subjuga. Retorna para massacrar o tio e a mãe e, vítima ele mesmo desta sangrenta carnificina, abandona a Dinamarca ao norueguês. Através de todos estes acontecimentos, vemos Hamlet, jovem já corpulento, aplicar de maneira bastante lamentável a nova razão que adquiriu na Universidade de Wittenberg. No mundo feudal, que encontra ao voltar, ela entrava sua ação. Ante práticas irrazoáveis, esta razão não tem nada de prática. Hamlet cai, vítima trágica da contradição entre estes atos irrazoáveis e seus belos raciocínios. Esta maneira de ler a peça, que é possível ler de mais de um modo, poderia, no meu entender, interessar os espectadores de hoje em dia [23]".

Pode-se encontrar nesta singular "leitura" de *Hamlet* o declínio dos senhores feudais, mas aqui a nova razão encarnada por Hamlet, este Hamlet de Wittenberg, exaurido e corpulento, ao qual Brecht era muito apegado, não vence: sucumbe, nas derradeiras conyulsões do mundo feudal.

Sem dúvida na inversão que realiza, colocando em primeiro plano o contexto político e histórico da obra, Brecht possivelmente é ainda tentado, se não a ridicularizar, ao menos a diminuir as "grandes individualidades" shakespearianas. Em duas ocasiões, porém, que se situam em pólos opostos de sua carreira, repele a tentação: é o caso de seu *Eduardo II* (1924) e é também o caso de seu *Coriolano* (1951-1952). Adaptando com Lion Feuchtwanger o *Eduardo II*, de Marlowe, Brecht faz uma de suas primeiras tentativas de teatro épico. Ele procura encontrar algo da objetividade de uma pura narrativa: "É possível", declara a seguir, "que o leitor se interesse pela técnica narrativa dos autores elisabetanos e pelo início de uma nova linguagem de teatro". Por esse motivo, acentua o confronto das personagens, sem uma tendência ideológica prévia. É o choque dos comportamentos que lhe fornece a trama para o *Eduardo II*. As grandes individualidades não são diminuídas; pelo contrário, Brecht lhes dá um relevo ainda maior, de modo que sua luta apareça ainda mais arrebatadora. Em compensação, priva-os de qualquer patético individual. "Epificado" desta maneira, seu *Eduardo II* mostra feras em combate.

Mas a tentativa mais interessante que Brecht fez a partir de Shakespeare é sua adaptação de *Coriolano*, bem como todo o trabalho de reflexão teórica que a acompanhou, e também o trabalho cênico de seus colaboradores do Berliner Ensemble. O empreendimento é de fôlego: a adaptação de Brecht data dos anos 1951-1952; o "coletivo" do Berliner Ensemble, dirigido por Manfred Wekwerth e Joachim Tenschert,

---

23. *Écrits sur le théâtre*, "Pequeno Organon para o teatro", edição já citada, pp. 202-203.

retomou esta adaptação em 1963 e ensaiou o texto assim obtido ao longo de toda a temporada de 1963--1964 (a estréia deste *Coriolano* ocorreu em setembro de 1964). Neste ponto Brecht havia praticamente se preocupado em ser literalmente fiel a Shakespeare, pelo menos em respeitar a amplitude e a complexidade da obra shakespeariana — preocupação compartilhada por Wekwerth e Tenschert, pois os retoques que estes deram à adaptação de Brecht consistem muitas vezes em um retorno ao original de Shakespeare.

Duas recusas orientaram o trabalho de Brecht: primeiro, não fazer de Coriolano uma personagem nefasta em si, evitar tudo o que pudesse ir no sentido de um Coriolano fascista — o que teria sido a solução de facilidade; segundo, não mostrar a plebe como uma força imediatamente positiva, como uma força espontaneamente revolucionária. Brecht certamente não pretendia tampouco se restringir à "tragédia de um grande homem indispensável". Seu *Coriolano* atém-se precisamente à "tragédia da crença na indispensabilidade de um indivíduo[24]".

Coriolano é um especialista em guerra — ora, em sua época, a guerra figurava ainda entre as atividades econômicas normais. Por isso, Coriolano é útil; chega mesmo a ser indispensável. E teatralmente é importante, assinala Brecht, conservar um certo "prazer do herói". Mas ao mesmo tempo que o herói Coriolano é útil, ele é também perigoso; a coletividade corre o risco dele "custar caro demais" na própria medida em que não se restringe à sua atividade e oprime a plebe em nome desta mesma especialidade, em nome de sua indispensabilidade. É aí que reside a tragédia. A plebe deve se desfazer de Coriolano e deve, ao mesmo tempo, substituí-lo.

*Coriolano* é portanto a tragédia do povo que tem um herói contra si. Mas não uma tragédia insolúvel, que termine com sangue e lágrimas. Pois a plebe resolve esta tragédia. Ela toma nas mãos seu próprio destino: ela se arma. A partir de então, Coriolano é definitivamente inútil.

24. Nota de Brecht (1951-1952) reproduzida no arquivo de trabalho do Berliner Ensemble sobre *Coriolano*.

Uma das modificações mais importantes introduzidas por Brecht na peça de Shakespeare concerne à cena em que Volúmnia vem encontrar Coriolano diante de Antium e lhe suplica que poupe Roma. Em Shakespeare, ela o faz em nome de toda a cidade, bem como em seu próprio nome, o de mãe de Coriolano. Em Brecht, ela fala em nome da aristocracia romana desesperada: agora o povo está armado, e o retorno de Coriolano não é pois mais necessário para a plebe, mas se tornou indispensável para os patrícios. Ou Coriolano destrói Roma e todos, patrícios e plebeus, estarão perdidos, ou ele fracassa, e os patrícios perdem o poder. É na qualidade de patrício, não enquanto romano ou filho, que Coriolano cede às súplicas de Volúmnia.

É bem verdade que Shakespeare é modificado, distorcido, mas, desta vez, não há mais uma inversão radical. Brecht mantém aberto o dilema entre a evocação da História e a exaltação da "grande individualidade". Chega mesmo a fazer desta questão o objeto de sua adaptação. O herói shakespeariano não é apenas criticado ou diminuído: é reintegrado na sociedade; ele representa não a negação, mas uma fase transitória desta. Assim, é a propósito de *Coriolano*, principalmente, que, no fim de sua vida, Brecht insistiu na necessidade de superar a forma épica do teatro tal como ele a havia formulado antes, e chegar a um teatro mais amplo — um teatro em que a dialética estaria de alguma forma presente no palco.

A partir de então, Shakespeare não é mais para Brecht uma referência de contraste, e nem, também, um ponto de partida. Mas um objetivo. Seu teatro não volta mais as costas ao dramaturgo elisabetano: flui em sua direção. É o que Brecht exprime neste texto, escrito a propósito de *O Preceptor* de Lenz (que foi o segundo espetáculo do Berliner Ensemble) intitulado, significativamente, *Um Caminho para Shakespeare:* "Não é apenas para reforçar o teatro alemão, cujo repertório encolhe de maneira assustadora nestes tempos de grandes transformações, mas também para abrir um caminho até Shakespeare, sem o qual não poderia haver teatro nacional, que nos parece desejável retornar aos começos dos clássicos, ao ponto em que estes são ainda ao mesmo tempo realistas e poéticos. Em peças como *O Preceptor*, de Lenz, principalmente, podemos descobrir como representar Shakespeare [...]. A idéia ainda não dominou a matéria; esta se desenvolve de maneira luxuriante, em todos os sentidos, em uma desordem natural. O público pode participar das grandes discussões; o escritor de teatro dá e provoca idéias, ele não faz tomar o todo pela encarnação de suas próprias idéias. Assim, vemo-nos constrangidos a entrar no jogo dos acontecimentos que se produzem entre suas personagens, e dele deduzir opiniões — sem sermos obrigados a torná-las nossas. Desta maneira, as personagens não são nem sérias nem cômicas, às vezes são uma coisa, às vezes outra. O próprio preceptor merece nossa compaixão, pois é muito oprimido, e também nosso desprezo, pois se deixa oprimir em demasia[25]".

---

25. *In Theaterarbeit*, editado pelo Berliner Ensemble e Hélène Weigel, Henschelverlag, Berlim, 1961.

# IV. AS METAMORFOSES DA VANGUARDA

## 12. FRANTZ, NOSSO PRÓXIMO?

Como não saudar a ambição e a amplitude de *Os Seqüestrados de Altona* \*, como não ser sensível, aqui ainda mais que nas outras obras teatrais de Sartre, à generosidade, à espécie de heroísmo do pensamento sartriano, à sua necessidade de compreender os demais, de reconhecê-los, de quase se confundir com eles e com suas razões, de se transformar neles mesmos, de entrar em seus pensamentos, a esta paixão por uma História vivida pelo homem, por nossa História, que existe dentro de Sartre, que nele trabalha sem descanso!

\* LES SÉQUESTRES D'ALTONA, peça em cinco atos de JEAN-PAUL SARTRE, encenação de François Darbon, cenário de Yvon Henry, no Théâtre de la Rénaissance.

Nunca Sartre havia falado como aqui de sua angústia diante do mundo de hoje [1], da necessidade de viver este mundo, de assumi-lo plenamente, de ser nele não apenas um testemunho mas um ator responsável. Sartre faz suas as palavras que empresta a seu herói e que uma fita magnética de gravador nos devolve no final: "Séculos, aqui está meu século solitário e disforme, o acusado. [...] O século teria sido bom se o homem não tivesse sido espreitado por seu inimigo cruel, imemorial, pela espécie carnívora que havia jurado destruí-lo, pela besta sem pêlo, maligna, pelo homem. [...] Ó tribunal da noite, tu que fostes, que serás, que és, eu fui! Eu fui! *Eu,* Frantz von Gerlach, aqui, neste quarto, eu coloquei o século sobre os ombros e disse: vou responder a ele. Hoje e para sempre".

Toda a peça é uma interrogação a diversas vozes sobre nossa maneira de fugir ou de assumir nossa responsabilidade como homens de nosso tempo. Isto é, enquanto homens culpados de Dachau e de Stalingrado, de Hiroschima e da *villa* Susini. Sartre nos endereça esta interrogação por intermédio de uma família de grandes industriais alemães, proprietários de uma das mais poderosas empresas de construções navais do mundo: o pai, que nunca foi nazista, não fez entretanto nada para impedir a ascensão de Hitler ao poder, nem, em seguida, para se opor ao terror nazista (aceitou mesmo vender a Himmler um de seus terrenos, sabendo muito bem que um campo de concentração ali seria instalado); seu filho mais velho, Frantz, menos nazista ainda, aceitou contudo servir à Alemanha como soldado no *front* oriental e aí ganhar, por todos os meios desta guerra, suas divisas de oficial e um bocado de condecorações. Agora a ordem e a prosperidade foram restabelecidas: estamos em 1959, a Alemanha domina novamente o Ocidente e o país reencontrou a boa consciência: ali se vive e se é feliz. Tudo foi esquecido, salvo entre os von Gerlach, que

---

[1]. Salvo, talvez, em seu *Saint Genet, comédien et martyr*. Algumas de suas páginas parecem um comentário apaixonado aos *Seqüestrados*. Por exemplo: "É preciso escutar a voz de Genet, nosso próximo, nosso irmão. Ele leva ao extremo esta solidão latente, doentia, que é a nossa, ele dilata nossos sofismas ao ponto de fazê-los explodir, faz nossos fracassos crescerem até a catástrofe, exagera nossa má fé ao ponto de torná-la intolerável a nossos olhos, ele faz aparecer abertamente a nossa culpabilidade" (p. 549).

não puderam esquecer nada. Não por escrúpulos ou por remorsos, mas porque, desde seu regresso ou quase, Frantz seqüestrou-se a si mesmo num quarto do pavilhão de caça contíguo à residência dos von Gerlach. Frantz se encerrou na derrota: não pôde aceitar nem a derrota nem o "milagre econômico alemão". Reconstituiu, para uso próprio, a imagem de uma Alemanha aniquilada por esta derrota — uma Alemanha da qual ele é ao mesmo tempo vítima e testemunha. Para compreendê-lo é preciso voltar à sua infância, à sua juventude: protegido pelo dinheiro, pelo poder de seu pai, Frantz, este "pequeno príncipe", nunca viveu como homem; nunca precisou responder por seus atos (seu pai sempre estava ali para arranjar as coisas); nunca teve que assumir sua própria liberdade — salvo na Rússia onde descobriu que era livre no mesmo instante em que de inocente se transformou em culpado: em Smolensk, Frantz torturou guerrilheiros. Torturou e, sobretudo, decidiu livremente torturar. Agora recusa tanto esquecer como aceitar. Viver feliz numa Alemanha próspera equivaleria a recair em sua irresponsabilidade infantil. Frantz sabe que é culpado e quer ser culpado. Mas não possui nem força nem poder para superar esta culpabilidade. Reage como puritano. Deseja a sua própria perdição ou a perdição do mundo. Sonha com ambas, neste quarto fechado onde apela a um imaginário tribunal da História (são "os caranguejos", estes "habitantes do teto" que evoca e injuria sem cessar). Frantz representa, para si mesmo, a Comédia da História.

Toda sua família sente-se fascinada por ele. Seu seqüestro encontra resposta em outros seqüestros, ao "ar livre": o de sua irmã Leni que partilha, mesmo carnalmente, da solidão de Frantz; o de seu pai, que recusa a idéia de que Frantz lhe escapou e quer recuperá-lo; enfim, o seqüestro de Werner, o filho mais moço, e de sua esposa Johanna, prisioneiros da residência dos von Gerlach e da empresa familial.

A situação poderia permanecer imutável, se não fosse o esforço de Johanna para salvar-se, para salvar o marido e para escapar deste lugar fechado e sem saídas, fazendo Frantz sair de seu quarto, obrigando-o a reconhecer o real, abrindo ao mundo e ao tempo o sistema aferrolhado pela "loucura" de Frantz. E Johanna tem êxito, mas não sem ter entrado neste sistema. E ter corrido o risco de ficar prisioneira do mesmo. Como Frantz, ela também está ameaçada por um passado de irresponsabilidade: o passado de uma estrela que teve apenas um momento de celebridade. Frantz confessa: ele torturou — confessa aos demais, confessa a si mesmo. Sua comédia trágica agora não possui mais objeto: ele pode sair do seu quarto e encontrar o pai. Pode reencontrar-se. Poderia ter se acreditado um homem, se reconhece como criança. Filho de um pai ainda possuidor de fabulosa fortuna mas despojado de seus poderes reais; filho de um homem que está à margem da História; "Príncipe" de um Rei que possui apenas as insígnias do poder, não sua realidade: o filho e o *alter ego* de um condenado à morte (atingido por um câncer na garganta, o pai não tem mais que seis meses de vida). Conscientes da impotência para serem o que parecem ser e para assumirem aquilo que são, um e outro, reconciliados, só têm uma opção a fazer: a escolha de suas mortes. O êxito de Johanna, no final, se revela um fracasso: Leni tomará o lugar de Frantz no quarto e nem Johanna nem o marido deixarão a residência dos von Gerlach. Permanecerão herdeiros, ou melhor, guardiões de um passado morto.

Mas como julgar esta peça em que Sartre colocou confusamente aquilo que ele definia, já há muitos anos, como "nossos problemas: o problema [...] da legitimidade e da violência, o problema das conseqüências da ação, das relações entre o indivíduo e a coletividade, o problema da empresa individual com as constantes históricas, mil outras coisas ainda"..., como julgar *Os Seqüestrados de Altona* na representação realizada no Théâtre de la Renaissance? Raramente um espetáculo foi mais indigente, mais insignificante. O cenário, que teria sido obra de um jovem pintor, parece antes ter saído do depósito de alguma ópera de província falida. Sartre sem dúvida desejava um cenário feio e, pelo menos um, "luxuoso". Mas em teatro feiúra não quer dizer papelão e luxo não significa necessariamente ilusão de óptica. O local evocado não é pesado nem opressivo: não existe. Assim como não existem os livros da biblioteca do terceiro ato, também pintados no telão (ou papelão). Esta feiúra não é a dos von Gerlach: não traduz a riqueza da família, nem o anacronismo de sua situação.

A encenação de François Darbob, por sua vez, nada fez para corrigir estes clichês. Teria sido necessário dar às personagens de Sartre um corpo, gestos, manias, hábitos que os individualizassem, mas a encenação apenas lhes atribui alguns movimentos, que parcimoniosamente distribui entre eles com propósitos contestáveis. Portanto, os atores interpretam como se tivessem se encontrado por acaso na véspera do ensaio geral. Alguns, naturalmente mal, outros melhor. Mas representam como se fossem estranhos, não como membros da família von Gerlach: Évelyne Rey (Johanna), lindíssima, sabe sugerir, escutar, esperar, e Ledoux seria o ator discretamente eficaz que conhecemos tão bem, se sua presença no papel do pai não constituísse um erro de distribuição tão flagrante (não gosto nada desta expressão, de que tantos abusam. Aqui, entretanto, ela cabe...). A culpa não é nem de uns nem de outros: ninguém deve ter indicado aos atores como representar juntos. E nada, na encenação, no cenário, nos figurinos, fornece um ponto de apoio, alguma coisa de sólido para apoiar as interpretações [2]. Somente Serge Reggiani, condenado ao monólogo por definição, escapa a esse desastre: ágil, simultaneamente patético e irônico, articulando seu texto com clareza admirável, atribui a Frantz a mobilidade intelectual e a instabilidade psíquica sem as quais este personagem cairia num romantismo insuportável.

É verdade que a peça de Sartre não se presta muito a um verdadeiro trabalho cênico. É animada por um só movimento, rápido mas demasiado uniforme, que não permite as rupturas de tom e de ritmo que seriam desejáveis entre o "alto" (o quarto de Frantz) e o "baixo" (a sala dos conselhos de família)

---

[2]. Darei aqui apenas um exemplo entre cem: o vestido usado por Johanna quando pela primeira vez ela entra no quarto de Frantz. A roupa de Evelyne Ray é totalmente "parisiense", mal feita: um vestido tranqüilo, como aqueles que nossas atrizes exibem em muitas páginas de *Elle*. Teria sido preciso o contrário: um dos vestidos que Johanna usou antigamente em Hamburgo, um vestido de "estrela", um vestido que a transformasse em ídolo, nos lembrando assim seu passado e sua tentação sempre presente de fugir, de se tornar um objeto.

deste universo de seqüestrados. E Sartre, que não recua diante dos golpes teatrais (como Frantz reconhecendo que é um carrasco), não soube manejar suficientemente os efeitos teatrais: sacrifica, por exemplo, o mistério que deveria envolver Frantz durante todo o primeiro ato (nós o escutamos mas não o vemos), por sua aparição em um ou dois momentos antes (Molière preparou de forma bem diferente a entrada de Tartufo...). A linguagem destes seqüestrados, sobretudo, não é diferenciada: cada personagem fala mais a linguagem de Sartre do que a linguagem de sua personalidade ou da situação. É verdade que esta linguagem é vigorosa, de uma vitalidade prodigiosa, até mesmo voraz (alimenta-se de todas as palavras que encontra, mastiga-as, digere-as...) e eficaz. Mas esta eficácia se atenua por força de repetições. E a uniformidade de semelhante linguagem não permite marcar as diferenças, as oposições entre as personagens, entre as situações. Ao contrário, as situações são niveladas, quase apagadas. Desde o início as personagens dos *Seqüestrados* possuem esta linguagem em comum [3]: é já o signo de um acordo que se confirmará no decorrer da ação.

Tocamos aqui no ponto essencial: nesta peça — o que também acontece nas outras obras dramáticas de Sartre, com exceção de parte de *Nékrassov* (a que não se refere a Valeira-Nekrassov) — nunca se produz uma "modificação" nas personagens, uma transformação do estatuto dos mesmos, ou do mundo em que vivem. Contudo Sartre declarou recentemente: "Nós sabemos que o mundo muda, que transforma o homem e que o homem transforma o mundo. E se não for este o tema profundo de toda a peça de teatro, então é porque o teatro não tem mais tema" [4]. Certamente o mundo transformou as personagens de *Seqüestrados*, fazendo de Frantz um carrasco e de seu pai um rei impotente. E estes, por reação, igualmente se transformaram: se tornaram seqüestrados. Mas nós não vemos esta dupla transformação: as personagens nos contam o que aconteceu. Assistimos apenas ao

---

3. Somente Frantz usa às vezes uma outra linguagem, uma linguagem exaltada e petrificada por sua "loucura". Uma linguagem de não-comunicação. Mas nem sempre.
4. *L'Express* de 17.9.1959: "Deux heures avec Sartre".

conflito que opõe umas às outras em uma situação dada cujas razões conhecemos (intelectualmente), mas que não vimos se estabelecer. E este conflito, eles o solucionam. Tomam consciência da situação em que estão; não evoluem. Ou antes: sua evolução não é uma transformação. Não passa de uma tomada de consciência que, para Frantz e seu pai, se abre para uma conclusão lógica e trágica: a decisão de escolher a morte.

Sartre aplicou, na evocação de um mundo que muda, que transforma os homens e que é por eles transformado, a imagem de um *huis clos* que se liga mais à clássica dramaturgia do conflito do que a este teatro da transformação que ele menciona e que Brecht chamou "teatro épico". Entre o mundo que Sartre visa e a maneira segundo a qual ele nos mostra este mundo, há uma contradição: uma contradição que não é superada nem por sua obra nem por sua representação.

Imagino que, para Sartre, a morte de Frantz e do pai deste signifique o fim de um grupo social, o fim da fração da burguesia que eles representam, incapaz de superar as oposições que seus atos erguem contra sua moral, a ruptura histórica entre seu estatuto e seus poderes reais. Temo entretanto que no teatro esta morte não adquira este sentido. E que apareça, antes, como o acesso de Frantz e de seu pai à liberdade. Que transforme os dois em heróis. E que os isente de toda responsabilidade em vez de mostrar, de denunciar, a fuga de ambos diante da responsabilidade. Com efeito ela constitui, neste caso, uma saída deste recinto fechado, uma libertação. E o que é acentuado é esta libertação, mais que o *huis clos,* mais que a natureza social e histórica deste universo fechado e sem saída.

Querendo, como afirmou, "mostrar no teatro situações simples e humanas, e liberdades que são escolhidas nestas situações", Sartre é sempre levado a conceder um privilégio a estas liberdades, às custas das situações iniciais. Mesmo em *Nékrassov,* em vez dos dados de base da comédia (comédia de nossa alienação pelos *mass media),* Sartre preferia em última análise a personagem principal, um destes "bastardos sartrianos", segundo a expressão de Francis Jeanson. E nos descrevia, então, "o aparecimento, através do mal, de uma virtude individual"[5].

É que estas situações não são nunca definidas de forma concreta e teatral. Sartre nos explica as situações pela boca de suas personagens. Não nos deixa ver estas situações. Neste caso, nos dá a entender que o pai se encontra agora despojado de sua empresa, que a era dos proprietários terminou, em favor da era dos diretores... e isto é tudo: daí Sartre não tira conseqüências cênicas. Sua burguesia nada tem de material: não passa de uma burguesia da alma. Ela se diz burguesia. O espectador pode não reconhecê-la como tal. De fato, o pai não aparece nunca como um armador. Apenas como um von Gerlach: ele é, em primeiro lugar e quase que unicamente, o Pai. Não se define teatralmente por seu relacionamento com o filho. A História pouco a pouco se retira da peça de Sartre: encontramo-nos num universo de arquétipos e de liberdades formais.

Sem dúvida nos Seqüestrados existe também o drama de Frantz ou, antes, a comédia da História que ele representa para si mesmo — comédia esta que Sartre, um pouco desajeitadamente, com as repetidas voltas ao passado, toma o cuidado de nos mostrar com seus fundamentos reais. E esta comédia nos remete à História vivida, a seu julgamento. É o que também acontece, por exemplo, com a comédia de *Henrique IV*, de Pirandello, cuja situação básica apresenta muitas analogias com a de Frantz. Mas esta História e este julgamento permanecem abstratos. Aparecem-nos como uma necessidade, um imperativo vazio que nos cabe preencher.

Conjugando o tema da expropriação histórica do pai e o tema da impotência do filho em viver sua História, Sartre converte sua obra no símbolo de um mundo condenado à morte, mas não nos mostra como e por que preço este mundo vai morrer. Suas personagens exprimem as respectivas situações históricas: não vivem estas situações, não são transformadas por elas e também não as transformam. Elas a transcen-

---

5. Cf. nossas crítica de *"Nekrassov"*, em *Théâtre Populaire*, n. 14 (jul.-ago., 1955), p. 103.

dem, a sublimam. Sofrem com a História e dela se desembaraçam. O perigo é que, por serem suficientemente definidas, individualizadas, por serem, no sentido mais estrito do termo, "personagens", de um mesmo golpe também nos afastem da História.

Lamentamos então que Sartre, em vez de emprestar sua linguagem aos "heróis" burgueses de *Os Seqüestrados de Altona,* ao mesmo tempo muito próximos e distantes dele, não nos fale em seu próprio nome: o teatro nos aborrece — sobretudo esta representação. E nossa emoção só vence o mal-estar quando o palco está vazio e a voz de Frantz morto se torna a própria voz do autor: "Eu coloquei o século sobre os ombros e disse: vou responder a ele. Hoje e para sempre".

## 13. PIRANDELLO E O TEATRO FRANCÊS

É sempre arbitrário tentar determinar a influência de um autor. A tentativa é particularmente difícil, para não dizer desesperada, quando se trata de um dramaturgo e quando a proposta é estudar as ressonâncias de sua obra num teatro de língua diferente da sua. Todos os fatores de incerteza se encontram reunidos. Sabe-se, com efeito, que a obra dramática não é tão estável quanto a obra literária: é feita não apenas por seu autor, mas por seus encenadores, pelos atores que a representam e talvez ainda mais pelo público que a recebe. Trata-se pois de uma obra variável, que não pode nunca ser apreendida em sua totalidade, mas apenas por aproximações sucessivas.

No caso de Pirandello, a esta instabilidade da obra teatral se acrescenta ainda sua singularidade — singularidade que se prende à vida secreta e patética de seu autor (de que encontramos numerosos vestígios em suas peças) e à "situação" do mesmo, entendida como a insularidade do siciliano Pirandello.

Este é porém um fato incontestável: Pirandello dominou o teatro francês no período entre-guerras e mesmo durante o pós-guerra de 1945 a 1950. Umas vinte peças suas foram encenadas em Paris, muitas vezes com grande sucesso. E não há dramaturgo francês de certa importância que não tenha pago seu tributo ao pirandellismo. Uma pesquisa feita recentemente junto a alguns escritores franceses de teatro por um semanário é testemunha disso: todos reconhecem sua dívida para com Pirandello. E George Neveux chegou mesmo a declarar [1]: "Sem Pirandello e sem os Pitoëff (não podemos mais separá-los, pois o gênio de Pitoëff deu forma ao de Pirandello) não teríamos tido nem Salacrou, nem Anouilh, nem atualmente Ionesco, nem... mas aqui eu me detenho, esta enumeração seria interminável. Todo o teatro de uma época saiu do ventre desta peça [*Seis Personagens à Procura de um Autor*]".

A história de Pirandello na França [2] começa com a criação de *O Prazer da Honestidade* por Charles Dullin no Théâtre de l'Atelier em 20 de dezembro de 1922. Sem dúvida nesta época Pirandello não era mais um desconhecido: seu romance *O Falecido Matias Pascal* já havia sido traduzido sem maior ressonância e foi necessária a publicação em francês por Benjamin Crémieux de uns quinze romances de sua autoria para que seu nome fosse aceito. Mas o dramaturgo continuava ignorado [3]. *O Prazer da Honestidade*, mostrada por Camille Mallarmé a Dullin, que lhe havia pedido uma peça de Verga, acompanhava o pro-

1. *Arts*, 16.1.1957.
2. A propósito poder-se-ia consultar a rica obra de RENÉE LELIÈVRE, *Le Théâtre dramatique italien en France* (1855-1940), Paris, Armand Colin, 1959; e o estudo mais sumário de THOMAS BISHOP, *Pirandello and the French Theatre*, New York University Press, 1960. Utilizei ainda a tese de JACQUELINE JOMASÓN, *Pirandello et le théâtre français*, a quem agradeço.
3. Benjamin Crémieux publicou o primeiro artigo francês sobre o teatro de Pirandello na *Revue de France* de 15 de agosto de 1922; e Antoine já o mencionava desde 1921.

grama junto com a *Antígone* de Jean Cocteau. O que equivale a dizer que Pirandello entrava no palco parisiense pela porta dos fundos. A crítica, aliás, o recebeu com reservas (François Mauriac considerou o trabalho de Pirandello fraco, e qualificou o dramaturgo italiano de "espírito descompromissado, insinuante e perigoso"): o público porém foi conquistado quase que imediatamente. E a peça se manteve em cartaz até o fim da temporada.

Alguns meses mais tarde [4], quando os Pitoëff montaram *Seis Personagens à Procura de um Autor* na Comédie des Champs-Elysées (montagem que deveria ter sido realizada antes de *O Prazer da Honestidade*, mas que foi adiada devido a um acidente sofrido por Ludmilla Pitoëff), Pirandello triunfou numa só noite sobre todas as reticências. A estréia de *Seis Personagens* permanece, assim como a de *Siegfried*, a data mais memorável na história do teatro francês de entre-guerras. Assim a evoca Pierre Brisson: "Pirandello conquistou da noite para o dia a reputação de feiticeiro da arte dramática [...]; foi uma janela bruscamente aberta, uma irrupção de sonhos renovados sobre o palco [...]. A descida esverdeada dos personagens no elevador do teatro, sua aparição silenciosa sobre o palco nu, a forma como se debatiam no esboçar de seu drama; suas lutas intestinas de personagens semitraçadas [...]; suas vacilações, suas angústias, seu embaraço horrorizado diante dos atores que deveriam interpretá-los; a sátira do meio teatral e, paralelamente, mais ou menos incorporada a esta sátira, a gestação obscura que colocava em questão os segredos menos formuláveis da criação dramática; tudo isso, elaborado sem esforço, constituía um espetáculo cujo inesperado e cujos equívocos perturbavam estranhamente o auditório [...] Os *Seis Personagens* marcaram uma data ao fazer envelhecer, bruscamente, o repertório de que ainda se vivia" [5].

Todas as testemunhas concordam: as seis personagens saindo do elevador e se dirigindo diretamente para a ribalta, representavam o teatro contemporâneo

---

4. Em 10 de abril de 1923.
5. Pierre Brisson, *Le théâtre des années folles*, pp. 35-37, Genebra, edições do Milieu du Monde, 1943.

surgindo bruscamente das trevas e atacando o público de frente [6].

As encenações de Pirandello se multiplicaram. Várias montagens [7] em todas as temporadas, ao menos até 1927, a ponto de Alfred Morrier escrever em 1925: "Pirandello *forever?* Vocês gostam de Pirandelo? Ele está em toda parte, no Atelier, no Renaissance, no Théâtre des Arts. Representa-se Pirandello em três teatros simultaneamente — fato sem precedente para um autor estrangeiro: é mania, inflação, loucura, demência". E embora de 1927 a 1936 a invasão pirandelliana tenha se reduzido um pouco, este período nem por isso deixou de ser marcado pela encenação de seis peças de Pirandello [8] e pela *reprise* daquelas suas obras que mais se mantiveram no gosto do público: *Seis Personagens, O Prazer da Honestidade* e sobretudo *A Verdade de Cada um* (que em 1937 entrou para o repertório da Comédie Française com direção de Charles Dullin).

Mais característico ainda que o número de representações de Pirandello e que o seu sucesso é o fato de que quase todos os encenadores importantes do período entre-guerras (Dullin, Pitoëff, Baty), com exceção de Jacques Copeau e de Louis Jouvet [9], contribuíram para impor Pirandello: isto indica nitidamente o lugar central que ele ocupou no teatro francês deste período.

Para se ter uma idéia mais precisa do papel desempenhado por Pirandello, cumpre relembrar a si-

6. Poder-se-ia citar igualmente o testemunho de H.-R. Lenormand e outros.
7. Mencionaremos particularmente, na temporada de 1924-1925, *Chacun sa vérité*, em outubro de 1924, por Charles Dullin, *Henri IV* em fevereiro de 1925, pelos Pitoeff, e *Vêtir ceux qui sont nus*, igualmente em fevereiro de 1925, com Madame Simone, no Rénaissance; na temporada 1925-1926, *Tout pour le mieux* em abril de 1926, por Dullin, e *Comme ci (ou comme ça)* pelos Pitoëff, em maio. E preciso lembrar ainda a vinda a Paris da companhia que Pirandello dirigia, em julho de 1925, e que apresentou *Six Personnages, Henri IV* e *La Volupté de l'Honneur*, com Ruggero Ruggeri.
8. Entre as quais *Comme avant, mieux qu'avant* (direção de Crommelynck, em 7 de março de 1928), *La Vie que je t'ai donée* (em 31 de março de 1930), *L'Homme, la bête et la vertu* (que Marta Abba criou então em francês, no Théâtre Saint-Georges, em 18 de novembro de 1931 — o que representou um esforço pouco comum), *Comme tu me veux* (em 8 de novembro de 1932, com Marguerite Jamois numa direção de Gaston Baty) e *Ce soir, on improvise* (no Mathurins com os Pitoeff, em 18 de janeiro de 1935).
9. Jouvet era reticente com respeito a Pirandello. No entanto, é de se duvidar que pudesse ter montado *L'Illusion Comique* de Corneille na Comédie Française, se Pirandello não houvesse existido.

tuação na qual se encontrava nosso teatro às vésperas da estréia de *Seis Personagens*. Com o naturalismo de Antoine (para quem Ibsen foi o que Pirandello foi para Pitoëff) à beira do esgotamento, e com a tradição do *boulevard* paralisada pelos anos de guerra, não é exagero afirmar que, durante os anos de 1919 e 1920 (exceção feita aos esforços de Firmin Gémier), a vida teatral parisiense estava em seu nível mais baixo. Como escreveu H.-R. Lenormand: "Do ponto de vista dramático, a Paris que reencontrei em 1918, ao voltar da Suíça, apresentava o aspecto de uma província do espírito. A Europa inteira, na alegria da paz recuperada, se entregava à forma mais nobre de internacionalismo: o intercâmbio de obras-primas. Representava-se Molière, Maeterlinck e Crommelynck em Moscou, Bernard Shaw, Goethe e D'Annunzio em Zurique e em Genebra; Praga, Varsóvia, Munique e Viena acolhiam todos os grandes nomes do repertório, sem distinção de nacionalidade. Em Paris, onde desaparecia lentamente o teatro feito para distrair os soldados em licença, que a guerra havia introduzido nas capitais, o *boulevard* retomava seus triunfos anteriores... Morria a arte dramática... Os sucessos de Bataille e de Capus bastavam a Paris, ao mesmo tempo que excluíam a cidade da lista dos centros artísticos europeus" [10].

A partir de 1920, a tendência se inverte. De volta dos Estados Unidos, Jacques Copeau abre, em 15 de outubro, o Vieux-Colombier. Em 10 de novembro é a vez de Lugné-Poe no Oeuvre, enquanto que, em dezembro do mesmo ano, Gaston Baty e Gémier passam a figurar entre os diretores da Comédie des Champs Elysées. É nesta época que os Pitoëff fazem sua primeira aparição em Paris, durante as excursões da temporada 1919-1920, antes de se instalarem definitivamente na capital (na temporada 1920--1921). Em 1922 o movimento ganha toda sua amplitude. Pode-se mesmo considerar 1922 como um ano simbólico, pois é o ano da morte de Henri Bataille e da entrada de Pirandello no palco parisiense.

Copeau substitui Antoine. A ruptura com o na-

---

10. H.-R. LENORMAND, *Conféssions d'un auteur dramatique*, Paris, Albin Michel, 1949-1953, 2 v.

turalismo está consumada. O teatro está à procura de um novo estilo de interpretação: sonha-se com a *commedia dell'arte*. A "teatralidade" vence a imitação estrita da realidade. A gratuidade é a moda da época. Tem livre curso um apetite de experimentação formal. Assim a descoberta de Pirandello se inscreve num clima "vanguardista" e esse clima leva a reter de sua obra o que é mais abstrato e mais geral: o jogo do teatro dentro do teatro — enfim, privilegiar o pirandellismo em detrimento do próprio Pirandello.

Lembremos que deste período data também, na França, o êxito da obra de Proust (que recebeu o Prêmio Goncourt em 1919), a moda da arte primitiva (especialmente da arte negra), a descoberta dos trabalhos de Freud (é em 1923 que Ramón Fernandez publica na *Nouvelle Revue Française* um artigo acerca de *Os Três Ensaios Sobre a Sexualidade*)... O dadaísmo já efetuara suas devastações e logo o surrealismo vai se impor. O *Primeiro Manifesto* de André Breton será publicado em 1924. Enfim, por toda parte é atacada violentamente a versão do naturalismo sobre a realidade. A esta realidade, opõe-se o sonho; à razão, o irracional; às "superfícies", a profundidade... É a época que Sartre chama de "a grande consumação metafísica do outro pós-guerra". Uma época de festa, onde o jogo é soberano.

Assim, mesmo antes de Pirandello ser conhecido, vários autores dramáticos franceses esboçaram em suas obras o que mais tarde seria chamado de "pirandellismo". Lembremos apenas H.-R. Lenormand, cuja peça *O Tempo é um Sonho* data de 1919, *Os Fracassados* e *O Simum* de 1920 e *O Devorador de Sonhos* de 1922; Jean Cocteau, que apresentou *Parada* a partir de 1917; Jules Romains, com seu *Cromedeyre o Velho* de 1921; Jean Sarment, que dá ao teatro em 1920 *A Coroa de Papel* e em 1921 *O Pescador de Sombras;* enfim, sobretudo, Fernand Crommelynck, cuja peça *O Corno Magnífico,* tipicamente pirandelliana, foi representada no mundo inteiro a partir de 1921, e não deve talvez nada a Pirandello, testemunhando, entretanto, uma curiosa convergência entre os dois dramaturgos, vindos de horizontes e tradições opostas.

O lugar de Pirandello na vida intelectual e no teatro francês estava pois, antes mesmo de seu aparecimento, como que previamente demarcado. Os heróis de *Seis Personagens* estavam sendo esperados pelo público mais do que propriamente pelos atores da "peça por fazer". E assim tanto os aficcionados como os homens de teatro franceses logo souberam reconhecê-los. Mas ao mesmo tempo não quiseram ver nos heróis pirandellianos, e na própria obra de Pirandello, senão o que já estavam esperando: heróis atacados pelo "mal do século", intelectuais debruçados sobre seus próprios abismos, presas de vertigem diante do desmoronamento de suas personalidades e participantes de um jogo teatral no qual toda realidade deveria dissolver-se — e não as personagens de uma sociedade doente que, condenados à ineficácia, jogam consigo mesmos, na impossibilidade de poderem agir sobre os outros.

Depois da Segunda Guerra Mundial, o problema já não é de revelação. Pirandello é conhecido e reconhecido como um dos pais do teatro moderno. Todas ou quase todas suas peças que haviam feito sucesso antes da guerra são agora reencenadas: *Seis Personagens* vem juntar-se a *Verdade de Cada Um* no repertório da Comédie Française; Jean Vilar, depois de o ter interpretado sob direção de André Barsacq, no Théâtre de l'Atelier, apresenta nova montagem de *Henrique IV* ao grande público do T.N.P. — um *Henrique IV* em que Pirandello reencontra os dramas históricos de Shakespeare, num clima corneliano... E Sacha Pitoëff retoma *Esta Noite Se Improvisa,* vinte anos depois de sua criação por Georges e Ludmilla Pitoëff. Pirandello tornou-se um clássico. E é enquanto clássico que várias de suas obras são apresentadas na televisão francesa. Em compensação, o romancista e o contista Pirandello permanece praticamente ignorado, apesar da publicação em francês do conjunto de suas *Novelas Para um Ano.*

O Pirandello de nosso após-guerra, contudo, não é mais absolutamente idêntico ao dos anos 1920-1930. Outras de suas peças são encenadas, entre as quais citemos *O Homem da Flor na Boca, Sonho-Talvez Não, Cece, Pensa, Giacomino* e *Bellavita.*

E, ainda uma vez, estas obras se vêem estreitamente ligadas ao "vanguardismo": seus encenadores foram Jacques Mauclair ou Jean-Marie Serrau, que contribuíram de forma decisiva para impor Beckett, Ionesco e Adamov ao público parisiense. Algumas das peças de Pirandello figuram no mesmo programa que criações destes dramaturgos. Pirandello não está embalsamado em sua glória. O destino de sua obra ainda não se separa do destino da pesquisa teatral. Mas a ênfase não é mais colocada no jogo, no teatro dentro do teatro; o público francês agora descobre um Pirandello mais próximo de Kafka (*O Guardião do Túmulo* de Kafka foi apresentado no mesmo programa que *O Homem da Flor na Boca*) do que de Dullin ou de Evreinoff. E também um Pirandello "absurdo". A comédia da comédia cedeu lugar à impossibilidade, freqüentemente cômica, de toda comédia, ao que foi denominado antiteatro. Desta vez Pirandello não ocupa mais um lugar central na vida teatral parisiense, mas nela permanece presente, ao mesmo tempo reverenciado e eficaz. Sua obra, a princípio reduzida à fórmula do "teatro dentro do teatro", enriqueceu-se pouco a pouco: as peças "sicilianas" não são mais sistematicamente abandonadas. Uma nova imagem de Pirandello se delineia: um Pirandello realista. Enfim é significativo que dois dos mais jovens encenadores parisienses, diferentes em muitos aspectos, acabem ambos encenando Pirandello: Antoine Bourseiller, em outubro de 1960, selecionou *Como me queiras*, com Danielle Delormé, para inaugurar sua fase como diretor do Studio des Champs Elysées; e Jean Tasso, depois de montar *As Troianas* de Eurípedes, escolheu *Não se Sabe Como*.

Se há mais de quarenta anos a obra de Pirandello ocupa um lugar de nomeada no repertório dos teatros franceses e assim permanece associada aos esforços mais diferentes e às vezes mesmo divergentes dos encenadores [11], ela pesa igualmente na dramaturgia francesa de todo este período. Talvez mesmo sua influência tenha sido superior à sua difusão. Tentare-

---

11. Recentemente Pirandello conquistou o interior através dos centros dramáticos nacionais. Mencionaremos a representação de *Six Personnages* na temporada de 1960-1961, pela Comédie de l'Ouest, com grande êxito.

mos destacar, na dramaturgia francesa contemporânea, se não todas as manifestações desta influência, ao menos o que chamaremos de elementos de estrutura pirandelliana.

Uma observação preliminar, porém: poderíamos encontrar tais formas em obras bem anteriores a Pirandello. Bastaria, por exemplo, remontar aos dramaturgos do século XVIII, ainda próximos da *commedia dell'arte*, e principalmente a Marivaux [12]. Em *Atores de Boa Fé* Marivaux faz uma das personagens afirmar: "Nós fingimos fingir" — frase que, dois séculos antes, é como que o eco de outra de *Seis Personagens:* "O que é um palco? — Veja bem... É um lugar onde se brinca de brincar de verdade. Brinca-se de comédia".

Isto significa que os elementos pirandellianos da dramaturgia francesa contemporânea não devem ser sempre considerados como prova da influência direta da obra de Pirandello. Esta freqüentemente se manifestou apenas ao possibilitar que tendências até então implícitas se exprimissem: em torno desta influência, em torno de suas formas (mais que de seu sentido) cristalizaram-se movimentos diversos e muitas vezes contraditórios.

Pois toda a dramaturgia francesa contemporânea poderia ser classificada sob a rubrica pirandelliana. Foi aliás o que tentou fazer Maxime Chastaing num estudo sobre os temas do teatro francês, catalogando-os com os títulos das peças de Pirandello [13].

Não retomaremos aqui esta demonstração, que é um tanto capciosa; tampouco tentaremos fazer, à maneira de Thomas Bishop, um inventário de tudo o que pode ser chamado "pirandelliano" na produção dramática francesa dos últimos quarenta anos. Contentar-nos-emos, ao invés disso, em escolher não sem certa arbitrariedade, alguns dos grandes motivos que animam a obra de Pirandello — por motivos entendemos tanto formas como temas — e em estudar a utilização que deles foi feita. E vamos partir do que é mais evidente e sem dúvida o menos próprio a Pi-

12. Cf. o excelente estudo de JACQUES SCHERER, "Marivaux et Pirandello", nos *Cahiers Renaud-Barrault*, 28, jan. 1960.
13. MAXIME CHASTAING, "L'Uomo come protagonista nel teatro francese contemporaneo", na *Rivista di Studi Teatrali* 1, jan.-mar. 1952.

randello, ou seja, de certas técnicas dramáticas, para a partir delas chegar ao próprio movimento dramático da obra pirandelliana, cujo equivalente reconhecemos na obra de Sartre.

Não há dúvida, na verdade, de que o que inicialmente foi retido de Pirandello foram os processos mais artificiais e mais exteriores à dialética específica de sua obra. E que eram bem do gosto de uma época apaixonada pelo jogo. Assim, o primeiro elemento de estrutura pirandelliana, no qual nos detemos é a superioridade da comédia sobre a vida. Na sua forma mais grosseira, consiste em opor o teatro à existência, a arte à vida, a realidade da representação à ilusão do vivido, a verdade da arte às aparências do real. Pode-se encontrar um exemplo disto nesta réplica (voluntariamente truncada, visto que Pirandello não se limita a isto) de *Esta Noite se Improvisa*: "A vida é, na verdade, menos real do que a arte. Uma vida não é, nem nunca pode ser, uma criação absoluta. E como poderia sê-lo, esta vida que é escrava de uma ilusão atrás de outra, sempre contrariada, deformada, traída pelos acontecimentos, pelos outros homens ou pela nossa própria fraqueza, esta vida que se apaga e desaparece conosco na eternidade. A arte é que é uma realidade em si, eterna, fora do tempo, livre dos acasos, dos obstáculos, sem outro fim que ela mesma". (No entanto, a própria arte aspira à vida, como constata Pirandello em seguida: "Esta obra de arte poderá permanecer eternamente como uma imagem de beleza, de verdade, de pureza, e dar ao homem o esquecimento de sua condição e a nostalgia do que ele não será nunca. Mas o desejo do homem, do artista, vai mais longe: esta obra de arte, imobilizada numa forma, ele desejaria transformá-la numa vida, numa vida que, esta sim, seria a vida verdadeira"). O diretor de teatro de *Seis Personagens* retoma o mesmo tema ao exclamar, dirigindo-se aos seus atores: "Mas é claro que vocês fazem viver os seres vivos, e os fazem ainda mais vivos do que os seres que respiram e têm cédula de identidade! Seres menos vivos talvez, mas bem mais reais".

Este foi o tema da peça que conheceu o maior êxito no período entre-guerras: a *Maya* de Simon

Gantillon, cuja principal personagem, uma prostituta, muda conforme os homens que recebe e aparece no final como a encarnação da deusa da ilusão, ou seja, não como uma mulher mas como a própria arte, verdade de cada um dos que se voltam para ela.

Encontramos também esta oposição entre a vida e a ilusão na obra dramática de Jules Romains, mas tratada desta vez de forma cômica. A influência de Pirandello provavelmente não se manifesta neste caso: desde *Os Companheiros*, Jules Romains se aproximara deste tema, e *Os Companheiros*, que data de 1913, é muito anterior à difusão do dramaturgo italiano na França. Pode-se no máximo afirmar que o êxito de Pirandello talvez tenha encorajado Jules Romains a explorar este tema no teatro, em *Knock* (1923) por exemplo, onde se trata de tentar persuadir todos os habitantes de um cantão de que estão doentes, e sobretudo em *Donogoo* (1930), onde a invenção de uma cidade imaginária torna-se realidade...

Desta forma, este tema, que só mais tarde pode ser considerado pirandelliano, acaba por se integrar a uma concepção mais ampla: a identificação do mundo a um teatro, que é uma das constantes da obra de H.-R. Lenormand, por exemplo. Este autor reconhece, aliás, sua dívida para com Pirandello: "*Seis Personagens* constitui uma ampla interrogação sobre as causas que podem impedir ou facilitar o surgimento de uma obra dramática. Em *Uma Vida Secreta* e em *Crepúsculo do Teatro* abordei os mesmos temas".

Mesmo que este tema da vida como teatro seja tradicional e característico de toda a arte barroca, dele se pode reter um aspecto particular: a comédia que as personagens criam voluntária ou involuntariamente. Neste caso é legítimo falar de pirandellismo. Cada um representa um papel e é ao aceitar seu papel que a personagem pode ser plenamente ela mesma; é através da comédia que ele pode escapar à comédia; é representando que ele pode tornar-se verdadeiro, caso contrário se arrisca a permanecer um comediante sem o saber... Este esquema está rigorosamente presente nas obras da maioria dos dramaturgos franceses dos anos 30.

Citemos, a título de exemplo, a análise feita por Paul-Louis Mignon [14] de uma das primeiras peças de Salacrou, *A Ponte da Europa* (de 1927): "Comediantes franceses são esperados na corte de um pequeno reino balcânico imaginário. O próprio soberano, Jerôme I, rei manco, é francês. O acaso o colocou neste trono quando buscava a felicidade pelas estradas da Europa. O rei chamou os seus compatriotas porque entre eles há uma dançarina por quem estivera apaixonado sem nunca ousar se declarar. Para pôr fim aos desgostos de seu passado, imaginou ressuscitar este grande amor ao fazer com que os comediantes representem uma peça cujo autor e herói é ele mesmo: *As Trinta Tumbas de Judas*. Cenário: a ponte da Europa, da estação de Saint-Lazare, em Paris, passagem dos trens em direção a todas as esperanças. Jerôme descobre então que nunca conheceu o verdadeiro amor — nem o de antigamente, com uma mulher que encontrara no caminho, nem o de hoje, a Rainha. Está decidido, com a Rainha, a renunciar à coroa para tentar procurar uma nova felicidade, quando explode uma revolução. A rainha e o filho são mortos, Jerôme é condenado a viver com novas amarguras".

No teatro de Anouilh, principalmente em suas primeiras comédias, nas "peças rosas", o tema da necessidade de representar a comédia para sair da comédia, ocupa lugar central. Assim *O Baile dos Ladrões* se baseia no disfarce: duplo ou triplo disfarce, pois os ladrões se disfarçam em Grandes da Espanha, os Grandes da Espanha em ladrões, e os ladrões disfarçados em Grandes da Espanha vêem-se na contingência de fingir que estão fingindo que são ladrões. Isto porque o mundo burguês, ou melhor, este pequeno universo de fantoches aristocráticos que para Anouilh é representativo do mundo burguês, não pode fazer outra coisa senão representar. Como diz Lady Hurff: "Você não tem bons olhos... Eu represento um papel. Eu o represento bem. Como tudo o que faço, só isto. Mas você, Eva, você representa mal o seu papel". Essa comédia ora fracassa ora tem êxito. Não

14. Paul-Louis Mignon, *Salacrou*, Paris, Gallimard, 1960. col. Bibliothèque Idéale.

há lei alguma: somente a juventude permite ganhar: "Somente para aqueles que a representaram com toda a sua juventude é que a comédia tem êxito, e justamente porque representaram sua juventude, o que sempre tem êxito. Eles nem sequer perceberam a comédia". Para escapar à comédia esclerosada da burguesia, é preciso pois imitar a comédia da pureza: é o que faz Georges em *O Encontro em Senlis,* quando opõe à sua verdadeira família, composta de escroques e parasitas, uma família imaginária, fabricada com ajuda ·de atores decadentes. O seu estratagema fracassa, por certo, mas é no próprio fracasso deste estratagema que Georges encontra a maneira de romper o jogo degradante que o conduziu até aquele ponto e então partir com a jovem pura a quem ele ama. Pode-se identificar esta estrutura de dupla comédia em várias peças de Anouilh, de *Leocádia* até *O Ensaio ou O Amor Punido,* com a diferença de que as personagens conseguem cada vez menos escapar de seus papéis e são mais e mais ameaçadas de ficarem prisioneiras de suas comédias, enquanto que esta, ao invés de balançar a comédia social, com ela se confunde cada vez mais.

Um tal jogo de reflexos entre o teatro e a vida é comum na dramaturgia francesa do período entre-guerras. Sacha Guitry chegou mesmo a nos dar uma versão bulevardesca deste jogo em *Quando Vamos Representar a Comédia?* de 1935, ao passo que Marcel Achard dele propunha uma versão sentimental e poética em *Uma Mulher e Três Palhaços* (1924), *Dominó* (1932) e *O Corsário* (1938). É preciso, aliás, observar a estranha semelhança de situação, de argumento e até de conteúdo dramático entre *Dominó* e *O Prazer da Honestidade.* Em ambas trata-se de uma personagem que toma o lugar de outra (Baldovino toma o lugar de marido e de pai do filho de Agathe; Dominó substitui François, o suposto amante de Lorette Heller...) e que, envolvendo-se no jogo, obriga os outros a entrarem neste jogo.

Poderíamos multiplicar os exemplos. Esses intercâmbios entre a comédia e a vida, este teatro dentro do teatro, constituem um dos lugares-comuns da dramaturgia francesa de 1920 a 1940. Para tanto convergem o interesse suscitado pela *commedia dell' arte* (é daí que data uma verdadeira mitologia da *commedia dell'arte* no teatro francês), as pesquisas para integrar ao teatro certos recursos do circo e mesmo do *music hall*, uma metafísica de origem germânica... e a influência pirandelliana. Mas a este pirandellismo falta justamente o que é essencial na obra de Pirandello: uma tensão trágica entre a comédia da personagem e a vida, e o fato de que a comédia assim representada aparece como uma necessidade e não como um capricho. Se os heróis pirandellianos representam um papel, é porque são obrigados a fazê-lo. Basta reler *Pensa Giacomino* para compreender: é sob pressão dos demais que o herói se torna personagem, é para escapar a essa pressão que ele finge ser o que os outros querem que ele seja. Mesmo assim, nunca encontra refúgio seguro e confortável nessa personagem; jamais resolve a contradição entre o que parece e o que é. Ora, ao identificarmos numa obra francesa desse período, por exemplo na de Jean Anouilh, um dos termos da dialética pirandelliana, notamos que falta sempre o outro termo. É sob pressão dos que lhe estão próximos ou para escapar dela que o herói representa a comédia. Mas a tensão entre a representação e a vida se resolve rapidamente demais, disto resultando uma dramaturgia que participa da mitologia do teatro como verdade da vida (o que faz lembrar *Maya)* ou na qual a representação se transformou num puro artifício retórico (como acontece em *Quando Vamos Representar a Comédia?* de Sacha Guitry).

Destaquemos, agora, um outro elemento de estrutura pirandelliana, diretamente ligado ao que acabamos de examinar: diz respeito ao que se poderia chamar de incerteza de nossa personalidade. Pirandello ilustra bem este tema ao falar da "consciência que eu tenho, que cada um de nós tem, de ser um, ao passo que na verdade é cem, é mil, é tantas vezes quantas possibilidades existem nele".

Parece claro que o teatro seja um lugar particularmente apropriado para mostrar essa multiplicidade da nossa personalidade — multiplicidade que põe em dúvida a própria noção de personalidade e a nossa identidade. De resto, o teatro romântico francês, e particularmente a obra de Musset, repousam num esquema bem próximo ao de Pirandello: o desdobramento da personagem em dois. Em *Os Caprichos de Marianne,* Octave e Coelio são as duas faces opostas da mesma personagem. E há uma situação pré-pirandelliana em *Lorenzaccio,* onde Lorenzo se transforma literalmente num outro, embora tenha desejado apenas se fazer passar por outro a fim de realizar seu projeto.

Nesta perspectiva, impunha-se o recurso à amnésia, ainda mais que no imediato pós-guerra houve numerosos casos revelados pela crônica. Pirandello a utiliza em *Como me Queiras.* Pode-se destacar pelo menos três peças francesas importantes que também evocam casos de amnésia, sem chegar a afirmar que seus autores foram influenciados por Pirandello *(Como me Queiras* só viria a ser montada muito depois na França, por Marguerite Jamois, em 1932 no teatro de Gaston Baty). *O Pescador de Sombras* de Jean Sarment (1921) é até mesmo anterior às primeiras representações de Pirandello em Paris. Nela a influência de Musset ainda é predominante. E o tema da peça é menos a multiplicidade virtual da personalidade do que a sua inconsistência, a impossibilidade do herói ter uma identidade, a fluidez da existência que só se resolverá com a morte. Por outro lado, *O Viajante Sem Bagagem* de Jean Anouilh, que data de 1937, e que também foi montada no teatro de Gaston Baty, certamente não teria sido escrita se não houvesse existido *Como me Queiras.* Mas nesta peça, a Desconhecida transformou-se num homem, Gaston, e o centro de gravidade da ação deslocou-se. Na peça de Pirandello, o fracasso da Desconhecida deve-se ao fato de que ela não pode transformar-se inteiramente em outra e ser aceita como tal pelos que lhe estão próximos: ela não consegue ser verdadeiramente alguém; para o Gaston de Anouilh, o problema se coloca em termos morais, quase existenciais: ele recusa a imagem de si mesmo que os outros lhe transmitem, ele descobre assim a sua liberdade, que se baseia na negação do que ele é. A moral anouilhiana da pureza se sobrepõe à problemática pirandelliana da identidade. É talvez na terceira destas peças sobre amnésia, *Sieg-*

*fried* de Giraudoux, que se pode reconhecer o esquema dramático mais próximo de Pirandello. Sem que, ao contrário de Anouilh, se possa estabelecer uma filiação certa entre Giraudoux e Pirandello. Não só *Siegfried* (onde a personagem principal é literalmente cindida em dois, Siegfried e Forestier), mas todo o teatro de Giraudoux é construído sobre a dualidade da personalidade, sobre um jogo entre o que se é e o que se gostaria de ser, ou, mais exatamente, entre a existência e a essência, entre os vivos e os mortos. Para ilustrar isto basta o exemplo de *Intermezzo*, onde a professora Isabelle é como que disputada por dois mundos: o mundo da vida cotidiana e o mundo dos mortos, o da linguagem utilitária e o das verdades eternas — ou, para empregar o vocabulário pirandelliano, entre a vida e a forma...

Poderíamos também encontrar outras imagens desta dualidade, em escala mais reduzida, no teatro de Anouilh; por exemplo em *Colombe,* mas aqui a tradição romântica é retomada no que tem de mais superficial: a oposição é definida apenas em termos da pureza de alma e a impureza de toda a vida em sociedade.

Evoquemos antes outra obra, construída em grande parte sobre a noção de incerteza e variação da personalidade: a de Salacrou. Em *As Noivas do Havre* este tema está no centro mesmo da peça, visto que a ação nasce de uma substituição de crianças feita no berço e na descoberta, anos mais tarde, do erro que torna ilusório tudo o que Guy e Richard acreditam ser. Assim Guy é levado a exclamar: "Perdi tudo, meu passado, minha memória, meu nome e eu mesmo. Não sou mais nada".

Os *"vaudevilles* metafísicos" de Salacrou nos oferecem igualmente uma série de variações sobre o conceito de personagem. Para este efeito, o que poderia ser mais funcional do que o clássico triângulo mulher-amante-marido, desde que se atribua menos importância às peripécias, à mecânica de *Vaudeville* e maior importância à situação da mulher entre seu marido e seu amante, agindo diferentemente com um e com outro? Quando o marido e o amante se encontram e falam da mulher, ambos se dão conta imediatamente de que nem um nem outro a conhece, como o demonstra o diálogo entre Achille e Jean-Louis em *História para Rir:*

"— Como você pensa que Adé é?
"— Como ela é.
"— E como ela é?
"— Você não a conhece?
"— Não, claro que não. Você foi para ela um novo espelho, um espelho onde ela se via de uma maneira nova".

(Lembremo-nos de que uma outra peça de Salacrou se intitula *O Espelho.)* E a própria Adé constata: "Eu sou alternadamente várias linhas retas que às vezes se encontram... Aquilo que os outros chamam minhas mentiras são as minhas verdades da véspera ou às vezes verdades de minhas outras existências".

Salacrou chega assim a um relativismo generalizado da personalidade. Cada pessoa é, ao mesmo tempo, ela mesma e uma outra: cada pessoa muda incessantemente de personalidade, segundo os espelhos que se lhe apresentam. É um relativismo deste tipo que uma das personagens de Pirandello, e não tanto o autor, expressa: lembremo-nos das palavras de Laudisi em *A Verdade de Cada Um,* que os críticos e comentaristas franceses sempre tiveram a tendência de tomar como porta-voz do autor — o que é discutível, uma vez que também se pode ver em Laudisi um produto da sociedade provinciana descrita por Pirandello, assim como os Agazzi e os Sirelli, e sem nenhum privilégio sobre eles.

Evidentemente não pretendemos reduzir todo o teatro de Salacrou ao pirandellismo, a um pirandellismo mal entendido. Esse tema das variações da personalidade em Salacrou está relacionada à obsessão do tempo que passa e à angústia diante da morte (veja-se *A Desconhecida de Arras,* cujo título é certamente mais pirandelliano do que a própria peça). Neste ponto as duas obras divergem: Salacrou esboça um teatro da "desgraça de viver", quando não mesmo do absurdo de viver, ao passo que a dramaturgia pirandelliana por sua vez se baseia numa verdadeira paixão de viver e numa vontade trágica de gozar a vida em plena luz da consciência.

Comparando-os com as peças de Pirandello, os textos que acabamos de mencionar, e que se baseiam seja no jogo da vida ou da comédia, ou na incerteza da personalidade, estes textos que haviam sido considerados mais ou menos pirandellianos, carecem de um elemento capital: o movimento dramático pirandelliano. De Pirandello só retiveram certas fórmulas retóricas ou contestáveis generalidades metafísicas. — entre a retórica e a metafísica, a passagem é, aliás, bem fácil — e não aquilo que está no centro da ação pirandelliana: a necessidade que tem todo ser humano de tornar-se uma personagem, a fuga violenta da *vida* para a *forma* e a tensão trágica que disto resulta.

Foi preciso uma nova geração de dramaturgos — a de Sartre e de Camus — para que surgisse no teatro francês o elemento fundamental de estrutura pirandelliana.

Limitemo-nos à obra de Sartre [15]. Primeiramente verificamos uma analogia entre o ponto de partida de inúmeras peças de Pirandello e o de um texto como *Entre Quatro Paredes*. A primeira experiência do herói pirandelliano é com efeito a experiência do "peso dos outros" e do "instante eterno". A personagem é surpreendida pelas outras num dos seus atos e ei-la cristalizada neste ato, imobilizada no instante deste ato — que o Pai em *Seis Personagens* chama de "instante eterno": "O instante eterno! É o que eu lhe disse, meu senhor! (mostrando sua enteada): Ela está aqui para me pegar, me imobilizar e me manter eternamente suspenso no cadafalso deste instante fugidio, deste único momento vergonhoso de minha vida. Ela não pode renunciar a isto". E o que pesa sobre o professor Toti de *Pensa Giacomino,* assim como sobre o Sr. Ponza de *A Verdade de Cada Um,* é o olhar dos outros, destes outros que força cada um deles a se transformar numa personagem que a cada minuto, a cada segundo, nega sua liberdade, conferindo às suas ações um sentido que os protagonistas não quiseram

---
15. Deixando de lado a obra de Camus, cujo pirandellismo, embora mais aparente, é também mais sumário.

lhe atribuir e que representa, quando muito, apenas um sentido parcial, incompleto.

Reconhece-se aí toda a temática de *Entre Quatro Paredes:* "o inferno são os outros", mas o inferno é também ser condenado pelos outros a reviver indefinidamente o instante eterno, aquele instante que não pode mais ser transformado, que não pode mais ser alterado e ser inscrito numa vida livremente vivida. Assim, certas réplicas de Garcin fazem literalmente eco às declarações dos principais heróis pirandellianos — esta por exemplo: "Pode-se julgar uma vida só por um ato?". Vamos reler estes diálogos entre Garcin e Inês:

"Garcin: Eu não sonhei com este heroísmo. Eu o escolhi. Nós somos o que queremos ser.

"Inês: Prove. Prove que não foi um sonho. Somente os atos decidem quanto ao que se desejou. [...]

"Garcin: Eu morri cedo demais. Não tive tempo de realizar os meus atos.

"Inês: Morre-se sempre cedo demais ou tarde demais. E no entanto a vida está aí, terminada; é preciso fazer a soma. Você não é nada além da tua vida".

E quando Garcin fala de "todos esses olhares que me devoram", Pirandello já havia escrito antes: "A consciência é precisamente os outros no fundo de você"[16].

Tanto em Sartre como em Pirandello isto é apenas um ponto de partida. Bloqueado pelos outros, o herói pirandelliano inventa uma personagem. Às vezes a personagem que os outros o obrigaram a representar, mas se trata agora de uma personagem que ele próprio escolhe. Assim, escapa aos demais *(A Verdade de Cada Um):* ele se torna mais que o que desejavam que ele fosse, pronto para se voltar contra eles e se vingar *(Henrique IV)* ou novamente aceder à vida deles *(Esta Noite Se Improvisa).* E a escolha desta "forma" — que freqüentemente é a forma que os outros lhe impuseram — é o único ato livre da

---

16. *Comme ci (comme ça)* de Pirandello, em Luigi Pirandello. *Théâtre*, v. I, p. 227, versão francesa de Benjamin Crémieux, Paris, Gallimard, 1950.

personagem pirandelliana: um ato onde sua liberdade ao mesmo tempo se nega e se realiza.

Nesta perspectiva, aquilo que Sartre definia como *teatro de situações* tem muito a ver com uma dramaturgia de tipo pirandelliano. De fato, Sartre afirmava: "Se é certo que o homem é livre numa determinada situação e que se escolhe livremente nessa situação, e que se escolhe *em* e *por* esta situação, então é preciso mostrar no teatro situações simples e humanas e liberdades que se escolhem nestas situações" [17] — enfatizando mais a liberdade do que a situação inicial — mas Francis Jeanson o corrigia: "Pela magia do espetáculo [o que Sartre mostra] é a atitude mágica do homem que se atribui uma determinada fé, que se deixa possuir por um papel, por uma missão, e não pára de se confundir e de se cegar a fim de poder levar a sério a personagem que o habita. Teatro da liberdade, o teatro sartriano é indissoluvelmente um teatro da má fé. E a má fé não é um mal que desaba sobre nós, como que por acidente: é a situação original de toda consciência enquanto liberdade" [18].

Assim, ao movimento de Henrique IV, que se refugia na sua personagem, na personagem que os outros lhe impuseram (é Belcredi quem pretende ter tido "a primeira idéia da cavalgada") e na qual o fizeram cair, no sentido próprio e figurado..., a este movimento corresponde o de Goetz, que "escolhe" o bem e decide ser um herói na calma e no repouso de Deus. Ambos pretendem desfrutar o que Henrique IV chama de "a alegria da História, essa imensa alegria", pois na História "nada mais muda, nada mais pode mudar". A diferença entre ambos — que é de capital importância — é que Henrique IV sairá de sua personagem, de sua "forma" apenas para melhor penetrar nela, uma vez realizada sua vingança (além mesmo do que ele desejava), enquanto Goetz renunciará no final à sua máscara e retornará como homem, e não mais como figura, à História que se realiza.

Sem dúvida a mais pirandelliana das peças de Sartre é *Os Seqüestrados de Altona*. Nela pode-se en-

17. Citado por FRANCIS JEANSON em *Sartre par lui-même*, Paris, Le Seuil, 1955, pp. 11-12, col. Ecrivains de toujours.
18. FRANCIS JEANSON, obra citada, p. 114.

contrar ao mesmo tempo (pelo menos na comédia de Frantz): o instante eterno (o momento em que Frantz torturou, que coincide com o único momento em que foi inteiramente livre); o movimento pelo qual o herói se refugia numa forma para escapar aos outros e perpetuar uma liberdade que só subsiste dentro de sua própria negação (Frantz se condena incessantemente diante de um falso tribunal da História, assim como Henrique IV revive indefinidamente a humilhação de Canossa); e a tensão trágica entre a personagem, tal como ela se escolheu, e a vida, que está longe de ignorar mas que recusa com todas as suas forças.

Há também nos dois dramaturgos como que uma distância entre o drama anteriormente acontecido (o que em Sartre constitui a "situação determinada") e a maneira pela qual as personagens o vivem, revivem, e interpretam no sentido exato do termo. Em ambos os casos estamos em presença de um teatro elevado à segunda potência: a comédia da loucura representada por Frantz é uma resposta ao que já aconteceu, assim como a do pseudo-Henrique IV. Uma recusa de toda responsabilidade, uma maneira de salvaguardar a inocência frente ao mundo e aos outros, envolvidos na sua culpabilidade.

Mas enquanto Pirandello deixa em aberto o conflito entre o passado e o presente, entre a personagem e os outros — conflito que qualifica de "trágico conflito imanente entre a vida que flui e muda continuamente e a forma que a fixa na imobilidade" —, Sartre pretende dar um passo a mais, ao opor à escolha inautêntica do herói, a possibilidade de uma outra escolha: a de Goetz, por exemplo, quando decide tornar-se novamente um homem, recusando ao mesmo tempo "o diabo e o bom deus". Assim Sartre acrescenta um julgamento moral ao movimento dramático pirandelliano e o mostra como uma atitude de má fé. Sartre procura também nos revelar as suas causas: é porque Frantz é filho destes semideuses, que eram os industriais alemães, e porque a responsabilidade de seus atos nunca pesou sobre ele, que ele inventa sua comédia para mascarar e, ao mesmo tempo, perpetuar seu único ato livre. Sartre inscreve o drama pirandelliano na sociedade, na História.

Mas semelhante tentativa não estaria condenada ao fracasso? É possível ao mesmo tempo ver de fora e de dentro a "tragédia da personagem"? A resposta fornecida pelas peças de Sartre a esta questão é muitas vezes pouco convincente. A História, tal como Sartre a evoca em *O Diabo e o Bom Deus*, é geral demais, sumária demais para que a comédia de Goetz não se torne um drama filosófico e não assuma postura simbólica. O mesmo acontece em *Os Seqüestrados de Altona:* não é evidente, ao menos na representação, o vínculo entre a tragédia de Frantz e a descrição da situação social e histórica dos von Gerlach que, na era dos tecnocratas, perderam o essencial do seu poder — descrição que peca, além disso, pelo fato de que Sartre transpôs para a sua peça a situação francesa frente à guerra da Argélia em termos de Alemanha nazista depois Alemanha de Adenauer. O que há talvez é uma incompatibilidade essencial: embora a "tragédia da personagem" nos seja mostrada como produto de uma situação histórica e social determinada — como é o caso nas melhores peças de Pirandello — o dramaturgo não é capaz de manter, ao longo da ação, uma relação dinâmica entre esta situação e esta tragédia. Uma obscurece a outra. A personagem se faz aos nossos olhos, mas nos cega quanto ao resto. É o que Pirandello aceita: cabe a nós decifrar a História através da recusa da História pela personagem. Sartre, ao contrário, insiste, particularmente em *Os Seqüestrados de Altona*, em provocar constatações e confrontações entre a comédia de seu herói e o drama da História (observemos que tem mais êxito quando esta comédia tende para o burlesco, como em *Nekrassov).*

Cumpre destacar ainda rapidamente uma das singularidades (e um dos aspectos mais bem sucedidos) da dramaturgia pirandelliana, que não deixou de influenciar os autores franceses, como Sartre e, em menor escala, Salacrou. É bastante conhecido este fragmento do diálogo de *Seis Personagens,* no qual Pirandello responde às críticas que lhe haviam sido feitas:

"O Diretor: O senhor raciocina demais, demais mesmo, meu caro senhor. [...]

O Pai: [...] Esteja certo de que eu sinto, sim, de que eu sinto tudo o que penso. E que os meus sentimentos não me cegam. Sei muito bem que em geral a.cegueira parece *mais humana*. Mas eu lhe afirmo que é o contrário. O homem só raciocina (ou só perde a razão, o que é a mesma coisa) quando está sofrendo. Quer saber por que sofre, quem é o responsável pelo seu sofrimento, indaga se seu sofrimento é justo ou injusto. Enquanto o homem é feliz, ele agarra sua felicidade sem pensar, como se a felicidade lhe fosse devida. Somente os animais sofrem sem, pensar, meu senhor. Mas ponha em cena um homem que se analisa no meio de seus sofrimentos: isto não se admite. É preciso que ele sofra como um animal para que então todos digam: *Ah! como ele é humano!"*

Pirandello justifica assim uma dramaturgia em que o raciocínio e a paixão não se contradizem. Pelo contrário, o raciocínio seria a marca, a própria prova da paixão. Seu êxito neste sentido é, aliás, incontestável: é a razão que amplifica a tragédia da personagem de Pirandello. O teatro de tese é posto a serviço do drama. Não há dúvida de que Sartre e Salacrou, especialmente Sartre, foram inspirados pela obra de Pirandello ao tentarem superar a contradição aparentemente irredutível, particularmente na França, entre um teatro filosófico e um teatro da paixão pura, do *pathos*. Por isso, em algumas peças de Sartre os grandes debates de idéias são integrados ao movimento dramático e por vezes o constituem. Mas a dramaturgia sartriana não atinge então a coerência da obra de Pirandello: Sartre raramente recusa o prazer de uma fórmula bem pensada e bem clara, e espalha por toda sua obra palavras filosóficas... As personagens falam em seu nome, o que é tanto mais embaraçoso porque Sartre se recusa, como vimos, em se identificar com elas, como faz Pirandello: tem sempre a preocupação de julgá-las ou de fazer com que sejam julgadas pela História. Observemos no entanto que seria possível encontrar antecedentes deste movimento dramático nos clássicos franceses: os diálogos de Corneille correspondem claramente à definição de Pirandello. Uma fusão semelhante, embora com uma tônica diferente, entre a reflexão e a paixão, existe às vezes também na obra de Giraudoux.

Enquanto Anouilh e muitos outros dramaturgos apenas utilizaram recursos pirandellianos, Sartre — e em certa medida, Camus [19] — soube apropriar-se do movimento dramático pirandelliano, cuja significação foi por ele profundamente compreendida. O fato de que Sartre não tenha conseguido integrá-lo totalmente em uma forma dramática mais ampla coloca um problema que ultrapassa toda sua obra: o problema da conciliação entre um teatro dramático e um teatro épico, que abordaremos para concluir.

Antes é necessário esboçar ainda as relações que possam existir entre a dramaturgia pirandelliana e o que hoje, aliás erradamente, se chama de teatro de vanguarda. Aqui Pirandello não está mais, como para os autores dos anos vinte, trinta ou quarenta, no centro das preocupações. Não é mais em torno de sua obra que as tendências se cristalizam. Poderíamos até mesmo definir *Esperando Godot* por seu antipirandellismo (assim como por seu "antigiraudouísmo"). O teatro de vanguarda, se é que se pode encontrar um denominador comum entre Beckett, Ionesco, Adamov etc., caracteriza-se, com efeito, pela recusa do "jogo" da personagem, pela ausência de todo movimento interior do herói (reduzido a uma única dimensão) e pela negação da dialética trágica e aberta da personagem pirandelliana. O herói não dispõe mais, face a seu drama, de uma consciência reflexiva: ele *é* e nada mais.

No entanto, apesar de não haver estrutura pirandelliana na vanguarda (se bem que *Fim de Jogo,* ao contrário de *Esperando Godot,* apresenta uma volta ao conceito de vida como comédia), é possível indicar pontos de contato entre Pirandello e os autores "de

19. Cf. FRANCIS JEANSON, "Pirandello et Camus à travers *Henri IV* e *Calígula*", em *Temps Modernes,* 61, nov. 1950.

vanguarda". Para comprovar isto, bastaria citar algumas palavras de Pirandello que poderiam ser usadas como ilustração de certas peças desses autores. Quando Henrique IV declara: "Vocês se põem a falar? É para repetir frases que sempre foram ditas! E acreditam viver? Vocês ruminam a vida dos mortos!", resume previamente o argumento de *A Invasão* de Adamov; e quando o Pai de *Seis Personagens* observa: "Acreditamos compreender e não compreendemos nunca", antecipa o que, nesses autores, passaria a ser um artifício retórico.

Enfim o Prof. Taranne de Adamov faz apenas o que faz o Baldovino de *O Prazer da Honestidade:* "Imediatamente ele se via tomado pela sua exaltação, tomava consciência disso e se punha a contemplar esta exaltação como a um espetáculo". Interrogação sobre si mesmo é aqui igual a destruição de si mesmo. Ver-se a si mesmo é tomar distância de si mesmo, é não ser mais quem se é, é não ser mais nada.

Sem dúvida é em Ionesco que se deveria procurar os vestígios mais constantes do pirandellismo, na medida em que, bem mais do que Beckett, Ionesco deve muito ao teatro dos anos trinta, ao explorar a confusão tradicional entre a vida e a comédia, e ao reconhecer a comédia (embora considerando-a insignificante) como a única verdade da vida.

Resta mencionar uma obra que se situa de alguma maneira na confluência do teatro de vanguarda e do teatro de Sartre: a obra de Genet. Que a propósito de Genet se possa falar em pirandellismo é inteiramente evidente. Os atores que representam ostensivamente seus papéis, negros que se "negrificam" em cena pintando-se com graxa, homens travestidos em criadas e criadas que se disfarçam em patroa... tudo isso são amostras, com efeito, do pirandellismo mais comum, para não dizer mais primário. Mas o teatro de Genet não é pirandelliano apenas pelos seus artifícios, mas sim ao reinstaurar (não tanto no nível da ação representada no palco, mas no plano das relações entre a ação representada e o público) o conflito entre a vida e a forma, a que Pirandello se referia. Desta vez, a forma é a comédia que os atores nos apresentam: uma comédia que é a própria comédia das representações, imagens da nossa sociedade burguesa, à qual Genet atribui a exclusiva função de "aperfeiçoar a *reflexão* da comédia da comédia, de reflexo de reflexo que uma representação cerimoniosa tornar requintada e próxima da invisibilidade"[20]; e a vida é a realidade dos espectadores levados a recusar a comédia que lhes é assim oferecida, a rechaçar aquelas imagens truncadas que são as suas imagens, mas desta vez levadas até o absurdo. Henrique IV provocava os outros ao representar até as últimas conseqüências o papel que estes lhe haviam imposto. Genet provoca o seu público ao exagerar a comédia imaginária deste público: mostra-nos negros não como são exatamente os negros, mas como nós, espectadores brancos e burgueses, os imaginamos... Aqui o pirandellismo tornou-se uma arma. E dele podemos dizer aquilo que Brecht escreveu sobre a provocação: é uma "maneira de recolocar a realidade sobre seus pés".

Não resta dúvida de que toda a dramaturgia francesa do período entre-guerras e do imediato pós-guerra foi dominado pelo pirandellismo (nascido legitimamente ou não da obra de Pirandello) e que suas principais tendências se cristalizaram em torno do pirandellismo. Ao ponto de podermos qualificar esta dramaturgia de pirandelliana, assim como Dumur, que em seu livro dedicado a Pirandello[21] falava de uma "época pirandelliana" para caracterizar os primeiros trinta anos do século XX.

Resta saber como situar esta dramaturgia pirandelliana em relação ao teatro do fim do século XIX, a este teatro que Brecht definia como "dramático" por oposição ao teatro épico do qual ele se tornou o profeta.

Impõe-se uma primeira constatação: o pirandellismo multiplicou os recursos do teatro, foi a fonte de inumeráveis inovações técnicas que desde então passaram a ser aceitas no meio teatral. Cito de memória a utilização da volta ao passado e da aceleração no tempo (comparáveis a certos recursos cinematográficos); a prática, que chegou ao excesso, do teatro

---

20. JEAN GENET, *Introduction aux "Bonnes"*, Sceaux, ed. Jean-Jacques Pauvert, 1954, p. 16.
21. GUY DUMUR, *Pirandello*, Paris, L'Arche, 1955, col. Les Grands Dramaturges.

dentro do teatro; a utilização da ruptura do tom e a mudança contínua do drama para a comédia; a integração do raciocínio no movimento dramático... O resultado não é negligenciável: o teatro tornou-se mais amplo, mais rico e mais maleável.

Nossa questão, porém, permanece intacta. Se o pirandellismo possibilitou ao teatro adquirir novas formas, terá igualmente provocado modificações de estrutura, terá contribuído para o surgimento de uma nova forma de dramaturgia? Assinalemos que o elemento essencial do pirandellismo não são tanto as inovações puramente técnicas que mencionamos acima, mas a introdução na obra de uma *distância* entre o drama propriamente dito, entendido no sentido naturalista do tempo, e a representação. Como acertadamente notou Benjamin Crémieux: "O tema humorístico de Pirandello começa onde termina o tema verista de Verga" [22]. Assim, o que Pirandello põe em cena não é o próprio drama, mas o drama refletido na consciência de uma personagem. Seu teatro é uma tragédia (ou uma comédia) da reflexão. O que conta não são os dados primeiros de uma situação dramática, mas o julgamento que um homem faz desses dados, a decisão que ele toma a partir dos mesmos. Desta forma, o patético de Pirandello é intelectual, e a representação dos atores pirandellianos é uma representação elevada à segunda potência. A distância é constitutiva da dramaturgia pirandelliana. É esta sua inovação principal.

No entanto esta inovação não teve o efeito de modificar profundamente a forma dramática tradicional, mas apenas substituiu um conflito imediato, no presente, por um conflito imaginário, deslocado no tempo. Ela reflete o drama inicial no espelho da consciência de um herói a um só tempo destacado e patético. O distanciamento pirandelliano não é, de certa forma, senão um desdobramento "dramático".

Originária de "um impasse histórico" (o impasse do fascismo certamente, mas sobretudo o típico impasse siciliano, do qual Pirandello nos deixou uma imagem em seu romance *Os Velhos e os Jovens* —

---

22. BENJAMIN CRÉMIEUX, "Littérature Italienne", p. em *Panoramas des littératures contemporaines*, Paris, ed. Saggitaire, 1928, p. 275.

"romance — como nota Mário Baratto [23] — de uma grande *decepção histórica*, romance da realidade prosaica e mortificante que sucedeu aos movimentos revolucionários de 1848 e à epopéia garibaldiana de 1860"), a dramaturgia de Pirandello não mais se baseia, como a obra de Verga, numa "análise da realidade", mas em uma "consciência dolorosa dessa realidade decepcionante" [24]. Por isso, supõe uma distância em relação ao real, ao presente; no entanto, esta distância não é a ocasião de uma clara tomada de consciência: ela, ao contrário, embaralha as cartas e multiplica ao infinito, no jogo de espelhos de uma consciência que se examina a si mesma, o drama inicial.

Diversamente do teatro épico brechtiano, a dramaturgia pirandelliana não nos propõe uma compreensão da História e da nossa própria posição nesta História, nem nos exorta à ação. Mas, por mais idealista que seja, nem por isso escapa a esta História. O que nos devolve, radicalizada, é a própria imagem de nossa situação histórica: a de homens "bloqueados", divididos entre a forma e a vida. Sem dúvida foi neste aspecto que a dramaturgia pirandelliana influenciou tão profundamente a dramaturgia francesa.

---

23. Cf. estudo de MÁRIO BARATTO, *Le Théâtre de Pirandello*, Paris, M.C.
24. Cf. o estudo de Mário Baratto acima citado.

## 14. IONESCO: DA REVOLTA À SUBMISSÃO?

Vamos ler uma peça de Ionesco. Vamos ler, por exemplo, *Jacques ou A Submissão* [1], que Robert Postec acaba de nos apresentar no Théâtre de la Huchette. * Falas curtas se sucedem, sem grande ordem, sem necessidade aparente. Os representantes de uma família burguesa lançam uns aos outros frases mancas. A linguagem que usam vai sucessivamente se desconcertando. Seus lugares-comuns se deterioram golpeados. Nem diálogos, nem monólogos: pedaços de frases, refrãos que parecem vir de uma vitrola rouca... Ionesco rompeu todo comércio com a literatura — com esta "boa literatura" na qual o teatro, desde o início do

1. EUGÈNE IONESCO, *Théâtre* I, Paris, Gallimard, 1954.
* *JACQUES OU A SUBMISSÃO*, comédia naturalista de Eugène Ionesco, cenário e figurinos de Jacques Noel, direção de Robert Postec, no Théâtre de la Huchette.

século, se alimentou com excesso, ao ponto de chegar a produzir um Jean Giraudoux.

No espetáculo (sobretudo quando é tão cuidado, tão acertado, como o do La Huchette) estas falas que pareciam sem respostas, estas cenas das quais toda lógica parecia ausente, entregues somente ao prazer do arbitrário, reencontram sua coerência, se cobrem de evidência e adquirem vida. Do livro ao palco, a linguagem de Ionesco sofreu uma metamorfose: no livro parecia vazia, resultado de um jogo, dá aposta de um escritor animado quase por um rancor solitário contra a literatura; no palco, adquire um sentido e uma função. O leitor poderia se obstinar em negá-la. O público reconhece-a imediatamente: é a sua linguagem. Possui até mesmo a lógica da linguagem cotidiana. Não tem o peso de nenhuma verdade, de nenhuma mensagem psicológica ou metafísica. E mais, possui um significado em si mesma. Significa um mundo dividido, retalhado: um mundo esmagado pelo peso do passado, da estupidez e da hipocrisia sociais.

Pois aqui as personagens contam muito pouco. Das duas famílias reunidas em *Jacques* é suficiente mencionar que o avô é paralítico, que a avó é louca, os pais, nobres, as mães, alcoviteiras... nunca saberemos mais que isso. O essencial não é isto. O essencial é a grande quantidade de palavras deformadas e de locuções tornadas absurdas à força de terem sido repetidas. O essencial é que Jacques pronuncia uma frase: "Eu gosto de batatas com toucinho" e que assim se submeta, volte para a *ordem* familiar, uma ordem que possui suas regras, suas palavras, sua linguagem própria, irredutível a qualquer outra ordem. Isto o espectador compreende à primeira vista: esta linguagem que se desdobra diante dele, com suas palavras bizarramente reunidas, revela ao mesmo tempo a ordem desta família e a desordem deste mundo, do nosso mundo, no qual semelhantes ordens são possíveis.

A aventura de Jacques será, como declarou Ionesco, "conduzida pouco a pouco através da recusa da condição humana [isto é, desta ordem familiar] até a mais completa submissão... até chegar ao ponto de se resignar a uma espécie de quietude biológica" [2]

2. Em *Le Monde*, 15.10.1955, artigo de CLAUDE SARRAUTE.

— esta aventura se desenvolve inteiramente no plano das palavras. Tendo recusado, pelo silêncio, a linguagem e a ordem familiar, Jacques, entretanto, se deixa apanhar pela armadilha de uma outra linguagem, de uma outra ordem: a ordem, opressiva e úmida, de sua noiva Roberte. Ele penetra, enfim, num mundo onde "para designar as coisas não existe senão uma única palavra: gato" — num mundo infantil, o equivalente do ventre materno... (é a "espécie de quietude biológica" de que falava Ionesco).

É neste ponto que se produz uma transposição: a linguagem ionesquiana passa do negativo ao positivo. Antes não passava de uma rejeição: agora reencontra a função do discurso teatral tradicional, a função da palavra trágica. Assim as "antipeças" de Ionesco (é o subtítulo que ele deu a *A Cantora Careca)* voltam a ser peças. E este antiteatro se transforma num teatro, no sentido mais clássico do termo (também evidente em *Como se desembaraçar disso,* cuja primeira parte era inteiramente crítica, enquanto que a segunda visava exaltar os heróis e nos arrastar para suas aventuras). Esta linguagem de derrisão, que existia apenas por referência à nossa linguagem, assim como o tornassol numa experiência química só vale pelo que nos revela, esta linguagem passa a existir por si mesma e arrasta os heróis em seu movimento.

Eis aqui um mundo sem saída, fechado, no qual Ionesco nos faz penetrar astuciosamente. Desde o princípio é a estranheza deste universo que nos atinge, nos surpreende e quase deslumbra; em seguida, sua profunda, sua literal semelhança com o nosso universo. Mas, além disso, pretende fazer "surgir o insólito" neste universo no qual reconhecemos nossa mais familiar realidade. A operação é difícil: às vezes tem êxito *(Jacques),* às vezes fracassa (vejam *O Retrato* onde tudo permanece superficial, onde a própria linguagem, ao mesmo tempo flexível e mais descosturada, está privada desta coerência na desordem, desta força de persuasão que fazem o êxito de *Jacques).* Ionesco tenta inutilmente velar a ironia desta metamorfose, ela permanece suspeita. Esta metamorfose não corre o risco, em última instância, de anular o que constitui a força do teatro de Ionesco?

Uma vez que vanguarda significa primeiramente destruição, compreende-se que Ionesco e Adamov tenham atacado o teatro em seu ponto mais sensível: o da representação da família. E também que tenham, cada um à sua maneira, procurado substituir a família tradicional (a das peças de André Roussin) por uma imagem mais dura: não mais a imagem de um ambiente onde tudo se arranja mas, sim, a imagem de um combate moral. E os diálogos feitos com piscadelas de olhos de nossas comédias de *boulevard,* são substituídos pela linguagem descarnada, despojada até restar só a trama (e a trama é o insignificante) de *A Invasão* ou pela linguagem pletórica, efervescente, de *Jacques.* Mas enquanto que, chegando ao beco sem saída de *Como nós Fomos,* onde a peça desaparece no silêncio, cada personagem estando de certa forma transida por seu passado, Adamov se esforçava com *Pingue-Pongue* por escapar à miragem das "mães", Ionesco parece mergulhar num mundo elementar, regido por algumas grandes figuras arquetípicas. Longe de nos mostrar, para além da célula familiar, as relações que esta mantém com a sociedade, Ionesco reduz esta sociedade à família. E faz do policial, um pai; do capitalista, ainda um pai; do operário ou do artista (vejam *O Retrato)* um filho que, fugindo do pai, regressa à mãe — para no final elaborar uma condenação geral e deixar o universo inteiro submergir nos sonhos infantis.

Até o momento, portanto, a obra de Ionesco permanece como que desmembrada entre duas ambições: uma tomada de consciência social (o reconhecimento, nesta linguagem que gira no vazio, de nossa linguagem: uma palavra alienada e as fontes desta alienação) e a descoberta de um inconsciente tirânico, a consagração da servidão humana, abolida toda a sociedade, aos deuses e às deusas da Noite. Nesta última hipótese, ao mesmo tempo que nos proporia a imagem de um mundo absurdo, Ionesco procuraria significar também a fatalidade quase psicológica deste absurdo. Então não passaria de um Strindberg de três vinténs: um autor "moral" reduzido a mimar o inevitável afogamento do Homem solitário na ordem das essências malditas do sexo e da morte.

## 15. GENET OU O COMBATE COM O TEATRO

Fala-se muito em Genet e muito pouco em sua obra. Quando se comenta a obra é para voltar à personagem Genet, para exaltar a lenda do "asilado, ladrão, mendigo, prisioneiro, pederasta... e artista". Em resumo, não se cessa de canonizar "São Genet". Cada crítico se julga obrigado a refazer, por conta própria e segundo sua medida, o itinerário traçado definitivamente por Sartre. É impossível sair do torniquete: a obra de Genet remete à personagem Genet e esta personagem só existe pela obra. Logo, qualquer crítica parece irrisória e vã: Sartre, afinal, não disse tudo o que havia para dizer sobre o artista Genet como herói de nossa época e antítese do revolucionário Bukharino? e o próprio Genet, em seu *Diário de um*

*Ladrão,* não deu o último retoque a seu auto-retrato? Uma de suas preocupações essenciais foi certamente a de criar a própria imagem. Seus romances são biografias imaginárias, como também espelhos enganadores destinados a realçar sua imagem. Mas Genet não parou aí. Desde o *Diário de um Ladrão* já nos tinha mostrado o avesso destes espelhos. Talvez seja precisamente o livro de Sartre que lhe tenha permitido sair do torniquete no qual, agora, se fecham seus críticos. Ele próprio reconhece: "Levei algum tempo para me refazer. Fiquei quase incapaz de continuar a escrever... O livro de Sartre criou um vazio que permitiu uma certa deteriorização psicológica. Esta deteriorização permitiu a meditação que me conduziu ao meu teatro"[1].

*A mutação teatral*

Com exceção de *Alta Vigilância*, ainda bem próximo de seus romances, e de *As Criadas*, todo o teatro de Genet é, na verdade, posterior a *São Genet, Comediante e Mártir*. Desde então Genet deixou de escrever ou, pelo menos, de publicar romances. Assim, sua atividade como dramaturgo coincide, quanto à essência, com uma mutação. O escritor Genet desligou-se, graças à mediação sartriana, da personagem Genet. Embora conservando a mesma temática sua obra mudou de estrutura, de função. E, talvez, de significado. É precisamente o que, à força de supervalorizar a personagem, a crítica deixou de assinalar: nas obras de Claude Bonnefoy[2] e de Jean-Marie Magnan[3], a parte concedida ao teatro é pequena. E as peças só são lembradas em relação ao universo romanesco. Ora, é compreendendo a distância que separa as peças dos romances de Genet que poderemos entender o seu teatro. Não aproximando este daqueles.

Impõe-se uma primeira verificação: o universo de Genet se alargou. Nos romances ele se restringira

1. Entrevista de *Playboy* (1964-. Citado por JEAN-MARIE MAGNAN, *Essai sur Jean Genet*, Paris, Pierre Seghers Editor, 1966, p. 32, coleção Poètes d'aujourd'hui, número 148.
2. CLAUDE BONNEFOY, *Genet*, Paris, Editions Universitaires, 1965, coleção Classiques du XX e siècle, número 76.
3. *Op. cit.*

ao meio fechado da prisão ou das salas dos fundos dos cafés de Pigalle, onde os homossexuais de *Nossa Senhora das Flores* exibem seus trejeitos. No palco, cresce vertiginosamente: a princípio, restrito à célula de uma prisão *(Alta Vigilância)*, depois ao quarto da patroa onde as criadas representam sua servidão e sua falsa revolta (a princípio Genet queria que a ação se passasse na escada de serviço que, do apartamento dos patrões, leva ao quarto das criadas)... ele se estendeu a todo o espaço de uma cidade, do bordel ao quartel-general dos revolucionários, passando por um simulacro do *Palais Royal* (em *O Balcão)*, em seguida, a um continente fictício: a África de *Os Negros*. Enfim, a um país real: a Argélia, em luta pela independência, que vem ainda prolongar o "balcão" do reino dos mortos. E, à concentração no tempo, que era regra, por exemplo, de *Pompas Fúnebres*, esta longa meditação de Genet, de volta ao necrotério, sobre a morte de João D, sucede o desenrolar da crônica dos momentos e dos acontecimentos (da colonização à independência) de *Os Biombos*.

Será necessário nos apressarmos em concluir que, como escrevia Claude Bonnegoy, "Genet se socializava?". Sem dúvida, "já em *As Criadas* a relação patrão-empregada envolvia e perturbava a relação amorosa que unia as empregadas à patroa. *O Balcão, Os Negros, Os Biombos* são críticas dos preconceitos da justiça, dos poderes, da opressão, do colonialismo. Mas são críticas indiretas, pois Genet dá tudo em bloco e mostra as situações em sua complexidade. Cabe ao espectador concluir"[4]. Fazendo do dramaturgo Genet um escritor engajado, corria-se o risco de nada compreender de seu teatro. E, além disso, o risco de justificar alguns dos ataques imbecis de que ele é alvo.

Neste particular, Genet é incisivo: não escreveu as peças para atacar ou defender quem quer que seja: "Uma coisa deve ser escrita: não se trata de arrazoado sobre a condição das criadas. Suponho que exista um sindicato das empregadas domésticas — isto não é da minha conta"[5]. "Que minhas peças ajudem os negros,

---
4. *Op. cit.*, p. 118.
5. Jean Genet, "Comment Jouer *les Bonnes*" em *Les Bonnes*, Arbalète Marc Barbezat Editor, Décines (Isère) 1963, p. 11.

não me preocupa. Aliás, não creio nisso. Acredito que a ação, a luta direta contra o colonialismo faz mais pelos negros que uma peça de teatro"[6]. Mais que isto, toda peça teatral deste tipo lhe é suspeita. Ela corre o risco de se voltar contra a causa que procura defender. Pois "eis o que uma consciência conciliadora não cessa de sugerir aos espectadores: *o problema de uma certa desordem — ou mal — sendo solucionado no palco, indica que está, na realidade, abolido. Porque, de acordo com as convenções dramáticas de nossa época, a representação teatral não pode ser senão a representação de um fato. Passemos, pois, a outra coisa e deixemos o nosso coração se encher de orgulho a partir do momento em que tomamos o partido do herói que tentou — e obteve — a solução*"[7]. Trata-se portanto de fazer uma coisa diferente, não de pretender resolver, pelo teatro, as dificuldades do mundo: "Ora, nenhum problema exposto deveria ser resolvido no imaginário, sobretudo porque a solução dramática corre para uma ordem social acabada. Pelo contrário, que o mal exploda em cena, nos mostre nus, se possível nos deixe perplexos e contando apenas com nossos próprios recursos"[8].

*Didatismo ou mágica?*

Pode-se, todavia, contornar esta recusa categórica e ver no dramaturgo Genet, se não um escritor engajado, pelo menos um escritor realista — o que é bem diferente. Verificando que, numa peça como *O Balcão*, "inúmeros temas tradicionais de Genet, o *duplo*, o *espelho*, a *sexualidade* e, sobretudo, *a superioridade do sonho 'puro e estéril' e no limite da morte, sobre a realidade eficaz mas 'impura e maculada de compromisso'* foram relegados ao nível de acidentes de segundo plano", Lucien Goldmann afirma que a obra "tem, no seu conjunto, uma estrutura realista e *didática* (no sentido brechtiano da palavra)"[9]. Para ele,

6. Entrevista de *Playboy*, JEAN-MARIE MAGNAN, op. cit., pp. 177-178.
7. JEAN GENET, "Avertissement" em *Le Balcon*, 2. ed., Marc Barbezat Editor, Décines (Isère), 1960, pp. 7-8.
8. JEAN GENET, "Avertissement" em *Le Balcon*, op. cit.
9. LUCIEN GOLDMANN, "Une pièce réaliste: *le Balcon* de Genet" em *Temps Modernes* número 171, jun. 1960. As citações seguintes de Lucien Goldmann foram extraídas do referido texto. Tendo escrito este

o "assunto da peça, perfeitamente claro, quase *didático*, é, na realidade, constituído pelas transformações essenciais da sociedade industrial da primeira metade do século". *O Balcão* seria, assim, uma vasta parábola realista na qual Genet teria (consciente ou inconscientemente) "transposto para o plano literário [...] os grandes transtornos políticos e sociais do século XX e sobretudo para a sociedade ocidental [...], o aborto da imensa esperança revolucionária que caracterizou as primeiras décadas do século". Lucien Goldmann vê a melhor prova disto no que considera a ação central da peça: "a ascensão do Chefe de Polícia e da Proprietária da casa de ilusões (encarnações particulares, comenta, daquilo que um sociólogo teria designado mais amplamente como a tecnocracia, encarnações que, entretanto, não são acidentais, pois as duas personagens representam os dois aspectos essenciais da mesma organização da empresa e o poder do Estado) — a um prestígio anteriormente reservado à Rainha, ao Juiz e ao General".

Tal interpretação é, certamente, muito engenhosa. Não deixa entretanto de levantar graves objeções. De início, silencia sobre certas personagens de *O Balcão*: por exemplo, a do Mendigo (do oitavo quadro) e do Escravo (do nono quadro), que eram representados em Paris pelo mesmo ator. Ora, essa dupla personagem, que só na aparência tem um papel secundário, preenche uma função essencial: único, com o Enviado do Palácio, a não se metamorfosear e a não aceder à glória morta das "imagens" da casa de ilusões, representa, sem dúvida, o poeta, talvez o próprio Genet ("célebre por meus cantos, senhor, mas que traduzem sua glória" [10]). Em seguida, esta interpretação reduz a obra a um esquema sócio-histórico por demais vasto e impreciso para que se possa afirmar, como faz Goldmann, que temos com *O Balcão* a "primeira grande peça brechtiana da literatura francesa", um

---

estudo antes de ter sido publicado nos cadernos Renaud-Barrault (número 57, nov. 1966) um longo ensaio de Lucien Goldmann, intitulado "Le Théâtre de Genet — essai d'étude sociologique", retomado em *Structures mentales et Création culturelle*, Paris, edições Anthropos, 1970, não pude levar em conta aqui as análises muito mais desenvolvidas e ~~precisas~~ realizadas por Goldmann.

*Le Balcon*, ed. cit., p. 232.

exemplo de "teatro épico e didático" cujo objetivo seria contar, "através de um *plano típico,* um *devir essencial".* O próprio Goldmann o reconhece de passagem: é unicamente no que tange às "suas manifestações na superestrutura" que *O Balcão* descreve as grandes transformações históricas. Enfim, em vez de realismo épico brechtiano, é apenas de uma grande constatação naturalista, em grande escala, de que se deveria falar. Pois, diferentemente de Brecht, Genet não procura mostrar as causas de tais transformações: contenta-se em apontar os efeitos — e efeitos aparentemente irreversíveis. Enfim, a tentativa de decifração goldmaniana despreza um elemento fundamental da estrutura dramática da obra de Genet: seu caráter de cerimônia e o uso constante do teatro dentro do teatro. Talvez Goldmann pudesse responder a esta objeção afirmando que o referido jogo teatral é justamente o sinal da reificação da sociedade industrial moderna. Confessemos: tal analogia fica bastante vaga e seria válida, sem dúvida, para qualquer sociedade.

Em oposição a esta interpretação sociológica, há outra que consiste em ver na obra dramática de Genet a própria realização do "teatro metafísico" com que sonhava Antonin Artaud. Genet e Artaud têm, com efeito, a mesma admiração pelo teatro do Extremo-Oriente e a mesma desconfiança diante da arte dramática ocidental, degradada a ponto de não ser mais que pretexto para divertimento ou para propaganda. Para um, tanto quanto para outro, trata-se de restituir à representação teatral o seu caráter de cerimônia, de transformá-la num ato [11], restituir a dignidade do palco, este "lugar vizinho da morte, onde todas as liberdades são possíveis" [12]. Assim, quando se fala em Genet, não se deixa de fazer referência a Artaud. Geneviève Serreau [13], por exemplo, cita Artaud reivindicando, contra o "longo hábito dos espetáculos de divertimento", um "teatro grave que, abalando todas as nossas repre-

---

11. "Todos, vocês, eu, os atores, devemos macerar muito tempo nas trevas, é preciso trabalhar até o esgotamento, até que uma noite cheguemos à beira do ato definitivo" (JEAN GENET, *Lettres à Roger Blin,* Paris, Gallimard, 1966, p. 62).
12. *Id., ibid.,* p. 12.
13. GENEVIÈVE SERREAU, *Histoire du "nouveau théâtre",* Paris, Gallimard, 1966, coleção Idées — N.R.F. número 104. Cf. principalmente o Cap. VI dedicado a JEAN GENET.

sentações, nos insufle o magnetismo ardente das imagens e finalmente aja sobre nós tal como uma terapia da alma e cuja passagem não será esquecida" [14]. O teatro de Genet só valeria, assim, "como ligação mágica, atroz, com a realidade e o perigo" [15]. E é um fato que certos trechos das *Cartas a Roger Blin* ressoam como ecos de *O Teatro e Seu Duplo*.

Deixemos de lado a questão, de interesse secundário, da influência que os escritos de Antonin Artaud possam ter exercido sobre Genet. Se por vezes se impõem aproximações, elas ficam bastante vagas e, sobretudo, não possuem valor explicativo. Pois a atitude de Genet permanece fundamentalmente diferente daquela de Artaud. Geneviève Serreau o reconhece [16]: a recusa de Genet é muito menos radical do que a de Artaud. Longe de rejeitar toda a dramaturgia ocidental como um "teatro de idiota, de louco, de invertido, de gramático, de comerciante, de antipoeta e de positivista" [17], Genet valoriza esta tradição: leva esta dramaturgia a seus limites extremos, multiplicando-a e representando-a até o esgotamento. Seu teatro permanece um teatro de texto [18]. Embora conceda grande participação ao espetáculo, nunca tenta devolver a palavra às suas origens, "à orla do momento em que a palavra ainda não nasceu, quando a articulação deixa de ser um grito, mas ainda não é a frase, quando a repetição é *quase* impossível e, com ela, a linguagem em geral" [19]. Igualmente é menos o corpo do que seus disfarces o que Genet quer expor em cena: longe de ter encontrado este "caminho sangrento pelo qual ele penetra em todos os outros cada vez que seus órgãos em potencial despertem de seu sono" [20], o ator, segundo Genet, não cessa de evidenciar sua comédia.

---

14 ANTONIN ARTAUD, *Oeuvres Complètes*, v. IV. *Le Théâtre et son double*, p. 102. Citado por Geneviève Serreau, *Ibid.*, p. 137.
15. *Id., Ibid.*, p. 102.
16. Cf. *Histoire du "nouveau théâtre"*, *op. cit.*, p. 137.
17. Em *Le Théâtre et son double*, ed. cit., p. 50.
18. Artaud, ao contrário, acentua a necessidade "de uma linguagem física, esta linguagem material e sólida através da qual o teatro pode diferenciar-se da palavra" (*ibid.*, p. 46).
19. JACQUES DERRIDA, "Le Théâtre de la cruauté et la clôture de la représentation", em *Critique*, n.º 230, jul. 1966, p. 604. Estudo retomado em *L'Ecriture et la Différence*, Paris, Le Seuil, 1967, p. 352, coleção "Tel Quel", (Trad. brasileira: *A Escritura e a Diferença*, S. Paulo, Perspectiva, 1971, p. 149, Coleção "Debates", n. 49).
20. ANTONIN ARTAUD, *Oeuvres Complètes*, v. IV, ed. cit., p. 160.

Não é nem uma personagem copiada do real, nem é seu próprio corpo que ele mostra em cena; é um conjunto de máscaras e de rostos falsos, é um perpétuo engodo. Pode-se mesmo afirmar que Genet apanha exatamente o avesso de Artaud: enquanto este recusa a representação no que ela tem de repetição, diminuição, falseamento [21], Genet a utiliza como objeto mesmo de seu teatro, coloca-a em cena, exalta-a. Seu teatro é, no próprio sentido da palavra, o teatro da representação: não somente teatro *dentro do teatro*, mas ainda teatro *sobre teatro*. Um teatro duplamente teatral. Acrescentemos todavia que uma operação desta ordem coloca em questão este mesmo teatro da própria representação. Genet só o celebra para melhor destruí-lo. Assim, por singular inversão cronológica, Artaud poderia começar onde Genet acaba.

## Uma "celebração do nada"

Não será o próprio Genet quem, nas *observações* escritas para suas peças, seus *Como representar...* ou nas *Cartas a Roger Blin,* nos fornece a chave de seu teatro? Nestes textos, ao mesmo tempo minuciosos e amplos, há uma preocupação que não cessa de se exprimir: a de fazer do teatro uma cerimônia, uma festa, "a Festa". Aí também encontramos Artaud. E o fato de Genet achar que bastava uma única apresentação de *Os Biombos* ("Uma única récita, bem cuidada, deve ser o suficiente" [22]) é bastante semelhante à recusa de repetição que Artaud opunha ao teatro ocidental. Mas as duas atitudes não convergem fundamentalmente: enquanto que, para Artaud, o teatro "comunica, se possível, com forças puras" [23], para Genet o teatro deve permanecer, ao contrário, uma celebração sem conteúdo: "Habitualmente considera-se que as peças possuem um sentido: mas não esta. É uma festa cujos elementos são disparatados, não é a celebração de nada" [24]. E se, para o autor de *O Teatro e Seu Duplo,* a atividade teatral, esta "espécie de física

---

21. Ver principalmente o estudo de Jacques Derrida, op. cit.
22. *Lettres à Roger Blin,* op. cit., p. 18.
23. ANTONIN ARTAUD, *Le Théâtre et son double,* ed. cit., p. 98.
24. *Lettres à Roger Blin,* op. cit., p. 15.

232

básica, da qual o Espírito nunca se afastou"[25], tende para a exteriorização, no jogo do palco e da platéia, de uma verdade essencial, para o autor de *Os Biombos* ela permanece cativa da facticidade que é o próprio modo de nossa vida em sociedade. Mais exatamente, essa facticidade é seu próprio ser.

Na verdade Genet não cessa de afirmar que o palco se opõe à vida: "Sem poder dizer exatamente o que é o teatro, sei o que recuso que ele seja: a descrição de gestos cotidianos vistos do exterior"[26]. É que se trata aqui de outro domínio. E nada pode ser transposto da existência cotidiana para a cena: que os atores, sobretudo, não se deixem levar pelos "gestos que fazem em casa ou em outras peças"[27]; seus gestos, no teatro, devem espantar, fulgurar ("o ator deve agir rapidamente, mesmo em sua lentidão, mas sua rapidez, fulgurante, deverá espantar"[28])... Em resumo, em cena, tudo deve ser *diferente*. Genet exclui mesmo a possibilidade de se acender um cigarro. Não por medo de incêndio, mas porque a chama do fósforo não poderá "ser *imitada* no palco: uma chama de fósforo na platéia ou em qualquer outro lugar é a mesma que no palco. Deve ser evitada"[29]. E do mesmo modo que o teatro não é um reflexo ou uma cópia da realidade, ele também não pode ser ensinamento de uma moral ou veículo de uma mensagem. Genet nega que *Os Biombos* signifiquem alguma coisa, seja o que for: "Minha peça não é a apologia da traição. Passa-se num domínio em que a moral está substituída pela estética da cena"[30].

Aqui giramos em círculo. Fugindo da afirmação de qualquer verdade (a do mundo ou de um antimundo) que lhe seria exterior, o teatro de Genet não teria outra função senão a de afirmar uma certa ordem estética, uma certa verdade do teatro? Podemos contestá-lo e ver na insistência com a qual Genet recusa su-

25. ANTONIN ARTAUD, *op. cit·*, p. 72. Citado por Derrida, *op. cit.*, p. 609.
26. "Comment jouer *les Bonnes*", ed. cit., p. 10. Ver também *Lettres à Roger Blin*: "Trata-se, certamente, de um comportamento espiritual e tomei o cuidado de precisar que o sonho se opõe à vida" (pp. 21-22).
27. *Lettres à Roger Blin*, *op. cit.*, p. 20.
28. *Ibid.*, p. 48.
29. *Ibid.*, p. 47.
30. *Ibid.*, p. 22.

perar a oposição entre o palco e a existência cotidiana, entre o teatro e a vida, uma espécie de máscara e disfarce, também teatral, de seu próprio pensamento. Talvez seja o momento de voltar à temática de Genet.

*Uma casa de ilusões*

Na base de sua obra e mesmo de sua vida, há com efeito uma experiência que podemos chamar propriamente de teatral. Este trecho do *Diário de um Ladrão* é prova disto: "Para sobreviver à minha desolação, quando minha atitude estava mais ensimesmada, eu elaborava, sem prestar atenção, uma disciplina rigorosa. O mecanismo era mais ou menos o seguinte (desde então eu passaria a utilizá-lo): a cada acusação que faziam contra mim, ainda que injusta, do fundo do coração eu respondia *sim*. Mal pronunciava esta palavra — ou a frase que a significava — sentia em mim mesmo a necessidade de me tornar aquilo de que era acusado"[31].

É aqui que nasce o teatro. Para se opor ao mundo, Genet não se arroga ser como é: transforma-se naquele que os outros vêem nele. Não vai, pois, mostrar-nos no palco homens como são ou como deveriam ser: vai colocá-los em cena tal como nós, os espectadores, suspeitamos que sejam ou os acusamos de ser. Nem suas criadas nem seus negros são verdadeiramente criadas ou negros: são criadas tal como as patroas sonham ou temem que sejam, negros tal como os brancos, todos mais ou menos racistas, os imaginamos. Genet estipula nitidamente: é para que seja representada diante de brancos, e para eles, que escreveu *Os Negros:* "Esta peça, repito, escrita por um Branco, é destinada a um público de Brancos. Mas se, ainda que seja pouco provável, fosse representada uma noite para um público de Negros, seria necessário que, em cada representação, fosse convidado um Branco — homem ou mulher [...] Representariam para ele. Sobre este Branco simbólico haveria um projetor durante todo o espetáculo. E se nenhum Branco aceitasse esta representação? Que se distribuam, na entra-

---

31. JEAN GENET, *Journal du voleur*, Paris, Gallimard, pp. 185-186. Genet prossegue: "Eu me reconheço o covarde, o traidor, o ladrão, o pederasta que viam em mim".

da, máscaras de Brancos aos espectadores negros. E se os Negros recusarem as máscaras, que se utilize um manequim"[32].

Pode-se, ainda aqui, falar de personagem? A palavra supõe uma autonomia, uma realidade individual que a maioria das personagens de Genet não possui. É preciso notar, por exemplo, que geralmente estas personagens não possuem nome. Um prenome serve para designá-los, ou melhor, basta a simples indicação de sua função social: eis o Chefe de Polícia, o Enviado... *(O Balcão)*, o Policial, o Guarda, o Tenente, o Sargento... *(Os Biombos)*. Longe de serem indivíduos, aparecem como figuras alegóricas, como papéis. Jean Genet chama-os de "Imagens" ou "Reflexos". Não nos enganemos: esta redução da personagem ao tipo, esta absorção do indivíduo pela função, não é, como habitualmente, um recurso de sátira. Não se trata de encher o palco de caricaturas. Pelo contrário, Genet faz questão de nos precaver: "Ainda outra coisa: não encenar esta peça como se fosse uma sátira disto ou daquilo. Ela é — e será portanto encenada como tal — uma glorificação da Imagem e do Reflexo. Seu significado satírico ou não só vai surgir neste caso"[33]. Que ponha no palco um Guarda ou um Ladrão, não é para glorificar um e caçoar do outro: Genet exalta a ambos, igualmente. "As cenas de soldados são para exaltar — é *exaltar mesmo* que eu quero dizer — a virtude máxima do Exército, sua virtude capital: a estupidez"[34]. Nunca ele diminui conscientemente esta ou aquela personagem: se a reduz à sua função não é para rebaixá-la mas, ao contrário, para engrandecê-la através desta função. Seu teatro é, antes de tudo, celebração. Nunca "desprezei nenhuma das minhas personagens — nem Sir Harold, nem o Guarda, nem os 'paras'. Saibam que nunca procurei *compreendê-las*, mas, tendo criado estas personagens no papel e para o palco, não desejo renegá-las. O que me liga a elas é de uma outra ordem, não é ironia ou desprezo. Elas também servem para me compor. Não copiei nunca

---

32. JEAN GENET, *Les Nègres*, 2. ed., Marc Barbezat Editor, Décines (Isère), 1960, p. 7.
33. JEAN GENET, "Comment jouer *le Balcon*" em *Le Balcon*, 3. ed. (definitiva), Marc Barbezat, Décines (Isère), 1962, p. 10.
34. *Lettres à Roger Blin*, op. cit., p. 63.

a vida — um acontecimento ou um homem, a Guerra da Argélia ou os Colonos — mas a vida fez naturalmente desabrochar em mim, ou esclarecê-las caso estivessem presentes, as imagens que traduzi através de uma personagem ou de um ato" [35].

No palco acham-se assim reunidas todas as Imagens [36] daquilo que Genet poderia ter sido. Todas as atitudes que a sociedade poderia tê-lo obrigado a endossar. Para ele o teatro talvez seja justamente isto: a casa de ilusões onde afinal cada um se torna aquilo que todos querem que alguém seja. Um lugar perfeitamente ordenado onde o ser e o parecer, a personagem e o papel, coincidem totalmente. Pelo menos Genet não cessa de sonhar com este jogo de marionetes num tamanho maior que o natural, os "Supermarionetes", na expressão de Craig, isto é, "atores com fogo de mais e egoísmo de menos" [37].

Temos o equivalente da imagem de tal universo supremamente teatral, no mundo dos mortos de *Os Biombos*. Estes são falsos mortos: não sucumbiram a uma morte fisiológica real; tornaram-se, antes, suas próprias Imagens. A morte só foi para eles uma maneira de se realizarem como Reflexos, irrealizando-se por completo. Foi com a mais desconcertante facilidade ("Pois bem! — Por certo! — Essa não — As pessoas complicam tanto as coisas!" [38]) que chegaram à plena existência teatral. Furando um biombo de papel branco, penetraram no âmago da cena: no próprio centro do teatro. Aí podem resplandecer como a "supermarionete" de Gordon Craig que "não rivalizará com a vida, porém a ultrapassará; não representará o corpo de carne e osso, mas o corpo em estado de êxtase e, enquanto dela emanar um espírito vivo, se revestirá de uma beleza morta" [39]. Ali são inalteráveis, perfeitos. Como Genet observa no

35. *Ibid.*, p. 64.
36. O TENENTE: "Não se trata de inteligência: mas de perpetuar uma imagem que tem mais de dez séculos, que se fortalece à medida que aquilo que deve representar se desmantela, que nos leva todos, vocês sabem, à morte" (*Les Paravents*, p. 157).
37. EDWARD GORDON CRAIG, *De l'art du théâtre*, nova edição, Paris, Lieutier e Librairie théâtrale, s.d.s Prefácio da edição de 1925, p. 8.
38. JEAN GENET, *Les Paravents*, Marc Barbezat Editor, Décines (Isère), s.d., quadro XV, pp. 185-186.
39. EDWARD GORDON CRAIG, *op. cit.*, p. 74.

*Diário de um Ladrão:* "Se eles [estes heróis] atingiram a perfeição, ei-los à beira da morte; eles não temem mais o julgamento dos homens. Nada pode alterar sua espantosa vitória'[40]. Ademais, estes mortos de fachada também são espectadores: inclinam-se sobre o que se passa embaixo, sobre a existência de Saïd e de Leila, esperam a chegada destes (mas — voltaremos a isso — nem Saïd nem Leila ganharão o reino dos mortos). Assim eles constituem todo o teatro: ao mesmo tempo puros objetos resplandecentes, sem falha nem incertezas, descobertos e transparentes, e espectadores que contemplam a cena. Neles, sob a luz dos fortes refletores apregoados por Genet ("Enfim, se me apego tanto aos refletores, na cena e na platéia, é porque eu gostaria que, de um certo modo, ambas se consumissem numa mesma fogueira e que em nenhuma parte tivesse êxito a semidissimulação"[41], o teatro se realiza: com efeito, aqui reina, sem divisão, a "estética do palco".

*Uma dupla traição*

Entretanto, por pouco que se considere, não apenas este local privilegiado mas o conjunto do universo teatral de Genet (texto e representação), este reino aparece menos absoluto. É duplamente contestado, ao mesmo tempo no palco e na platéia.

Diferentemente, por exemplo, de Pirandello, para quem a representação teatral em segunda instância é a expressão de uma verdade essencial que os homens não conseguem dizer nem viver na vida cotidiana, mas que podem atingir no exercício do teatro, Genet não se cansa de assinalar o caráter artificial deste tipo de representação. Ele revela o segredo. Nos *Negros* é Archibald quem nos chama à realidade e dela não se poupa: "A distância inicial que nos separa, nós a aumentamos com nossas ostentações, nossas maneiras, nossa insolência — pois também somos atores [42] [...] Espectadores nos observam. Se o senhor deve trazer-nos a menor, a mais banal de suas idéias, que seja

---

40. *Journal du voleur, op. cit.,* p. 120.
41. *Lettres à Roger Blin, op. cit.,* p. 66.
42. *Les Nègres,* ed. cit., p. 23.

caricatural, dê o fora! Desista!" [43]. Não se trata de encontrar a verdade no teatro, mas, pelo contrário, trata-se de exaltar o falso, o fictício, que são o quinhão de todo teatro. Nós, os espectadores, condenamos os Pretos a serem Negros, as Empregadas a serem Criadas etc. Eles vão representar para nós os Negros e as Criadas: "Estamos neste palco como culpados que, na prisão, brincassem de ser culpados" [44]. E o Balcão, casa de ilusões, não representa, a princípio, toda uma sociedade, como Maya, a prostituta metafísica da dramaturgia do período entre-guerras, encarnava a imagem de todas as mulheres, era a própria Mulher; é a sociedade que entra no jogo do Balcão, que se submete ao artificialismo do teatro.

Jean Genet nega que as figuras de seu universo teatral sejam dotadas de algum valor simbólico geral. Já o sublinhei: o palco não poderia significar para ele o lugar em que se acha exposto e resolvido um problema real, onde se reconstitui uma "ordem social estabelecida" [45]. É, ao contrário, uma máscara. A cerimônia teatral esconde e revela, ao mesmo tempo, o essencial: a atividade dos homens, sua luta concreta, a negação que opõem à sociedade, senão à natureza. Vejamos *Os Negros:* enquanto no palco se encena a execução imaginária de uma Branca que, na verdade, é um Preto travestido pelos Pretos que se tornaram Negros ("que os Negros se enegreçam" [46]), atrás do palco, longe nos bastidores, ainda mais longe, se passa a verdadeira ação: a execução de um Negro culpado de ter pactuado com os Brancos ("Reflitam: trata-se de julgar, provavelmente de condenar e de executar um Negro. É grave. Não se trata mais de representar. O homem que está em nossas mãos e pelo qual somos responsáveis é um homem real. Ele se mexe, mastiga, tosse, treme: daqui a pouco será morto" [47]). O teatro "entrou aí apenas como exibição" [48]. O que muda, o que realmente acontece, está fora de nosso alcance. Em cena, os Pretos-Negros estão condenados à repetição infinita: "Somos aquilo que desejam que seja-

43. *Ibid.*, p. 52.
44. *Ibid.*, p. 58.
45. *Le Balcon*, cf. acima nota 7.
46. *Les Nègres*, ed. cit., p. 76.
47. *Ibid.*, p. 115.
48. *Ibid.*, p. 161.

mos, havemos de sê-lo absurdamente até o fim, enquanto em outro lugar alguma coisa acontece: não somente uma execução real (pois o traidor "pagou. Devemos nos acostumar a esta responsabilidade: executarmos nós mesmos os nossos próprios traidores"[49]), mas ainda um acontecimento: "Enquanto um tribunal condenava aquele que acabou de ser executado, um congresso aclamava um outro. Ele está a caminho. Vai até lá organizar e continuar a luta" — uma luta que atingirá os Brancos enquanto "pessoas de carne e osso"[50].

O teatro só pode *trair* a realidade — no duplo sentido da palavra. Ele esconde a realidade na medida em que é apenas teatro, isto é, um jogo de imagens voltadas para o espectador e devolvendo-lhes seus próprios fantasmas. Ele a revela, pois, afinal de contas, ele próprio se denuncia como teatro: ele só sabe repetir as mesmas palavras, os mesmos gestos, numa cerimônia levada ao absurdo.

Em *Os Biombos,* Genet não se contenta exclusivamente em superpor uma cena falsa a bastidores reais: é no próprio palco que ele faz representar o teatro e sua negação, a vida. Assim o palco de *Os Biombos,* mais do que o dos *Negros,* está dividido em planos diferentes, cujo número aumenta sucessivamente (no quadro 17, os biombos são colocados sobre quatro andares). Seria mesmo possível afirmar que toda a ação de *Os Biombos* cabe na diferenciação progressiva destes planos. A princípio tudo se passa ao rés-do-chão. Pouco a pouco é que surgem os escalonamentos, que nasce o teatro. As personagens da peça se agrupam e se definem segundo um duplo movimento: o movimento ascendente da maioria deles que é, literalmente, acesso ao teatro, e movimento descendente do casal Saïd e Leila. Os primeiros se tornam pouco mais ou menos suas Imagens: seus seres se realizam na radicalização de suas aparências. Deste modo, colonos ou colonizados, se vêem no reino dos mortos que, na verdade, é o próprio domínio do teatro. O casal Saïd e Leila segue o caminho inverso. Longe de se afirmarem como simples efígies, os dois não pa-

49. *Ibid.*, p. 160.
50. *Ibid.*, p. 161.

ram de negarem a si mesmos, apagarem a si mesmos. Com todas as suas forças, recusam a se fixarem, a se transformarem em alguma coisa. Para eles, trata-se de "ir até o fim": não perpetuar uma imagem mas destruir todas as imagens que possamos fazer deles. Não oferecer nenhuma oportunidade, a quem quer que seja, porque, como afirma Saïd, devo "continuar até o fim do mundo a me apodrecer para apodrecer o mundo"[51]. Assim nem Saïd nem Leila terão jamais acesso ao teatral domínio dos mortos. Conhecerão uma morte verdadeira: a morte que é a negação da vida — trabalho de negação indefinidamente prosseguido. Quando morre, Leila não atinge as alturas do palco: afunda literalmente em si mesma. E sua morte recusa qualquer teatro, qualquer facilidade ostentatória: é apagamento, destruição da personagem (uma personagem que tem uma parte ligada a ela. Na representação de *Os Biombos* pela companhia do Odéon-Théâtre de France, Leila, ainda viva, já estava apagada: um capuz de pano sujo escondia seu rosto). Saïd também não se reunirá aos outros que os esperam: como Leila, ele irá, de fato, "para junto dos mortos"[52]. Ele *está* na morte, inútil para todos, transformado em ninguém, porém presente em toda parte como um inesgotável poder de negação. Graças a Saïd e Leila, o teatro de Genet se questiona a si mesmo: lança a dúvida sobre as metamorfoses demasiado fáceis dos homens em personagens, das personagens em Imagens. Recusa qualquer "solução dramática" que "se lance ao encalço de uma ordem social acabada". Desta vez é mesmo "o mal [que] explode em cena, nos mostra nus, se possível nos deixa perplexos, e contando apenas com nossos próprios recursos"[53]. Leila declara expressamente: "Sei para onde vamos, Saïd, e por que vamos para lá. Não é para ir a algum lugar, mas para que os que nos mandem para lá fiquem tranqüilos numa praia tranqüila. Estamos aqui e isto para que os que nos mandam para cá saibam bem que eles não existem

---

51. *Les Paravents, op. cit.*, p. 250.
52. Aqui estão as últimas falas de *Paravents*:
"A MÃE: Saïd!... Só resta esperá-lo...
KADIDJA (rindo): Não vale a pena. Tal como Leila, ele não volta.
A MÃE: Então, onde ele está?
KADIDJA: Entre os mortos". (p. 260).
53. *Le Balcon*, cf. acima nota 8.

e que não estão aqui"[54]. Saïd e Leila quebram o jogo de reflexos (entre personagens e Imagens, entre palco e platéia), que eram, para Genet, todo o teatro.

## A última festa

A obra dramática de Genet é o produto de um combate sem tréguas com o teatro. Primeiro Genet consente no teatro, se apega a seu sentido, supervaloriza seu artificialismo. O palco se torna o local de uma cerimônia onde o jogo social se encontra exaltado em suas mais frágeis aparências. Tudo está valorizado e transfigurado, até as personagens mais medíocres ou mais irrisórias, fixadas em seus papéis. Domina totalmente a "estética da cena". Mas este jogo não encerra sua própria verdade. Levado ao extremo, ao absurdo, ele se destrói a si mesmo e nos mostra sua nulidade. A Imagem mostra seu anverso — negro como a destruição e a morte.

Era necessário fazer os espectadores caírem na armadilha. Era preciso conceder-lhes esta festa na qual, promovidos à dignidade de figuras alegóricas, se empanturram dos próprios reflexos para que, afinal, recuperem a própria lucidez e se vejam sem máscaras ou disfarce — talvez para que reconheçam, na própria vida, a morte em trabalho. Assim como nos romances roubara de certo modo a bela linguagem e, sob a aparência de transfigurar os fatos, os gestos e as palavras de suas "loucas", de seus rufiões e de seus assassinos, a entregara a eles para que a aviltassem para sempre e a tornassem inutilizável para nós, aqui Genet só se serve do teatro, isto é, do meio mais nobre pelo qual nossa sociedade se coloca a si mesma em espetáculo, para melhor destruí-lo, e, ao fim de contas, por intermédio do espetáculo, acusar a sociedade que precisa de tais espetáculos.

Faz-nos pensar no *potlach* de certos povos primitivos que era, ao mesmo tempo, oferenda, celebração e destruição. O teatro de Genet é um *potlach* das representações que nossa sociedade faz de si mesma. E a catarse que nos proporciona é o inverso da catarse

---

54. *Les Paravents, op. cit.*, p. 144.

clássica. Depois de ter despertado piedade e medo, longe de "provocar a purgação própria a tais emoções" [55], abre-se ao contrário sobre o medo e a piedade de uma existência nua: a do mais pobre entre os pobres, do mais deserdado dos deserdados, a de um homem cuja vida e morte são uma coisa só. Libertando-nos da comédia de uma sociedade que não cessa de se contemplar a si mesma, Genet nos introduz no que poderíamos chamar de silêncio dos "danados da terra".

Partindo do fascínio do teatro, sua dramaturgia é, finalmente, negação do teatro. Pois o que ela mostra em cena, este "lugar onde não os reflexos se esgotam, mas onde centelhas se entrechocam" [56], é o próprio teatro. Assim Genet se classifica: ele nos fornece a última e talvez a mais fascinante das festas de nosso velho teatro. Nada deve escapar disto — a não ser a própria realidade, irredutivelmente rebelde a qualquer teatro.

---

55. ARISTÓTELES, *Poétique*, texto estabelecido e traduzido por J. Hardy, Paris, edição Les Belles Lettres, 1952, 1449 B, Col. Guillaume Budé, p. 37.
56. *Lettres à Roger Blin*, op. cit., p. 49.

## 16. ADAMOV

I. ENTRE O INSTANTE E O TEMPO

Foi dito e redito o que fez de *O Homem e a Criança*[1] um livro excepcional. André Pieyre de Mondiargues encontrou as palavras justas para celebrar a "vitória" de Adamov: esta "espécie de inversão que permite ir além do ponto de partida e perceber o bem, o amor e geralmente todas as categorias positivas da vida no seu estado de pureza original"[2].

É um fato que a experiência vivida, como é relatada por Adamov, é fascinante. A sinceridade eviden-

1. ARTHUR ADAMOV, *L'Homme et L'Enfant*, Paris, Gallimard, 1968
2. *Le Nouvel Observateur*, 3.7.1968.

te, a maneira abrupta e pudica com que retraça episódios dolorosos só podem comover. Sobretudo, sente-se que este livro foi escrito sob o impulso e, de algum modo, sob a pressão de uma necessidade imperiosa. Foi durante uma longa e terrível doença que esta necessidade literalmente se impôs a Adamov. Escrever foi para ele uma maneira de lutar contra a doença. E, talvez mesmo, de "sair dela".

*Um livro-documento*

Daí por que somos tentados a só ver nesta obra aparentemente descosida, feita de pedaços e retalhos (é composta de *recordações* que vão da infância à época atual e de um *diário* que abarca, em conjunto, o período da doença, do fim de 1965 ao verão de 1967) um documento: o documento de um abalo total, psíquico e físico ("Não há um só ponto de meu corpo que não esteja atingido, exceto a cabeça que, agora, funciona"). Ou, melhor ainda, os autos de uma desintegração de todo o ser e, ao mesmo tempo, o diário de uma reconquista. Adamov "atingiu os limites do sofrimento permitido". Mas uma vez que ainda consegue afirmá-lo, escrevê-lo, nada está completamente perdido. Tudo, ao contrário, pode recomeçar. A verificação de um revés vivido até os confins do próprio corpo é, também, o início de uma vitória, uma nova afirmação de si, um "desafio firme, medido" (é com estas palavras que o livro acaba).

Entretanto, nós nos enganaríamos de ponta a ponta se só víssemos em *O Homem e a Criança* um documento sobre um caso singular. Que se trate de *recordações* ou de *diário*, a parte da anedota está reduzida ao mínimo. Não encontraremos quase cenas da vida parisiense: se às vezes percebemos silhuetas de escritores célebres (André Gide ou, ainda mais fugazmente, Paul Valéry na apresentação de *O Sonho* de Strindberg no Théâtre Alfred Jarry de Artaud) ou de personagens pitorescas (que antigamente povoavam o Dôme) não é senão num virar de página. Adamov não perde tempo em evocar cenas de bordel ou práticas masoquistas. Se algumas breves imagens voltam com insistência, mas com uma brevidade e sobriedade surpreendentes (que nada devem à preocupação de não escandalizar, nem ao gosto pelo escândalo ou a um exibicionismo que, aliás, Adamov reconhece) é que também elas constituem uma das tramas da vida de Arthur Adamov, a faceta "mais sombria" de sua existência. Nós o sabíamos desde *A Confissão* [3].

*Do "eu" ao "ele"*

Ora, *A Confissão* também estava longe de ser um documento. Este primeiro livro já valia menos pelo que contava do que pelo próprio fato de contar. Era, ao mesmo tempo, a verificação de uma irremediável separação: "Estou separado. Não sei como dou um nome àquilo de que estou separado. Mas estou separado", e uma tentativa para ter, mais uma vez, acesso à unidade. Escrever, para Adamov, é precisamente aprofundar e negar a separação. Poder dizer que estamos separados já é não estar completamente separado: "Escrever, devo escrever, custe o que custar, apesar de todos e de tudo. Pois, se deixasse de escrever, tudo desabaria. Que o verbo me abandone e logo não me agüento em pé, caio, desabo e tudo vai ao sabor da corrente, tudo se decompõe, tudo se desagrega, deixo-me cair por terra esvaziado como um balão apagado".

Se Adamov mais uma vez, porém de modo ainda mais concreto, parte desta verificação de desagregação, de separação de si mesmo ("Entre eu e eu, há sempre afastamento"), seu comportamento em *O Homem e a Criança* é radicalmente diferente daquele de *A Confissão*. A mesma experiência que se encarna nas sessões de masoquismo, naquilo que Adamov define como tentativas de "mitridatização da morte" — encontraremos em *O Homem e a Criança* cenas que estavam no centro de *A Confissão* e que constituíam seu objeto —, corresponde outro modo de escrever. Adamov verifica-o ele mesmo, não sem certa injustiça: "Aparecimento de *A Confissão*. Chamar em seu socorro todas as velharias metafísicas para justificar um

---

[3]. ARTHUR ADAMOV, *L'Aveu*, Paris, edições Sagitaire, 1946. O texto integral de L'Aveu foi retomado no *Je, Ils...*, Paris, Gallimard, 1969.

comportamento sexual, que tolice! *A Confissão,* eu peco, Deus pecou — a ascensão se aproxima". Em *A Confissão,* com efeito, a verificação da singularidade vivida tornava-se, sem cessar, afirmação de um destino exemplar e geral; do "eu", Adamov escorregava para o "ele", para "o homem": "Pois este afastamento é para mim um esquartejamento. Digo que o homem é um esquartejado. E não apenas um esquartejado, um crucificado". Às vezes, mesmo, tentado por um sincretismo suspeito e argumentando com o fato de que "o particular [é] sempre símbolo do universal", ele se via a ponto de "atingir, através da singularidade de seu mal, às grandes leis onde se inscreve a mais alta compreensão do mundo".

Em *O Homem e a Criança,* ao contrário, Adamov restringe-se à fragmentação, à própria separação. Esta vontade de elipse, esta modéstia obstinada, esta recusa de se deixar distrair do particular pelo geral fazem a força e a eficácia do livro. Esclarecem não só o homem mas também toda a obra de Adamov.

*Aqui e agora*

Verifiquemos, de início, o que distingue *O Homem e a Criança* das memórias ou autobiografias habituais: quer seja no *diário* ou nas *recordações* — o que é ainda mais espantoso — Adamov, por assim dizer, nunca relata um episódio vivido. Preocupa-se, ainda menos, em explicar ou justificar tal ou qual de seus atos (a não ser algumas de suas peças). Aquilo que nos fornece são, de preferência, imagens de si mesmo ou dos outros, instantâneos como que colhidos à luz de *flashes:* "Multiplicidade de imagens, de relevos violentos porque nos momentos em que o próprio tempo se apaga, uma certeza se nos impõe: a de existir". E estas imagens, algumas das quais remontam à sua infância, estão todas no *presente.* Notemos mesmo que só quando aborda seu trabalho de dramaturgo (passamos então — exatamente com a composição de *A Paródia* — do que ele chama de "juventude" para uma "tardia maturidade") é que Adamov emprega passageiramente o imperfeito: "Eu ia ver *A Invasão* uma vez por semana, no máximo. Os outros dias eu os passava nos Noctambules".

Este presente repetido é precisamente o tempo da fragmentação. Muitas vezes Adamov suprime mesmo o verbo de suas frases. Então as imagens que conserva, ainda que venham do mais longínquo passado, estão isentas de qualquer temporalidade. Brilham com um esplendor (que é muitas vezes o de uma cor dominante) que nada seria capaz de embaçar: é "Carcassonne, negra de *tiras*", a "Irlanda do Sudeste, violeta sob o céu amarelo", "uma jovem descalça, de pé, no alto de uma escada coberta de detritos"... outras tantas imagens que escapam à duração e que pertencem tanto ao sonho quanto à realidade.

A frase que Adamov deseja deveria ser "comum", quase escorregadia, mas, ao mesmo tempo, tão nova que faz parar, que espanta. "Os *e*, os *mas*, os *porquanto* são desnecessários. Que dêem o fora! A pressa comove sempre". Trata-se de dizer e de não expressar o tempo. Cada momento é vivido, revivido e transcrito isoladamente de todos os demais; tudo é sempre "aqui e agora" (lembremo-nos que é este o título da coletânea de textos de Adamov sobre o teatro). Mas este isolamento, este enclausuramento de cada gesto, de cada palavra sobre si mesmos, são também sinais de morte. Testemunham, da maneira mais concreta e mais dolorosa, esta fragmentação que, impiedosamente, trabalha e nega a realidade — são assim, por exemplo, aqueles instantes quase insustentáveis em que Adamov está prosternado aos pés de uma prostituta. Somente a escrita permite escapar a tal desagregação: usando a fragmentação, isto é, recusando as transições, as coordenações, os tempos mortos, a escrita faz com que aqui e agora não sejam mais o equivalente de sempre e de parte alguma, ela os subtrai à morte.

*O grande debate*

Mas esta mesma escrita, recriando, no seio de sua própria descontinuidade, a continuidade de uma vida, torna-se a verificação de um envelhecimento que é outra espécie de morte, mais traiçoeira, mais irremediável ainda: "Este diário. Escrevê-lo. Vencer a superstição, diário = testamento". Então Adamov pensa em Flaubert, na *Educação Sentimental*, com admiração e medo. O esquartejamento permanece mas não é mais um dado bruto ou a expressão de um destino metafísico. Está no próprio cerne da obra. É sua razão de ser. É ele, é este oscilar infinito entre os instantes da "mocidade" e a duração da "tardia maturidade" que *O Homem e a Criança* nos dá para ler e quase para viver. E é a partir dele que podemos melhor compreender o que é o teatro para Arthur Adamov: precisamente a possibilidade real, concreta, de instituir um confronto entre instantes vividos no presente e o escoamento incansável do tempo. Lembremo-nos de *Pingue-Pongue,* onde o bilhar elétrico imobilizava, de alguma forma, quadro após quadro, a existência de Arthur e de Victor em torno de uma imagem, de uma combinação mecânica e luminosa, ao mesmo tempo que, insidiosamente, o envelhecimento alcançava os heróis e, por fim, transformava-os em jogadores trêmulos, ridículos e encanecidos.

Desde *Pingue-Pongue* um tal confronto é só questão de tempo: ela se processa, também, entre a existência privada, particular, das personagens e sua vida pública, política. Na época de *A Confissão* e de suas primeiras peças, Adamov só encontrava saída na identificação entre o particular e o geral, da experiência pessoal de um indivíduo (ou a própria) ao destino da humanidade. Talvez tenha sido tentado também a substituí-la por uma saída radicalmente oposta: aquela que lhe oferecia a miragem de uma verdade política universal. Com *O Homem e a Criança,* como no caso de sua peça *Off Limits*[4] este debate entre o instante e a duração, entre a inevitável fragmentação e a necessária unidade, é mais uma vez aberto: nenhum poder transcendente (Deus, a ausência de Deus, ou a História) poderia decidi-la. Cabe a nós dar-lhe a resposta, seja a questão colocada sobre a página em branco do escritor ou no espaço livre do palco.

II. UMA UNIDADE ESCANDALOSA

Poder aprisionar uma obra numa fórmula, eis o

---

4. Na coleção Le Manteau d'Arlequin, Paris, edições Gallimard, 1969. Arthur Adamov fala de *Off Limits* na entrevista concedida a Jacques Henric, publicada em *Lettres Françaises,* 3.7.1968.

que tranqüiliza. Não conviria dar, de saída, a cada autor um lugar — um lugar limitado — nos manuais, compêndios e fichas de literatura contemporânea que, com a ajuda das exigências de consumo, vão se multiplicando? Assim todos se apressaram em aproveitar a oportunidade que, um tanto imprudentemente, Adamov nos oferecera. E fizeram uma partilha em seu teatro: de um lado estava o dramaturgo "de vanguarda", o membro da trilogia Beckett-Ionesco-Adamov; do outro estava o escritor engajado, o epígono de Brecht. De um lado o universo do "absurdo" regido pelo destino, o terror, a alienação; do outro, um mundo reduzido a significar apenas uma concepção da História... A cada um de nós cabe escolher *seu* Adamov: o primeiro ou o segundo. A farsa estava concluída: Adamov catalogado, medido e quase anulado.

O aparecimento de *O Homem e a Criança*, a criação de *O Senhor Moderado* e de *Off Limits* vieram acabar com tudo isso. O quê? Então o segundo Adamov não havia renegado definitivamente o escritor de *A Confissão*, o autor desta "palhaçada" a um tempo privada e política, não havia rompido definitivamente com aquele de *A Paródia*? *Off Limits* ainda embaralhou mais as cartas, a ponto de não sabermos com qual Adamov estávamos lidando. Certamente, podemos sempre falar de uma volta do Adamov II ao Adamov I. E explicar "essa regressão" (ou essa "reparação") por uma decepção política, por dez anos de gaullismo... Mas quem não sente o quanto esta maneira de arrumar as coisas, esta obstinação na imagem de Epinal, é insuficiente. De fato o que está em jogo é nossa visão de um Adamov maniqueísta, dividido entre o sonho e a realidade como entre o bem e o mal, entre a vanguarda e o "realismo".

*O círculo pirandelliano*

Aquilo que *Off Limits* nos lembra primeiro com vigor é a profunda unidade da obra adamoviana e, ao mesmo tempo, o caráter contraditório, quase escandaloso, de tal unidade. Com efeito, *Off Limits* nos remete ao mesmo tempo ao *Pingue-Pongue*, à *Política dos Restos*, à *Grande e a Pequena Manobra* e à *Primavera 71*. Aqui mais uma vez tudo se passa num pequeno mundo fechado: esta sucessão de "reuniões sociais" onde as mesmas personagens repisam as mesmas palavras, as mesmas frases feitas (e tanto mais "feitas" que são improvisadas durante *happenings*) e a repetição se transforma pouco a pouco em degradação. Encontramos aí a figura central da dramaturgia contemporânea: a do círculo. Digamos, para sermos mais precisos: a figura pirandelliana do círculo. As personagens ficam aprisionadas dentro de uma situação dada muito tempo antes. E não cessam de representar entre elas esta situação, esgotando todas as possibilidades mas sem conseguir sair delas, inventando algo de novo num repisar que não tem outra saída senão a morte, a menos que isto já não seja esta própria morte. A peça não passa, portanto, de uma cena única representada várias vezes até enjoar. Os títulos das primeiras obras de Adamov o afirmam de modo expresso: esta "grande e pequena manobra" é a "paródia" da luta de "todos contra todos". E o jogo de Arthur e Victor encarniçados em aperfeiçoar o uso do bilhar elétrico, a inventar mil e uma combinações novas, se reduz, afinal, a uma simples partida de "pingue-pongue" — a mais ridícula, porque é uma partida que estes velhotes disputam sem mesa, sem rede ou raquete... Pode-se então falar em "Paixão"[5], em uma Paixão vazia de sentido e desligada de qualquer transcendência. O próprio tempo não existe mais: a obra não é senão um conjunto de momentos, de instantes que se repetem uns aos outros, literalmente de "tempos mortos".

Mesmo quando parece adotá-la, Adamov perverte ou recusa esta dramaturgia do círculo pirandelliano. Temos um exemplo com o *Professor Taranne*. O protagonista aqui está só, monologa, tenta justificar-se perante o público. E, ao justificar-se, condena-se a si mesmo. O círculo está completamente fechado: Taranne é trazido pela palavra ao instante de "seu" ato porque, suspeito de exibicionismo, é obrigado a se despir diante do público — isto é, a fazer diante

5. Como faz MAURICE RAGNANT em *Arthur Adamov et le sens du fétichisme*, cadernos da Companhia Renaud-Barrault, números 22 e 23, edição dedicada a "Antonin Artaud et le théâtre de notre temps", Paris, Julliard, maio 1968.

de todos aquilo que fora acusado de fazer em segredo. Mas é precisamente então que Adamov escapa à fascinação do círculo e leva seu público a escapar também. Como assinala Maurice Regnaut: "Desde que Adamov tem *diante dele* Taranne, tudo se passa como se, procurando libertar-se do círculo mágico, ele saltasse de pés juntos para fora deste círculo e se encontrasse, daí por diante, no *exterior*" [6]. A "Paixão" de Taranne tornou-se, aos nossos próprios olhos, ação.

*Um itinerário*

Não há, pois, nem conversão de Adamov a um teatro engajado nem descoberta de um mundo real que ele tivesse ignorado nas obras anteriores: há um enriquecimento, o crescimento da complexidade de sua dramaturgia e a mudança de ponto de vista. O jogo não mais remete a uma imagem do mundo detida de uma vez por todas: ele descobre progressivamente este mundo, submete-o à descoberta do espectador. O círculo pirandelliano é duplicado por um itinerário, no sentido épico desta palavra. A descontinuidade radical dos mesmos gestos e das mesmas palavras se converte na continuidade de uma vida vivida entre outras vidas. O particular e o geral não se confundem mais: eles se condicionam mutuamente. Como afirma, num tom jesuítico, o Abade em *Paolo Paoli:* "Vim, na verdade, tratar com o senhor de um assunto particular. Mas este assunto particular se acha hoje englobado na situação geral" [7]. É fazendo funcionar este círculo quase perfeito da troca das borboletas, das penas, dos botões de fantasia, depois dos botões de uniforme, que Adamov nos revela, não só de modo simbólico, um circuito mais vasto: o sistema mercantil das trocas numa sociedade capitalista (ainda aqui ficamos adstritos a uma dramaturgia de tipo "circular"), mas ainda a desordem e as contradições de uma sociedade precisa — a sociedade ocidental e a pequena burguesia da pretensa *belle époque* que se resolverão, provisoriamente, na guerra de 1914-1918.

Assim, do *Professor Taranne* e do *Pingue-Pongue*

[6]. MAURICE RAGNAUT, art. cit., p. 185.
[7]. *Paolo Paoli*, quadro III.

a *Off Limits* (seria, aliás, necessário retroceder ainda mais: suas primeiras peças não são inteiramente redutíveis à figura do círculo), a dramaturgia adamoviana se passa num nível duplo. O mais aparente é o da repetição: palavras e gestos remetem a algo que já se produziu. As personagens são obrigadas a celebrar uma cerimônia mais ou menos vazia de sentido. Assim experimentam, como os de *Off Limits*, dar a esta cerimônia, mais uma vez, um simulacro de intensidade à custa de drogas, de álcool, de estupefacientes ou de práticas masoquistas. Aliás, esta cerimônia não é senão o reflexo da experiência fundamental de Arthur Adamov: a cena primitiva da humilhação, definida também como "uma tentativa de mitridatização da morte", que ele comenta exaustivamente desde *A Confissão* até *O Homem e a Criança* (porém em *A Confissão* ele a fecha em si mesma, ao passo que em *O Homem e a Criança* Adamov a situa no movimento de toda uma vida).

*Em equilíbrio instável*

Inscrita no espaço do palco, representa diante de um público que talvez seja cúmplice mas que permanece diferente das personagens, dotada de uma temporalidade real (a da representação teatral), ela não basta a si mesma. A Paixão adamoviana, por ter sido vivida, não se "amolda" ao teatro. Se desfaz progressivamente. Afasta-se do rumo. Então nos revela atos que não passam de gestos, palavras que não se limitam a serem apenas sempre as mesmas. Temos acesso a outro nível. Por trás das "reuniões sociais" de *Off Limits* acontece realmente a história de Jim e Sally: eles morrem de fato longe do ambiente fechado onde seus parceiros repetem sem cessar sua "Paixão" lá longe, na fronteira do México. Nem o circuito de troca de *Paolo Paoli*, nem as farras entre dois casais de *Off Limits* se concluem. Eles se abrem sobre a própria negação. O círculo se destrói e deixa aparecer apenas o itinerário de uma sociedade. O meio se desfaz e as exigências singulares das personagens nos remetem a uma totalidade que está ausente da cena: a da vida social num momento e em circunstâncias dados.

A dramaturgia adamoviana fica, portanto, por definição, em equilíbrio instável. Não se alinha em relação a nenhuma figura conhecida: nem à do jogo circular pirandelliano, nem à do itinerário do épico brechtiano. Supõe uma e outra. Participa de uma tanto quanto da outra, a ponto de desconcertar às vezes muitos atores e encenadores, confusos e impotentes diante do que Adamov lhes propõe. Não escolhe o "meio" nem a "fábula", mas contesta um pelo outro. Aqui, Adamov encontra não Beckett, nem Brecht, mas Tchekhov e Jean Genet — o Genet de *Os Biombos*. E é para nós que ele se volta. Não nos propõe um sentido pronto. É a nós que cabe dar a seu teatro tal sentido, nós é que podemos conseguir a transformação de uma Paixão em ação. O que seu teatro postula — além de uma incessante troca entre o naturalismo e o épico — é nossa própria liberação. Nada de mais novo e de mais necessário que uma tal atitude que ultrapassa — e muito — o sonho de participação e de jogo em comum que alimentam muitos homens de teatro de hoje.

## 17. UM TEATRO DE DEFASAGEM: JOHN ARDEN

O teatro de John Arden se inscreve entre a anedota e a parábola. À primeira vista algumas de suas peças parecem inclinadas para a reprodução da "fatia de vida" naturalista (por exemplo, *O Asno do Hospício)*, outras para a "moralidade" *(O Asilo da Felicidade)*. Mas se as olharmos mais de perto, perceberemos que todas contêm elementos dos dois gêneros. Ou, melhor ainda, que John Arden não cessa de fazer seu jogo, no interior de cada uma delas, sobre o desnível entre estas formas dramatúrgicas.

*Jogo em dois planos*

Em primeiro lugar, no que se refere ao lugar e ao tempo. Ora, Arden reproduz minuciosamente os locais reais: é uma "cidade industrial do Norte da Inglaterra; mais exatamente [...] uma dessas cidades compostas de pavilhões de aluguel moderado, construídas e geridas por certas municipalidades" — e descreve em detalhes o interior e o exterior desses pavilhões, que servirão de local para a ação *(Vocês Vivem Como Porcos)*. Ou então é "uma cidade industrial de Yorkshire, em algum ponto entre Sheffield e Leeds, nos dias de hoje", com suas ruas, seus canteiros de obras, suas delegacias de polícia, suas clínicas, seus bares e seu cabaré *(O Asno do Hospício)*. Mas, neste caso, Arden toma o cuidado de especificar que "um realismo arquitetural demasiado não é desejável"; suas "descrições devem ser entendidas como de indicações e não como imperativos" *(Vocês Vivem Como Porcos)*. Além disso, o cenário não é o reflexo de uma realidade imutável que preexiste à ação. Ele se modifica no decorrer da representação. Por exemplo, em *Vocês Vivem Como Porcos*, "paulatinamente [...] o palco será cada vez mais obstruído por um monte de objetos extravagantes que os Sawney trazem em cada ocasião, e no final estará literalmente invadido". Este cenário não é desde o início estático, constrangedor; é dinâmico, maleável. Trata-se de sugerir menos um local particular e mais um certo espaço complexo e variado. A imagem de uma cidade, de um bairro que escapa ao estrito determinismo do ambiente naturalista e assume um valor geral, poético.

Outras vezes Arden situa suas peças em lugares quase imaginários ou, pelo menos, recuados no tempo: é o caso da pequena cidade mineira do "Norte da Inglaterra, há cerca de oitenta anos" de *A Dança do Sargento Musgrave;* é ainda mais o caso da "Escócia do início do segundo quarto do século XVI" de *O Último Adeus de Armstrong*. Mas, em ambos os casos, a desorientação provocada pela evocação de épocas históricas encerradas, tratadas sem cuidado pela exatidão histórica, não serve senão para nos remeter a acontecimentos de hoje: o que se perfila por trás da

*Dança do Sargento Musgrave* é, de maneira evidente (Arden faz alusões precisas e explícitas), a guerra que a Inglaterra trava com Chipre; e por trás de *O Último Adeus de Armstrong,* as lutas de Lumumba e de Tschombe no Congo ex-belga.

Arden não cessa de jogar em dois planos: o real em parte ligado com o imaginário, a anedota com a parábola. Obriga-nos a um perpétuo vaivém entre o presente e o passado, o privado e o público, o particular e o geral. Suas peças possuem movimentos. Não se fixam numa forma, num estilo, nem num local definido por referência a uma realidade concreta ou, ao contrário, abandonada à fantasia do realizador.

*À deriva*

Habituados como estamos, nós franceses, a um estilo teatral "uniforme", corremos o forte risco de ficarmos desconcertados pela variedade das formas da escritura de Arden. Por suas bruscas passagens da prosa ao verso, do diálogo cotidiano às interjeições líricas ou aos romances populares, do debate cerrado entre várias personagens ao monólogo ou ao aparte etc. É que nenhuma de suas peças nos propõe o desenvolvimento unilinear de uma situação inicial: na verdade, Arden decompõe esta situação em elementos separados, trata cada um deles à parte, mesmo em suas conseqüências extremas. E deixa ao espectador o cuidado de reaproximar, comparar estes fragmentos autônomos. Nisto revela não somente o gosto pelo jogo teatral (que certamente não está ausente: Arden evidencia um prazer manifesto pelos golpes de teatro, pelos saltos inesperados), mas também uma vontade de reencontrar, através da construção dramatúrgica, a própria complexidade da realidade, que, não podendo ser apanhada em bloco, deve ser descoberta progressivamente, sob um ângulo cada vez mais amplo.

Cada peça de Arden nos propõe, portanto, uma dupla aventura: a das personagens, que constitui a ação, e a do espectador, chamado a gradualmente tomar conhecimento desta ação. Nada é proposto de uma vez por todas. Arden recusa todo destino que constrange seus heróis a partir do exterior, assim como recusa todo determinismo psicológico que "agiria" neles a partir do interior.

Suas personagens, apesar de traçadas em cores fortes e desenhadas com brio, não estão fixadas. Quer estejam lutando contra tal obstáculo ou se encontrem em tais circunstâncias, eis que se transformam: são os Jackson que, diante dos Sawney, se tornam literalmente furiosos ao ponto de provocarem o linchamento dos últimos; ou, ao inverso, são os Sawney que, por mais boêmios que sejam e que queiram ser, preferem o "conforto" de seu pavilhão de aluguel moderado... *(Vocês Vivem Como Porcos)*. Porque Arden não cessa de repetir: não existe verdade (do "coração" ou da "alma") dos homens, fora da situação que ocupam na sociedade. Ou, ainda mais exatamente, o sentido desta verdade é função desta situação. É neste ponto que se evidencia totalmente esta técnica apreciada por Arden, a *defasagem* dramatúrgica.

Basta tomar um grupo, geralmente constituído em torno de uma personagem central (por exemplo, o grupo de desertores da *Dança do Sargento Musgrave*) e colocá-lo em cena: aparecerá heróico ou ridículo, segundo o ponto de vista sob o qual for apresentado. Diante deste grupo, vamos colocar outro: o dos mineiros em greve. Então duas possibilidades se oferecem ao autor dramático. Ou estes dois grupos hão de estar em oposição, e então será a partir do conflito entre ambos que emanará o sentido da obra, cada grupo encarnando uma posição ideológica (em *A Dança do Sargento Musgrave*, os desertores tomam partido por uma moral estritamente individualista e os mineiros grevistas por uma ação política coletiva). Ou ambos os grupos hão de ser arrastados por um movimento mais amplo e suas relações mútuas se modificarão: entre eles não mais existirá apenas oposição, mas também incompreensão, contaminação e troca.

Evidentemente é este segundo método que Arden escolhe. E assim conduz o espectador a *retificar* todo tempo o julgamento sobre a situação de conjunto. Impossível decidir, inteiramente, entre um e outro campo: o espectador ora está com os desertores, ora com os grevistas. Evidentemente os grevistas estão errados quando vêem os desertores como soldados trazidos para acabar com a greve. Mas apesar disso têm razão em considerá-los perigosos, já que, afinal, a aventura individualista dos desertores será a causa do fracasso da greve e do restabelecimento da ordem em favor dos patrões. Acrescentemos que, se tivessem compreendido o que realmente eram estes soldados, os mineiros poderiam ter tirado proveito da situação e, mesmo sem aderir às suas causas, poderiam ter utilizado a revolta dos desertores em favor da própria greve.

*Uma dramaturgia da "decepção"*

Arden não somente substitui o conflito bem nítido do teatro tradicional — no qual indivíduos e grupos encarnam, cada um, uma posição intangível — por uma série de trocas e de tentações, nas quais se diluem as oposições radicais. Também explora ao máximo tudo que separa as intenções e os desejos das personagens, dos atos que eles cometem precisamente em nome dessas intenções. Nisto se resume toda a aventura de Sir David Lindsay em *O Último Adeus de Armstrong:* quer salvar Gilnockie, que pessoalmente lhe é simpático, e termina por perdê-lo de forma mais segura — ele se acomoda como "poeta" e "tutor do rei". Por isso, as peças de Arden, em sua maioria, não se fecham em si mesmas e abandonam o espectador numa espécie de embaraço (daí, sem dúvida, o fato de nunca alcançarem êxito imediato, quando criadas; somente pouco a pouco, e no decorrer de sucessivas *reprises,* se impuseram). Nenhuma conclusão definitiva é proposta ao público. Ele não pode concentrar sua simpatia nesta ou naquela personagem, nem aderir a uma lição ideológica formulada com clareza. O tempo todo é obrigado a modificar sua maneira de ver, de conceber o sentido da ação dramática. No final não é neste herói ou naquele grupo, portadores de uma verdade incontestável, que deve se deter: o público é remetido a uma sociedade e ao funcionamento da mesma. Remetido à sua própria sociedade: pois, através de defasagens no espaço e no tempo, é esta sociedade que é posta em questão.

A extraordinária vitalidade da obra de Arden não vem, portanto, como se poderia crer ao primeiro relance, da atualidade de algumas de suas peças, nem do vigor com o qual são instalados seus heróis (estes "insociáveis", como Rachel, Musgrave ou Armstrong, pelos quais Arden alimenta inegável ternura e que o fascinam). Ela nasce na riqueza e da complexidade da estrutura dramatúrgica. Nasce precisamente destas defasagens entre a época figurada e a época evocada, entre o indivíduo e o grupo, entre as motivações e os atos etc. Através destes recursos o próprio espectador é provocado, abalado, ameaçado e levado a refletir sobre sua própria situação na sociedade — pois ele constitui, em definitivo, o objeto do grande jogo teatral de John Arden.

## 18. UMA DRAMATURGIA BLOQUEADA

Durante os acontecimentos de maio e junho de 1968, expressou-se uma exigência com vigor e insistência particulares: a de um repertório verdadeiramente contemporâneo. Quando os diretores dos teatros populares e das Casas de Cultura, reunidos em assembléia permanente em Villeurbanne, falavam de "cultura ativa" e de "criação permanente", o que entendiam, entre outras coisas, era uma reviravolta na política que até então eles mesmos haviam seguido: parecia urgente substituir os clássicos, que constituíam quase dois terços de seus repertórios, não apenas por modernos mas também por novas criações. Em suma, o teatro deveria recuperar uma dimensão essencial: a de uma "arte em fase de processamento" 1.

Sem dúvida tal aspiração participa das obsessões e das miragens do mês de maio. Paga seu tributo à concepção neomarcusiana da cultura considerada como elemento de integração (digamos mesmo de "recuperação") social ou mesmo como meio de repressão. Faz pouco caso do considerável trabalho realizado sobre os clássicos, há cerca de vinte anos, por estes mesmos encenadores. E mergulha na utopia de uma mudança radical que interviria de imediato, independente de qualquer reviravolta, pelo menos tão radical, da sociedade. Mas ela não é apenas um sonho de maio: é também o resultado de uma evolução interna desses teatros. Há dois ou três anos um sentimento geral começava a surgir: o de se ter ido até o fim nas experiências que se podiam efetuar com os clássicos, e de se ter mais ou menos explorado um certo repertório moderno de "teatro popular" (de Tchekhov a Brecht, passando por O'Cassey e Górki).

Essa vontade de dar a palavra aos autores de hoje e de fazer do teatro a "forma de expressão privilegiada entre todas as formas de expressão possíveis, na medida em que é uma obra humana coletiva proposta à coletividade dos homens"[2], que foi sonhada em Villeurbanne, supõe a existência de uma dramaturgia contemporânea capaz de evocar nossa própria vida em sociedade. Ora, o problema é precisamente a existência de uma tal dramaturgia.

*Um teatro fechado*

Na verdade, a partir da década de cincoenta, apareceram e se impuseram novos dramaturgos. Se suas primeiras obras foram encenadas em minúsculos teatros da margem esquerda do Sena (na maioria já desaparecidos, com exceção do Théâtre de la Huchette, que se transformou numa espécie de museu Ionesco: *A Cantora Careca* está sendo representada ali há mais

1. Cf. o texto da Declaração dos Diretores de Teatros Populares e das Casas de Cultura reunidos em Comitê Permanente em Villeurbanne a 25 de maio de 1968, que consta em anexo do livro de Philippe Madral *Le Théâtre hors des murs*, coleção *Théâtre-Essai*, Paris, Seuil, 1969, pp. 245-250.
2. Cf. o texto da Declaração de Villeurbanne, já mencionada.

de doze anos), agora suas peças ocupam os palcos mais tradicionais entre os teatros subvencionados: depois de cautelosamente lançado no Odéon-Théâtre de France, para a circunstância amputado dos andares superiores de seus balcões, *Oh! que belos dias!* de Beckett tornou-se um dos cavalos de batalha de Madeleine Renaud, que não mais hesita em levar a peça em suas excursões. E o próprio Ionesco passou do Odéon para a Comédie Française (apenas alguns assinantes "paramentados" das terças-feiras acolheram com protestos *A Sede e a Fome).* Reconhecidos e consagrados, estes dramaturgos já se estereotiparam na própria imagem — se algumas de suas obras continuam a exercer um fascínio incontestável (as de Beckett mais que as de Ionesco), a dramaturgia deles hoje nos parece como que marcada pela esterilidade. Certamente no início dos anos sessenta, os sub-Ionescos e, menos abundantemente, os sub-Beckett, proliferaram. Mas este epígonos, que se contentavam em explorar mecanicamente alguns processos comprovados, falharam [3]. Agora o "teatro novo" é uma figura histórica. É apenas um momento — talvez nem o mais importante — da evolução teatral destes últimos vinte anos. Permitiu, sem dúvida, quebrar uns cincoenta anos de intoxicação literária e reatar com uma teatralidade de palavra, de gestos e de objetos. Não trouxe nenhuma renovação radical na temática dramática, nem uma modificação de estrutura na atividade teatral. Podemos também observar que não foi sempre com peças de Beckett ou de Ionesco que os homens de teatro que as criaram realizaram seus espetáculos mais célebres: por certo Roger Blin continua a ser o encenador e o inesquecível intérprete de *Fim de Jogo* e de *Esperando Godot,* mas talvez seja ainda mais o realizador de *Os Negros* e de *Os Biombos;* tal como Jean-Marie Serreau é pelo menos tanto o criador das peças de Aimé Cesaire *(A Tragédia do Rei Cristóvão* ou *Uma Temporada no Congo)* quanto o de *A Sede e a Fome.* Agora esta dramaturgia da recusa das for-

---

3. É preciso excetuar disso ROLAND DUBILLARD, autor de *Naïves Hirondeles* (1969), *La Maison d'Os* (1962) e *Le Jardin aux Betteraves* (1969). Mas se Dubillard deve algo ao "teatro do absurdo", sua obra permanece muito pessoal e singular. É como que o produto das improvisações do ator sem par que é Dubillard.

mas literárias estabelecidas nos oferece a imagem de um teatro fechado em si mesmo, que se esgota invocando e recusando uma transcendência impossível.

## Novas exigências

É que, enquanto isto, outras exigências se manifestaram, em todos os níveis da atividade teatral. Através de Brecht — mesmo através de uma leitura freqüentemente superficial de sua obra e de representações convencionais de suas peças — o teatro se lembrou, ao mesmo tempo, de seu poder pedagógico e de sua vocação política. Animado pela vontade de falar a um público mais jovem e mais variado que outrora se não idealmente "popular", tentou instituir-se como tribunal das grandes causas históricas e cívicas de nossa época, com base no modelo sonhado pelos profetas do "teatro do povo". Na mesma época, a voz de Antonin Artaud começou a fazer-se ouvir: contra uma idéia "petrificada de teatro", o que pontifica é nada menos que a ressurreição violenta de uma arte ou, antes, de uma atividade, que, "como a peste [...] desata conflitos, libera forças, desencadeia possibilidades"[4] e pode "ser considerada o espelho não desta realidade cotidiana e direta da qual [o teatro] se reduziu a ser, pouco a pouco, apenas uma cópia inerte, tão vã quanto adocicada, porém de uma outra realidade perigosa e típica, onde os Príncipes, como os delfins, quando mostram a cabeça apressam-se em voltar à obscuridade das águas[5]. Longe de se temperarem confrontando-se, estas exigências contraditórias não cessaram, desde alguns anos, de se exasperarem umas às outras — até se verem formuladas todas em conjunto, numa confusão e tensão extraordinárias, em maio e junho de 1968, culminando na imagem de um teatro de contestação permanente em contacto direto com a realidade.

## Ilustrações unanimistas

A dramaturgia francesa atual está ainda longe de

---
4. ANTONIN ARTAUD, *Oeuvres Complètes*, Paris, Gallimard, 1964, v. IV, *Le Théâtre et son Double*, "Le Théâtre et la Peste", p. 38.
5. Id., *Ibid.*, "Le Théâtre Alchimique", pp. 58-59.

poder corresponder a tais exigências. Na verdade, voltando as costas às experiências sem comunicação do teatro dito do absurdo, vários autores se obstinam em querer levar à cena os grandes temas da época, como o tinham feito, após a Liberação, Sartre e Camus. Penso, aqui, menos num dramaturgo como Georges Soria *(A Estrangeira na Ilha),* que se contenta em enxertar preocupações em "consonância" com a atualidade (a bomba atômica, a Anticoncepção ou os problemas da destalinização...) em intrigas tradicionais, do que em homens de teatro como Pierre Halet, cuja maioria das peças foi criada por Gabriel Monnet na Casa de Cultura de Bourges *(A Provocação* trata da instauração do fascismo através da evocação do incêndio do Reichstag e de processo do Leipzig; *O Morro de Satory,* encenada nos moldes do concurso de companhias jovens em 1967, trata da Comuna de Paris, por intermédio da personagem de Rossel, um dos raros oficiais superiores ligado aos Comunardos) ou Gabriel Cousin. O caso deste último é particularmente interessante. Poeta, preocupado com os problemas de educação popular (pertence a um corpo de funcionários do secretariado de Estado para a Juventude e os Esportes) foi com uma peça sobre o perigo atômico, inspirado no destino real dos pescadores de um barco japonês contaminados depois de uma prova atômica norte-americana no Pacífico, *O Drama do Fukuryu-Maru,* que Cousin abordou o teatro (sua peça foi programada por Gérard Philipe e Jean Vilar para o T.N.P., mas infelizmente não pôde ser ali encenada). Em seguida evocou a alienação dos trabalhadores em meio a nossa sociedade de consumo numa farsa satírica, *A Apregoadora e o Autômato,* depois o racismo (em *Ópera Negra,* criado pelo Théâtre de la Commune de Aubervilliers); enfim, o drama da fome no mundo e a resposta que lhes dão os guerrilheiros sul-americanos, em *Viagem por Trás da Montanha* e depois em *Viver em Recife* — que faz parte de um *Ciclo do Caranguejo* — estas duas obras referindo-se aos trabalhos de Josué de Castro. É quanto basta para mostrar a amplitude e a atualidade dos temas tratados. Mas o que dá valor a seu empreendimento é que ao mesmo tempo em que reconstitui, graças a meios especificamente teatrais e afastados de qualquer naturalismo (procura antes casar a dança, o canto, a mímica e a palavra), a vida de uma comunidade humana, Gabriel Cousin apela, explicitamente, para outra comunidade: a dos espectadores. Para ele o teatro deve ser, ao mesmo tempo, festa e local de uma tomada de consciência coletiva: a da solidariedade que deveria unir a nós, ocidentais bem nutridos, aos desfavorecidos, aos colonizados, às vítimas — nossas vítimas. Até agora só pôde realizar sua ambição pela metade. Suas peças, cuja execução exige meios consideráveis, raramente se beneficiaram das necessárias condições de interpretação, e a festa sonhada só pode abortar. A própria amplitude dos problemas levantados e a vontade de colocá-los ao alcance de um grande público popular (que é talvez mais um mito que uma realidade) condenam Cousin a um certo esquematismo: a obra se transforma na ilustração de uma grande questão social, quando não mergulha num exotismo de três tostões (não é o caso do *jazz* usado na *Ópera Negra?*). Por uma reviravolta bastante comum no teatro de representações como essas que visam primeiro à eficácia, e mesmo a uma eficácia de massa, correm o risco de ratificar o espectador em sua boa consciência: ele vê, compactua, se indigna e, no fim, sai tranqüilo. A opressão se tornou espetáculo: sua representação, no palco, libera o espectador, que está na platéia, de toda e qualquer responsabilidade.

Dever-se-ia assinalar também a ausência quase total, na França, do que em outros países se chamou de "teatro-documento" ou "teatro dos fatos". É que não rompemos com os processos tradicionais de elaboração literária das obras teatrais. Nestes últimos anos, mal podemos mencionar algumas tímidas tentativas de espetáculos construídos à base de montagens, colagens de diversos textos, recortes de jornais com citações do Apocalipse — nada, em todo caso, que se compare às peças de Peter Weiss, desde *O Interrogatório*. A "fatia de vida" — ainda que sob a forma de documento colhido entre os reflexos que não cessam de nos impor os *mass media* — permanece, desde que o naturalismo passou para o *boulevard,* proscrita do palco francês.

*A repetição e a história*

Recusando o unanimismo de um Gabriel Cousin, outros dramaturgos tentam utilizar técnicas de descrição ao rés da linguagem ou ao rés das coisas, acertadas pela vanguarda teatral dos anos cincoenta, para novos fins. Em vez de constituir um mundo fechado, encerrado numa infinita repetição dos mesmos gestos e das mesmas palavras, em cuja armadilha viria cair o espectador (tão "submisso" quanto Jacques o é ao círculo familiar de Ionesco), pretendem evocar, a partir de estereótipos da existência cotidiana, um universo mais amplo, oferecido à compreensão ou à revolta do espectador. É o caso, por exemplo, de Philippe Adrien, cuja *La Baye* é uma das raras peças novas que obteve sucesso de público nestes últimos anos, na França e no estrangeiro (especialmente em Berlim). No entanto, ainda neste caso, a tentativa permanece ambígua. Descrevendo de modo grotesco (tirado tanto de Roger Vitrac quanto de Ionesco) uma recepção familiar entre pequenos-burgueses, Philippe Adrien não acaba sucumbindo, ao fim de contas, ao que se pode chamar de miragem do jogo do massacre? Certamente, pais e adultos recebem uma boa lição com *La Baye:* nenhum ridículo lhes é poupado. Mas o prazer do jogo prevalece: os cabeças-de-turco se tornam enternecedores. A peça termina com um dueto de crianças diante do mar, imagem da liberdade total. Um marionete é menos corrosivo do que se diz: é, sobretudo, desconcertante. Os adultos que se entregam ao teatro de marionetes pensam reencontrar, no mesmo lance, a própria infância, isto é, de um certo modo, pensam em salvar-se. No fim da peça, eis-nos todos reconvertidos em crianças. Nada de mais tranqüilizante!

A obra de Georges Michel, em compensação, escapa deste perigo. Sartre, a propósito de *Um Passeio de Domingo,* definiu muito bem o tema principal da peça: "A luta da repetição contra a história. Contra esta nós nos defendemos através da repetição: eis o que se procura mostrar"[6]. E precisa: "A repetição

---

6. Cf. o texto de Jean-Paul Sartre publicado no programa da representação de *Promenade du dimanche* no Studio des Champs Elysées em 1966.

são nossos pequenos ritos miseráveis e esta tagarelice que nos ensurdece: os lugares-comuns. Estes, ver-se-á no *Passeio,* vêm de fora, universais, imemoriais, e se impõem às personagens: mas, embora apreendidos e muito próximos dos reflexos condicionados, também são mantidos em nós com a nossa cumplicidade. Único meio, no mundo atual, de comunicação entre os homens, são também os agentes da separação absoluta [...]; os atores não ouvem mais o barulho da própria e verdadeira vida, da morte que se aproxima. Só têm solidariedade na medida em que se ajudam uns aos outros a silenciar a verdade, a esconder fora de nós, em nós, a violência, a infelicidade, nossa condição miserável". Assim, *Passeio de Domingo* põe em cena "este drama diário: uma família de pequenos-burgueses que se empenha em negar o mundo enquanto que o mundo, implacavelmente, a destrói e cujos membros, mortos um a um pela história, roubam-se a própria morte, mascarando-a com os lugares-comuns e morrem distraídos na indiferença geral"[7]. Diante desta cegueira, a um tempo voluntária e suportada por todos como um destino, o espectador é, por um movimento propriamente brechtiano, chamado a recuperar sua lucidez, a ver este mundo que as personagens do *Passeio* se recusam a reconhecer e que, por fim, as mata.

Uma tal dialética que, do espetáculo, nos remete àquilo que o cria e que não é diretamente configurado na cena (ou que nela surge apenas em súbitas e passageiras irrupções), permanece em Georges Michel, bastante frágil. Por certo, a repetição pode, pelo próprio excesso, nos revelar o que ela não é, ou seja, história. Mas tal revelação corre o risco, também, de ser apenas a afirmação vazia da necessidade de uma tomada de consciência histórica, sem que nada permita ao espectador efetuar esta tomada de consciência. A predileção de Sartre por Georges Michel talvez tenha aí sua origem: contra a repetição dos lugares--comuns da vida cotidiana pequeno-burguesa, Georges Michel convida o espectador a escolher um modo de existência autenticamente histórico, mas, de forma bastante sartreana, quase não ultrapassa o momento da escolha. Vê-se isto claramente em *A Agressão,* a peça de Georges Michel representada no TNP em

7. Cf. o texto supracitado.

1967: aqui ele opõe, aos adultos fechados na clausura que lhes proporciona a geladeira, a televisão e uma linguagem petrificada, um bando de "blusões" mais ou menos "negros", que um dia quebrarão as vitrinas de uma grande loja porque se sentiram, literalmente, *agredidos* por estas vitrinas apresentadas como a própria expressão de nossa sociedade de consumo. A cena central da agressão — esta resposta violenta a imagens que fazem violência — é bela e forte. Mas Georges Michel não consegue dizer mais que isto. Em seguida, recaímos na dicotomia: de um lado, o universo da repetição, de outro a evocação de atos individuais que não traduzem quase senão a vontade de mudar alguma coisa, de romper o círculo da repetição (assim, no *Passeio,* jovens que, a cada acontecimento, oferecem manifestos para assinar, coletam assinaturas...). Entre a aceitação e a recusa, a escolha permanece moral: a platéia só é chamada a tomar posição contra o palco.

*Um empreendimento de subversão*

Talvez esta relativa timidez de George Michel esteja radicada no respeito que conserva pelas estruturas dramáticas tradicionais: sua obra não supõe modificação radical das maneiras de representação da realidade, seu universo dramático fica circunscrito à cena e nos remete a uma imagem próxima do real. É o caso também, ao menos aparentemente, de Arthur Adamov. Sabe-se que ele, depois de ter sido um dos inventores do "teatro de absurdo", tomou certa distância em relação a esta "nova dramaturgia" e tentou, especialmente sob a influência de Brecht, compor obras situadas "num tempo e num lugar", onde surgem claramente "as engrenagens da grande máquina social"[8]. O próprio Adamov assinalou sobejamente esta ruptura, e todo mundo se apressou em tomá-la ao pé da letra a fim de opor — o que não estava certamente em suas intenções — o dramaturgo social esforçado e um pouco primário no qual se teria transformado, ao vanguardista valoroso que era nos anos

8. Cf. a "Nota Preliminar" de ARTHUR ADAMOV em seu *Théâtre II*, Paris, Gallimard, 1955, p. 17.

cincoenta. Na realidade, as coisas não são tão simples, nem as peças de Adamov, as de hoje como as de ontem, tão claras. Sem dúvida é dado considerar *Primavera 71* uma peça histórica, às vezes laboriosa e sobrecarregada de minúcias (mas, deveríamos ainda interrogar-nos sobre a função de tal acumulação) acerca da Comuna de Paris, assim como a *Política dos restos* seria um excelente *lehrstuck* (peça didática) sobre o racismo e até a *Santa Europa* uma sátira semi-alegórica, semi-onírica, do regime gaullista e da política ocidental... mas não são estas as principais obras de Adamov. Vale mais observar que de *Pingue-Pongue* a *Off Limits*, passando por *Paolo Paoli*, o "segundo" Adamov prossegue, no próprio âmago da dramaturgia tradicional, numa tentativa que é, a bem dizer, de subversão. Parece contar uma história anedótica: a aventura de Arthur e Victor, cuja paixão pelo bilhar elétrico leva à penúria ou à morte, as tribulações de um grupo de pequenos-burgueses que hão de passar da coleção de borboletas à fabricação de botões de uniforme, ou a odisséia de um casal de jovens americanos, Jim e Sally, que, escapando à repetição das "festinhas" nova-iorquianas, vão encontrar morte inútil na fronteira do México... Mas estes dados não constituem o âmago das peças de Adamov. O que o fascina, o que ele coloca em cena, é a representação que oferece a si própria uma pequena sociedade fechada na qual gestos, palavras e coisas se desgastam e se pervertem à força de serem "traficados", tornados objeto de uma série infinita de trocas. Por trás dessa representação, perfila-se o itinerário histórico da sociedade que, efetivamente, autoriza, encoraja tais abcessos de fixação: o da burguesia francesa que realiza em torno dela "a união sagrada" para se lançar à guerra de 1914-1918 e o dos homens de negócio americanos que financiam tanto a televisão quanto a guerra do Vietnã... Daí o mal-estar do espectador: a dramaturgia adamoviana é de fundo duplo ou mesmo triplo. Donde, também as dificuldades em que esbarram seus encenadores (com exceção, talvez, de Roger Planchon ao montar *Paolo Paoli*): eles, literalmente, não sabem em que plano devem representar — se o da ação aparente, o da descrição do grupo ou o parabólico, da evocação de toda uma sociedade em movimento. Montando *Off Limits* como sátira naturalista da vida americana, Gabriel Garran, por exemplo, não conseguiu nos restituir a obra em seu equilíbrio instável, em sua fascinante duplicidade. Adamov permanece incompreendido. É vítima de seu próprio maniqueísmo: de um lado o profeta de vanguarda, do outro um epígono de Brecht. Não há como sair disso. Ora, o interesse de seu teatro é, precisamente, de nos propor um jogo sutil e perigoso entre a vanguarda e Brecht, entre uma dramaturgia de atestação e uma dramaturgia de crítica histórica.

Resta ainda que se, em Adamov, as estruturas dramáticas tradicionais se acham bastante pervertidas, elas não estão transformadas. Ora, é uma tal transformação que muitos reclamam hoje: uns em nome da festa, outros em nome da ação — e em maio de 1968, partidários da festa e partidários da ação se encontram, por um momento, na ilusão lírica de uma "revolução", que seria, também, puro teatro (ou, mais prosaicamente, no caos do Odéon ocupado e transformado em sede do "peço a palavra"). É a própria representação teatral considerada como um simples reflexo da realidade ou como o microcosmo de um impossível mundo verdadeiro que uns e outros recusam. Eles reclamam, todos, não só uma participação do espectador, como a "ativação" deste e, mesmo, a revelação de seu poder criador.

*A crueldade e seu duplo*

Certamente é Artaud que é invocado por Arrabal e pelos partidários de seu "teatro-pânico". O que eles sonham é fazer do teatro "uma festa, uma cerimônia de ordenação rigorosa; a tragédia e o teatro de fantoches, a poesia e a vulgaridade, a comédia e o melodrama, o amor e o erotismo, o *happening* e a teoria dos conjuntos, o mau gosto e o requinte estético, o sacrilégio e o sagrado, a condenação à morte e a exaltação da vida, o sórdido e o sublime se inserem naturalmente nesta festa, nesta cerimônia *pânica*". E Arrabal insiste: "Sonho com um teatro onde humor e poesia, pânico e amor, seriam uma só coisa. O rito teatral se transformaria então em *opera mundi* como os fantasmas de Dom Quixote, os pesadelos de Alice, o delírio de K., até mesmo os sonhos humanóides que povoariam as noites de uma máquina IBM"[9].

Mas as festas de Arrabal, deste teatro que se propõe viver "no auge dos atos, das contestações e dos sonhos"[10] muitas vezes acabam logo. É que suas peças parecem tímidas face às intenções que ele proclama e continuam sendo esboços demasiado simples, rascunhos descuidados. Para que pudessem dar ensejo a tais festas, deveriam ser retomadas por encenadores e atores extraordinariamente inventivos. Ora, tais homens de teatro são raros. Quando um Lavelli se apodera de *O Arquiteto e o Imperador da Assíria,* faz da peça não uma cerimônia, mas um espetáculo meticulosamente acertado, uma espécie de balé do homem e seu duplo: uma representação, onde tudo é puxado pelos cordões, dos fantasmas arrabalianos, não um ato de agressão. O mal-entendido vem de mais longe: deve-se, sem dúvida, ao próprio Arrabal. Suas peças hesitam, com efeito, entre a provocação e o auto-enternecimento. De um lado, há a blasfêmia, os assentos de privadas instalados em cena, os vômitos, o esperma e o sangue, mas, de outro, seus heróis não cessam de sonhar com a infância perdida, ao mesmo tempo que revivem, sem folga, o próprio momento em que esta infância lhes foi roubada (pela mulher — pela mãe a um tempo impudica e castradora). Inevitavelmente, o enternecimento, a deploração romântica da pureza conspurcada são maiores que a agressão. O teatro-pânico se volta para a elegia. Isto ficou bem claro com o *Cemitério de Automóveis,* onde Victor Garcia realizou uma espécie de *digest* arrabaliana: este cemitério era uma espécie de reflexo invertido do "paraíso verde dos amores infantis" e, se o espetáculo (a um tempo inventivo e rigoroso) culminava em uma cerimônia: uma nova procissão do Cristo na cruz (ou seja, um marginal de "blusão negro" crucificado numa motocicleta), esta, longe de selar a unidade dos espectadores e dos atores celebrando o mes-

---

9. Citado por Nicole Land em "Le Besoin de Vivre", *Théâtre* 1968, *I,* Paris, Christian Bourgois, 1968, p. 53.
10. ARRABAL, "Renaissance du théâtre", em *Théâtre* 1968, I, *op. cit.,* p. 10.

mo rito cruel, não faziam senão sublinhar, no seu amplo desenrolar de mural se desdobrando em torno da sala, o quanto uns e outros permanecem estranhos. Grotowski o compreendeu bem: aproximar os corpos não basta para realizar a união da platéia e do palco. Para que ambos colaborem (na falta de poderem confundir-se) um outro jogo, mais sutil, se impõe — um jogo que, longe de negar suas diferenças, se serve delas.

*O teatro dos possíveis*

Armand Gatti não sonha, sem dúvida, instaurar "o momento da convulsão e da náusea, do sol e do vulcão [...] o instante do relâmpago e do deslumbramento das borboletas"[11]. Não é homem que acredite na salvação pelo teatro. Para ele, ao contrário, o teatro não é senão um meio: 'o meio de uma ação para a liberação do homem — ou, melhor, dos homens em conjunto que teriam reencontrado aí previamente a consciência de sua solidariedade". "O teatro é o meio, não é feito para lhes dar respostas e para lhes dizer: *eis o que vocês devem fazer na saída.* É feito para que o público faça perguntas a si próprio, pois, quando o homem pergunta a si mesmo, começa a mudar e tem oportunidade de, um dia, mudar o mundo. Em todo caso, de tentar"[12]. Recusando de pronto a descrição naturalista (a reconstituição, em cena, de um mundo "verdadeiro") como parábola didática (que faz do palco um lugar transparente e exemplar), Gatti pretende pôr em cena sua própria experiência do mundo em todas as suas dimensões virtuais. É que ele parte da impossibilidade e da necessidade, a um só tempo, de evocar aquilo que o marcou para sempre: o universo concentracionário (ele viveu este universo entre seus dezoito e vinte anos). Gatti recusa, pois, os sistemas de referência de regra em toda representação teatral: "Seria bom mudar as noções de tempo e de lugar no teatro, devendo estas noções ser consideradas como envelhecidas, quer do ângulo cien-

---

11. ARRABAL, art. cit.
12. HENRY LHONG, "Qui êtes-vous, Armand Gatti?", em *Grenier de Toulouse,* boletim do Centre National Dramatique et Musical, número 4, fev. 1967, p. 5.

tífico quer do humano [...] Toda a senilidade do teatro vem do palco único e de sua impossibilidade de respirar num mundo que vive em várias dimensões e em várias idades ao mesmo tempo" [13]. O espaço no qual se passam as peças de Gatti é polivalente e dinâmico — não somente diferentes lugares nele coexistem, mas ainda esses lugares se interpenetram e se modificam sem cessar. Do mesmo modo, o presente e o passado se revezam inextricavelmente e se abrem para o futuro: ao "tempo-duração" Gatti substitui o "tempo-possibilidade". A dimensão do futuro, deste "futuro imaginado em função do passado e do presente", é para ele tão importante quanto o fora outrora aos olhos de Maiakóvski. Pois aquilo que Gatti procura, antes de tudo, é fazer com que, através de recursos teatrais, o homem possa escapar do isolamento. É arrancá-lo desta espécie de espetáculo de morte, imobilizado em si mesmo, do qual a vida concentracionária lhe deu um exemplo, mas que continua a nos ameaçar, sob outras formas (a imagem da vida concentracionária, Gatti torna a encontrá-la na imagem de todo país dominado por um ditador-carrasco, como também na de algum planeta imaginário tomado pelo gelo do tempo e da história).

Assim Gatti procura chegar a uma superação do teatro no próprio local teatral e com a colaboração dos espectadores. Trata-se de abrir o real a todos os possíveis, no espaço e no tempo, trata-se de conjugar a experiência individual com o combate coletivo, e de levar o público a tomar a si estes possíveis e este combate. Ou seja, de passar de um teatro que não tivesse outro fim senão provocar uma tomada de consciência do mundo antigo, a um teatro que nos engajasse numa ação para um mundo novo. Neste sentido, a dramaturgia de Gatti é realmente uma dramaturgia de "nascimento" (se bem que a peça portadora deste título não esteja entre suas obras principais). Então, poderia dar-se esta "multiplicação dos outros por nós e de nós pelos outros" [14] na qual ele

13. Cf. ARMAND GATTI, "Das Abenteur der Zeit", *Theater* 1965, número especial, Hannover, Friedrich Verlag, pp. 107-110; e a nota de Armand Gatti que abre seu *Théâtre* °°°, Paris, Le Seuil, 1962, p. 9.
14. "Entretiens sur l'art actuel: Jean-Louis Pays avec... Armand Gatti", em *Lettres Françaises*, 19.8.1965.

vê a verdadeira mola da atividade teatral, esta colaboração do palco e da platéia na transformação do mundo e no advento de uma nova sociedade.

A tentativa de Gatti postula uma renovação radical do teatro francês contemporâneo [15]. Entretanto, seu êxito está muito longe de estar assegurado. Isto acontece em parte por culpa do próprio Gatti: sua prolixidade tem, como contrapartida, uma evidente desigualdade na inspiração e no tratamento das peças. Mas o que seu teatro supõe é também uma colaboração constante, profunda, entre o escritor e o encenador ou um coletivo de realização. Ora, esta colaboração só é possível muito raramente no estado atual da cena francesa. Aqui, como em outros países, mas com acuidade particular, a sorte de nossa dramaturgia aparece ligada a uma mutação da infra-estrutura teatral e dos métodos de trabalho utilizados. Uma contradição salta aos olhos: para serem montadas, a maior parte das peças de Gatti necessitam importantes meios materiais e grande elenco; são recursos que unicamente os teatros subvencionados podem colocar à sua disposição. Sabe-se que não só estes teatros dependem intimamente do Estado, e cada vez mais do governo, razão pela qual podem ser proibidos de tratar diretamente de temas políticos [16], mas, ainda, sua atividade se baseia, mais ou menos, numa concepção do teatro como "provedor de cultura", contra a qual precisamente estas peças se inscrevem. Citarei apenas, de memória, o fracasso de *Treze Sóis da Rua St. Blaize* no TEP em 1968: o problema que Gatti propunha aí era justamente o da função da cultura em nossa sociedade. Além do fato de a peça ter sofrido com as condições em que foi elaborada (Gatti a escreveu a partir de uma longa série de entrevistas livres com os espectadores do TEP), o mal-entendido surgiu

15. Seria certamente necessário mencionar ainda o teatro de Jean Genet, que permanece fundamental na dramaturgia francesa atual. Se não o faço é porque estou aqui considerando somente as obras escritas durante estes últimos anos. Ora, mesmo *Les Paravents*, representada em 1966, data de 1960.

16. Sabe-se que em dezembro de 1968 o governo ordenou a retirada do programa do T.N.P. de *Passion en violet, jaune et rouge* de Gatti, quando a peça já estava em ensaios e sua inscrição na temporada 1968-1969 fora aprovada pelo Ministério de Assuntos Culturais, mediante algumas modificações de detalhes (entre os quais a mudança do título original *La Passion du général Franco*).

porque ela foi montada e encenada como se fosse uma obra habitual do repertório do TEP, em vez de ser apresentada como algo em violenta oposição a este repertório.

Tocamos aqui um ponto essencial: o do estatuto do autor dramático, de sua integração na atividade teatral de hoje, das modalidades de seu trabalho com os encenadores, atores ou cenógrafos. Já assinalamos de passagem: em grande parte, o dramaturgo francês, ainda hoje, continua sendo o que ele sempre foi — um homem de gabinete, que em seu canto compõe peças segundo um certo modelo (a forma "clássica") e que espera ver executado no palco aquilo que concebeu no isolamento e no silêncio de seu escritório. Pois a peça escrita é coisa para aceitar ou largar — quase sempre para largar. Raros são os homens de teatro que pedem aos autores algo mais do que alguns pequenos ajeitamentos, modificações de minúcias: eles também se refugiam no cômodo álibi de "cada um com o seu trabalho". Um tal estatuto podia justificar-se numa época já bem distante, em que as convenções dramatúrgicas eram bem definidas e admitidas por todos (atores e espectadores) — assim mesmo é preciso observar que numerosos autores dramáticos franceses, dentre os mais importantes, não se contentaram em permanecer homens de gabinete: participaram efetivamente na realização de suas obras (desde Racine, ensinando a Champmeslé como dizer seus versos, até Claudel acrescentando em seus textos indicações cênicas novas e precisas, ou até Beckett moldando objetos teatrais de alta precisão ou mesmo encenando *Fim de jogo* no Schillertheater de Berlim; para não falar, é claro, de Molière).

*As duas escritas*

Em todo caso, hoje em dia, quando já não mais existe tal acordo sobre as formas teatrais (com exceção do *boulevard*, onde as regras do jogo permanecem mais ou menos as mesmas), o lugar do autor é menos no seu escritório do que na própria empresa teatral. Ora, se já houve de fato esforços consideráveis para organizar de outra maneira as relações entre teatro e seu público, nada foi efetivamente tentado para assegurar, se não a integração, pelo menos a presença do autor dramático na equipe de criação dos teatros. Entre o que Roger Planchon chama de escrita dramática e escrita cênica, há, mais do que nunca, uma solução de continuidade.

Uma nova política de criação teatral se mostra necessária, tanto para os autores (freqüentemente isolados da experiência concreta do teatro) quanto para os encenadores, que ficam fascinados, para não dizer alienados, diante do "mistério" da obra dramática e são tentados a adotar uma posição extrema. Uns tomam uma posição francamente hostil e seu grande sonho é submeter o autor à sua lei: é o caso, por exemplo, de Patrice Chéreau, cujos espetáculos constituem amiúde uma espécie de "execução" — em todos os sentidos da palavra — do texto, quer seja de Molière *(Don Juan)* ou de um dramaturgo estreante, como Dimitri Dimitriades *(O Preço da Revolta no Mercado Negro)*. Outros só têm sossego quando eles próprios se tornam autores: Roger Planchon realizou tal mutação. Não podendo evocar aqui longamente todas as suas peças, contentar-me-ei em assinalar que elas participam do que defini acima como "realismo descentrado". E que jogam numa defasagem constante da ação dramática: defasagem entre o exterior e o interior, entre o que é mostrado e o que não é mostrado, entre a descrição e a crítica. Pelo artifício da evocação de situações marginais: a dos camponeses de *La Remise* ou a do cura-assassino (inspirado no caso real do cura de Uruffe) de *O Infame,* Planchon remete o espectador aos mecanismos de conjunto do funcionamento social: o jogo de oferta e procura econômicos ou as relações cidade-campo, o poder de recuperação da Igreja ou de toda comunidade constituída em face de casos de transgressão individual... Estas peças estão longe de serem desprezíveis. Mas o paradoxo é que Planchon-dramaturgo parece esquecer o Planchon-encenador. As conquistas deste permanecem letra morta para aquele. Sua escrita cênica é infinitamente mais livre, mais nova, que sua escrita dramática. E quando monta suas próprias peças, o encenador parece paralisado diante do autor [17].

Hoje, mais do que nunca, a sorte de nossa dramaturgia é portanto tributária das transformações que afetarão as formas de exercício da atividade teatral e a função do teatro em nossa sociedade. A mutação cuja necessidade, desde maio e junho de 1968, é sentida com tanta acuidade pelos homens de teatro e pelos espectadores, não poderia se produzir apenas ao nível da criação dramática: é toda a criação teatral que está em questão. Impõe-se uma nova definição de seus fins e de seus meios. Sem dúvida ela deverá levar em consideração o caráter eminentemente coletivo do teatro e de seu enraizamento em situações concretas: aquelas que lhe dão, em cada caso preciso, seu lugar e seu público. Mas nem por isso deverá, em nome do mito de uma unidade enfim atingida entre atores e espectadores, entre o palco e a platéia, silenciar os poderes mesmos da escrita dramática. Superar a divisão entre o autor e os "executantes", de que ainda hoje sofremos, não significa confundir uns e outros no sonho de um teatro de ação direta ou de um teatro que pretendesse ser a própria vida: significa, pelo contrário, colocar suas diferenças a serviço de uma ação propriamente teatral. Uma dramaturgia nova — no duplo sentido da palavra — produção de obras e reflexão sobre os meios de produzi-las — ainda está para ser elaborada.

---

[17]. Entretanto, a realização cênica de *L'Infâme* (1969-1970) testemunha uma colaboração fecunda entre o autor e o encenador Planchon. O texto de *L'Infâme* foi publicado no primeiro número da revista *Travail Théâtral*, outono de 1970, Lausanne.

# CERTEZAS E INCERTEZAS BRECHTIANAS

## 19. UM REALISMO ÉPICO

Para abordar a obra de Brecht, é necessário recusar tanto as oposições quanto as aproximações convencionais. Neste caso, o naturalismo e o realismo não se conjugam; o realismo e o formalismo não se contradizem; a poesia não é transcendência, negação da realidade.

A dramaturgia brechtiana faz convergirem realismo e poesia: uma poesia que nunca nega o realismo, e um realismo que nunca é naturalismo. E isto não é efeito do acaso, mas resultado de um esforço consciente e contínuo de Brecht, que desenvolve paralelamente à própria obra um método desta obra.

Tentemos inicialmente definir negativamente o realismo brechtiano.

O teatro de Brecht originou-se ao mesmo tempo do naturalismo e do expressionismo — do naturalismo no qual Gerhard Hauptmann foi o dramaturgo mais representativo (em seguida "converteu-se" ao simbolismo) e do expressionismo que, de 1910 a 1920, predominou no teatro alemão com Wedekind, Kaiser e Hasenclever...

O naturalismo acentua a submissão do homem ao mundo; em última instância, instaura um fatalismo da matéria. Uma cena de *Naná* de Zola é, a este respeito, característica: a da sedução do Conde Muffat. Quando este vem encontrar Naná em seu camarim, Zola faz preceder este episódio da sedução propriamente dita por uma longa descrição do conde descobrindo os bastidores do teatro, subindo as escadas. Deste modo, ele nos mostra o conde pervertido pelo teatro antes de sê-lo por Naná, cujo papel a partir de então passa a ser secundário. Naná a sedutora é apenas um epifenômeno, a conclusão humana de uma perversão que já está consumada, pelo simples contato da matéria. Todo o livro é, de resto, a história de uma armadilha; a própria Naná torna-se, na história, literalmente matéria, à feição de um câncer que prolifera ao infinito, não poupando ninguém.

Em um mundo como este, não há mais lutas nem contradições. O universo naturalista é monolítico. Daí esta conversão tão freqüente do naturalismo em simbolismo: este mundo da matéria torna-se para ele mesmo seu próprio símbolo [1].

O expressionismo é o oposto desta "materialização". Parte de um *tête-à-tête* rigoroso entre o mundo e um homem, entre o mundo e o Homem, com H maiúsculo, este homem que não é nem mesmo um ser individualizado, que se reduz a uma paixão (por exemplo, na obra de Wedekind, onde ele é erotismo). Assim, do lado oposto do naturalismo, o expressionismo chega a um resultado semelhante: este *tête-à-tête*, esta contestação entre o Homem e o mundo, desemboca em um pesadelo místico, em uma pura li-

---

1. Cf. a este respeito as análises de Lukács, principalmente em *Probleme des Realismus* e *Wider den missverstandenen Realismus* (traduzido em francês por Maurice de Gandillac com o título de "La Signification présente du réalisme critique", Paris, "les Essais XVC", 1960).

teratura de fantasmas. Neste caso, também, todas as contradições desaparecem: o homem e o mundo dissolvem-se mutuamente.

Na Alemanha, em 1923, uma tendência opõe-se ao mesmo tempo ao expressionismo e ao naturalismo: é a *Neue Sachlichkeit,* que se pode definir como uma tentativa de encontrar um ponto de apego sólido à realidade através da *descrição.* Um de seus teóricos, Wilhelm Michel, escreveu que os autores da *Neue Sachlichkeit* visam "à própria coisa, à própria vida, ao objeto autêntico", que seus dramaturgos têm o único objetivo de "representar (a palavra alemã significa também *surgir)* no palco a vida de hoje e suas forças, sem tratamento artístico, sem harmonização prévia".

No teatro, o resultado deste esforço é a *Zeitstück* (a peça do tempo, da época), uma reportagem dramatizada de que um crítico chegou a dizer: "a *Zeitstück* habitual contenta-se com a ação direta, imediata, do meio, dos acontecimentos descritos, recusando-se a ultrapassar os casos individuais para atingir alguma coisa de mais essencial. A técnica empregada consiste, como no naturalismo, em entregar-nos pedaços da realidade inteiramente crus, sem inscrevê-los em uma seqüência causal".

Partindo desta *Neue Sachlichkeit,* Piscator tentou ampliá-la e passar da descrição de acontecimentos restritos à evocação da História. De um teatro de constatação, Piscator quis fazer um grande teatro político, um teatro de massas. Piscator é a *Neue Sachlichkeit* e mais uma sensibilidade comunizante — não ouso dizer marxista.

Isto não nos afasta de Brecht, que deve muito a estes movimentos, ao naturalismo e ao expressionismo em particular. Quanto à *Neue Sachlichkeit* e ao teatro político de Piscator, Brecht foi seu contemporâneo, trabalhou com eles, no mesmo sentido que eles, sem jamais ter chegado a se separar deles.

*Baal,* a primeira peça de Brecht, datada de 1918, deriva, com efeito, do expressionismo. Uma lenda pretende que esta peça seja na realidade o resultado de uma aposta. Brecht teria visto em Munique uma peça de Johst (dramaturgo expressionista que se tornou, mais tarde, um dos autores oficiais do regime nazista),

*Der Einsame* (O Solitário), biografia dramática do poeta alemão Grabbe em que este é representado como um escritor maldito que morre à força de lutar contra o mundo, contra os filisteus. Brecht teria zombado então desta peça "idealista" e um amigo o teria desafiado a escrever uma obra comparável em quatro dias. E assim foi: ao fim destes quatro dias, *Baal* estava pronta.

Esta anedota possui o mérito de explicar o sabor de paródia que há em *Baal*. É bem verdade que *Baal* é uma peça expressionista, um *Stationendrama*, mas o expressionismo de *Baal* tem qualquer coisa de suspeito. Por um lado, é como que levado à incandescência, virulento demais para ser verdadeiro. Por outro lado, é voluntariamente "materializado": não há mais idealismo em *Baal*. A solidão do poeta não é uma exaltação, como a do Grabbe de Johst; é um estado. E o tom muda. Comparem-se apenas as últimas falas do herói de Johst e as de Baal. Na obra de Johst, o poeta moribundo exclama:

> A humildade está no começo e no fim.
> Já se aproximam as regiões sombrias, veladas,
> Agora o nevoeiro se rompe... o olho vê longe.
> Ó Sono, és o despertar?
> — Morte, és a imortalidade!

Baal agonizante contenta-se com:

> Mas aqui a gente sufoca. Lá fora deve estar claro.
> Eu quero sair. Eu vou sair. Meu caro Baal...
> Eu não sou um rato. Deve estar claro lá fora.
> Meu caro Baal... Vamos pelo menos até a porta.
> Ainda temos joelhos; até a porta, é melhor.
> Maldição! Meu caro Baal... Estrelas... hum.
> *Arrasta-se para fora.* FIM.

*Baal* é uma constatação. Brecht não reivindica a onipotência dos instintos: ele a mostra, mas revela também seu fracasso e seu lado cômico. Isto porque Brecht não vem apenas do expressionismo, mas sofreu também a influência do cômico popular de Munique, Karl Valentin (que foi qualificado de *"clown* surrealista"), para quem chegou mesmo a escrever alguns *sketches*, como *O Casamento do Pequeno-burguês* [2].

[2]. A peça conta um casamento de pequenos-burgueses bávaros; os convidados contam histórias mais ou menos obscenas ou patrióticas,

Paródia de *Der Einsame, Baal* pode ser portanto considerado como o adeus de Brecht ao expressionismo.

A segunda peça de Brecht, *Tambores da Noite*, cuja ação se passa em Berlim durante a noite em que os Spartakistas atacam o bairro dos jornais, caracteriza-se ao contrário por um naturalismo exacerbado e exprime uma recusa do mundo, da História. Kraegler, soldado que volta de um longo cativeiro, injuria a sociedade burguesa que o acolhe (ou melhor, que gostaria de não acolhê-lo) e não aceita, contudo, participar do levante spartakista: reencontra a noiva e vai passar a noite com ela. Esta atitude coincide com uma exaltação dos atos mais elementares, uma escolha do "porco que há em cada um de nós" — ao contrário ao mesmo tempo das declamações expressionistas e do idealismo socialista. Isto porque Brecht se recusa a deixar-se enganar. O que vale para ele é a realidade, uma realidade que pode ver e tocar, e não os fantasmas expressionistas. "As concepções dramáticas desta época, com seus apelos grandiloqüentes ao Homem e suas soluções artificiais e idealistas repugnavam ao estudante de Biologia que eu era."

O teatro de Brecht continuava, portanto, ainda incerto. Comportava brilhos extraordinários (os poemas de *Baal*), espantosos momentos de paródia (como em *O Casamento*), uma utilização aguda dos instrumentos cênicos (em *Tambores da Noite*), mas era quase exclusivamente negativa: um teatro de recusa.

Foi então que ocorreram três obras, capitais na elaboração de sua dramaturgia, que fundam o que chamamos de realismo brechtiano. São, cronologicamente, *A Vida de Eduardo II*, adaptação de Marlowe, *Na Selva das Cidades* e principalmente *Um Homem é um Homem*.

A contribuição decisiva de *Eduardo II* é o que poderia ser caracterizado como a inclusão de detalhes

o pai bêbado retoma infinitamente a mesma anedota que se torna cada vez mais escabrosa... e todo mundo extasia-se com o mobiliário da sala de jantar, obra do esposo recém-casado. À medida que a temperatura sobe, no sentido figurado e no sentido próprio, as peças do mobiliário começam a descolar-se e os móveis, um a um, desabam, assim como os convidados, cada vez mais bêbados. Para terminar, resta apenas aos jovens esposos consumar o casamento entre as ruínas de seu lar. O texto francês, escrito por Edouard Pfimmer, foi publicado em *Théâtre Populaire*, n.º 50, 2.º trimestre de 1963.

naturalistas em um grande afresco histórico. Quando Brecht e Feuchtwanger adaptaram *Eduardo II* de Marlowe, fizeram-no com a intenção de desmistificar o teatro romântico em que os reis aparecem como heróis predestinados. Desta vez, os reis são reduzidos à sua função de reis: quanto ao resto, são apenas homens. Um crítico da época, Ihering, definia muito bem o trabalho de Brecht, assinalando:

> Ele não diminui os homens. Não os atomiza. Ele os afasta. Ele retira do ator sua *Gemütlichkeit* (sua sentimentalidade). Ele exige que os acontecimentos sejam mostrados pelo que são. Requer gestos simples. Força os atores a uma alocução clara, fria. Ele não lhes passa nenhum sentimentalismo — e daí resulta o estilo objetivo, o estilo épico.

Brecht rompe com o teatro de atmosfera romântica que durante muito tempo predominou na Alemanha. E vai mesmo mais longe: serve-se de Marlowe para dessacralizar para "deseroizar" o teatro histórico. Na obra de Marlowe, diferentemente de Shakespeare, os reis não são nunca sagrados: podem ser heróis faustianos (não Eduardo mas Tamerlão), mas seu caráter "real" jamais os valoriza — pelo contrário. E Brecht acentua ainda mais esta dessacralização, acumulando uma sucessão de pequenos detalhes verdadeiros, até mesmo vulgares, sobre a cabeça de Eduardo II. A linguagem desta adaptação, aliás, não tem mais nada em comum com o estilo lírico de *Baal*. *Eduardo II* é uma sucessão de cenas realistas, uma sucessão de partidas de pôquer. Mas ao mesmo tempo Brecht introduziu na peça uma descontinuidade entre a história que se desenrola, com seus faustos e seu sangue, e as palavras, os gestos dos que a fazem, interesseiros e risíveis.

É neste ponto que a diferença entre Brecht e Piscator aparece nitidamente. Piscator quer mostrar tudo. Quer mostrar a História que se faz, como e por quem ela é feita. Por exemplo, montando *Rasputin*, utiliza a *segment-bühne*, isto é, um palco hemisférico com planos múltiplos; no centro, Rasputin age e fala, e à sua volta, em alturas diferentes, desenrolam-se ações paralelas que envolvem as principais personagens da Europa. Brecht, por sua vez, pretende inicialmente nos mostrar a relação entre o homem, entre um homem e a História — não nos expor toda esta História. Para ele, há, de um lado, a vida individual deste homem e, do outro, a História: cabe ao espectador efetuar o vaivém entre os dois e extrair daí a moral, a sua moral.

É verdade que algumas críticas marxistas taxaram *Eduardo II* de idealista e queixaram-se que a História, na peça, fica reduzida às ligações amorosas de Eduardo II, a seu gosto pelos filés e a seu amor por Gaveston, o favorito.

A ambição de Brecht já é clara: não representa apenas o mundo, um mundo sem fissuras, como o faziam os naturalistas, nem a ausência de um mundo assim, à moda expressionista; ele nos mostra seres situados em um lugar e em um momento particulares. Sua estética, neste caso, continua próxima da estética da *Neue Sachlichkeit*. Uma peça de teatro é composta de fragmentos da realidade, de situações brutas reveladas a partir de gestos, de objetos simples. Mas Brecht não se deixa cair na tentação de dar uma significação simbólica a tais fragmentos. Ele os situa no mundo. Desvela suas relações com o conjunto da vida. Introduz entre estes fragmentos e o mundo uma tensão, uma contradição.

Assim, evita o perigo de evocar uma época apenas através da acumulação de pequenos fatos que poderiam ser verdadeiros em qualquer época. Brecht não nos deixa nunca ignorar a relação que liga o particular ao geral; esta relação passa mesmo a ser a própria problemática de suas obras. Citarei apenas um exemplo: a cena do enterro do Marechal Tilly em *Mãe Coragem*. Deste enterro, Brecht só dá a ouvir os ecos das fanfarras: toda a história oficial se passa em segundo plano. O que aparece em primeiro plano é a maneira pela qual Mãe Coragem vive esse dia em que sua filha, atacada por soldados bêbados, volta da cidade, desfigurada. E também o capelão, que constata: "Ei-los enterrando o Marechal. É um momento histórico", e Mãe Coragem replica: "Feriram minha filha no rosto, isto é para mim o momento histórico".

A vida cotidiana e o painel histórico coexistem,

em uma relação dialética. Tal é o primeiro elemento do realismo brechtiano.

Lembremo-nos dos cenários do Berliner Ensemble. O palco é geralmente limitado por um vasto ciclorama branco ou pardo sobre o qual alguns sinais nos indicam o mundo, nos sugerem a História (desenhos, cartazes...). Mas, no interior deste espaço quase branco, há uma abundância de materiais, de objetos, de elementos familiares que nos mostram a maneira pela qual os protagonistas do drama vivem cotidianamente.

Esta relação entre homens e o mundo correria o risco de ser estática (e o é em *Eduardo II*) e de culminar com uma irredutível oposição, se não estivesse incluída em uma dinâmica do drama. Ora, esta dinâmica, na obra de Brecht, nasce de uma construção dramática nova que se pode chamar da construção em partes destacadas ou destacáveis. Cada cena da obra teatral aparece por si mesma; ela não resulta de um encadeamento. Forma um todo. Consideremos a terceira peça de Brecht: *Na selva das cidades*. O próprio tema requeria uma construção deste tipo. Trata-se, de fato, da procura de uma combate decisivo entre dois homens — de uma grande cena comparável, por exemplo, à da explicação entre Maria Stuart e Elisabeth da Inglaterra em *Maria Stuart* de Schiller, em que ela é o ponto capital. Na peça de Brecht, porém, esta cena nunca ocorre; há uma sucessão de falsos confrontos, de falsas lutas, de falsos corpo-a-corpo (ou alma-a-alma) que terminam bruscamente. Daí, esta construção em pedaços separados. Brecht rompe com o encadeamento inelutável do teatro clássico em que uma cena leva a outra, com sua irresistível progressão baseada na psicologia ou na exigência de um momento culminante em que possa realizar-se a catarse.

Segundo seus próprios termos, Brecht substitui pela *montagem* o crescendo *(Wachstum)* do teatro tradicional. É verdade que este era um processo muito em moda entre a vanguarda alemã. Brecht assinala em "Teatro recreativo ou teatro didático"[3]: "...Döblin, que era um escritor épico, criou um notável cri-

3. Cf. *Écrits sur le Théâtre*, Paris L'Arche, pp. 110-119.

tério do estilo épico, quando disse que uma obra épica, ao contrário de uma obra dramática, suportava bem o fato de ser literalmente cortada em pedaços, permanecendo cada um destes pedaços vivo".

É que se trata de mostrar não uma evolução fatal, irresistível, mas uma série de possibilidades, e para isto, de decompor uma situação em outros tantos elementos particulares que o espectador "remontará" em seguida.

Este esquema de construção, aliás, não é radicalmente novo. Nosso teatro clássico habituou-nos a uma construção linear, a uma curva que atinge o ápice para depois tornar a cair, mas outras formas artísticas basearam-se no isolamento e na autonomia de elementos montados em conjunto: em certas obras musicais, as de Bach por exemplo, os temas, os desenvolvimentos, têm um sentido pleno em si mesmos e podem ser destacados uns dos outros, mas o conjunto também tem um sentido global, diferente da soma das significações parciais.

Enquanto cada cena de Brecht possui uma significação em si, enquanto cada uma revela algo diferente (o que Brecht chama de *gestus*): em *Mãe Coragem,* existe a separação entre o momento em que Anna Fierling age como mãe e outro em que age como comerciante..., a sucessão destas cenas constitui o sentido global.. Cabe ao espectador determinar, deduzir do espetáculo este sentido global: em nenhum momento, este sentido é expresso claramente, ele não se realiza em uma cena-chave.

Daí a predileção de Brecht pela forma do *processo,* que utilizou muitas vezes. Ela lhe dava, com efeito, a possibilidade de fazer com que coexistissem diversas interpretações, diversas significações que se sucediam, representadas, encarnadas no próprio palco. Algumas de suas peças, principalmente as *Lehrstücke* (peças didáticas), não são mais que processos, opondo versões diferentes de um mesmo fato e colocando o espectador na posição de juiz.

Daí também a necessidade de uma representação descontínua dos atores. O ator, tampouco, se deve deixar levar por uma espécie de "crescimento natural".

Ele não deve ser possuído por uma paixão que se exacerba e termina com a vitória ou com a morte: trata-se de um homem que se mostra, pedaço a pedaço, que se revela pouco a pouco.

É compreensível que seja preciso considerar esta construção por fragmentos destacáveis como um dos critérios do estilo épico: assim como a inclusão de detalhes naturalistas no painel histórico, ela permite unir, no próprio palco, a descrição da vida cotidiana e a evocação da História sem reduzir uma à outra.

Estas duas técnicas seriam letra morta, se não se baseassem na convicção de que nem o homem nem o mundo são entidades, mas sim realidades eminentemente *mutáveis*. A esta altura, Brecht rompe definitivamente com o teatro clássico que postulava um homem eterno frente a um mundo que não era menos eterno — nem o naturalismo e nem o expressionismo haviam introduzido qualquer inovação neste aspecto. Para ele, ao contrário, o homem é um ser que muda. Parece que estava consciente deste fato quando escrevia *Um Homem é um Homem*. O subtítulo da peça no-lo indica: *Um Homem é um Homem ou A Metamorfose de Galy Gay nos Acampamentos Militares de Kilkoa*. Aqui, o procedimento da montagem não é mais apenas uma técnica teatral: o próprio tema é a desmontagem de um homem, o pacífico Galy Gay, que ia comprar peixe na cidade e a remontagem de outro homem, Jeremiah Jip, o soldado colonizador, o "tigre ávido de sangue de Kilkoa".

Poder-se-iam multiplicar os exemplos. Cada personagem de Brecht é uma personagem em transformação. Na adaptação que Brecht fez do romance de Górki, *A Mãe,* por exemplo, que é como "a vida exemplar de um comunista", os fatos são o que conta menos, as ações excepcionais de Pelaguéa Vlassova (não estamos diante de uma Vida de Santo), e o que interessa é o progresso de Pelaguéa Vlassova, sua transformação lenta, progressiva, em uma comunista exemplar. Pelaguéa Vlassova não estava predestinada a ser comunista: não há fatalidade em seu caso. Brecht nos mostra como vem a sê-lo, como é feita pelo comunismo e como o faz.

Em *O Círculo de Giz Caucasiano,* é Grucha, a

criada, que se torna progressivamente a mãe do filho da princesa Abaschvili: a maternidade, aqui, é uma conquista. Do mesmo modo, uma das peças mais complexas de Brecht, *Galileu Galilei*, nos expõe como Galileu torna-se Galileu, isto é, ao mesmo tempo o sábio que criou a ciência moderna e o homem que a traiu, consagrando sua ruptura com o povo.

O resultado da metamorfose importa menos que seu *como*. Brecht não procura nos surpreender com o fato de Pelaguéa Vlassova tornar-se comunista exemplar ou de Grucha tornar-se a mãe reconhecida como tal. O que interessa, o que pretende nos mostrar, é o caminho que leva a este resultado, as trilhas desta metamorfose.

Estas trilhas são duplas: resultam de uma ação do mundo sobre o homem, mas também de uma ação do homem sobre o mundo.

Em suas primeiras peças, Brecht acentuou principalmente a ação do mundo sobre o homem. Assim, em *Um Homem é um Homem,* a metamorfose de Galy, sua despossessão de si mesmo, é obra do mundo. Galy Gay não pode deixar de se tornar Jeremiah Jip. Não que em seu caso haja uma fatalidade individual: sua fatalidade lhe é exterior, é social, chama-se guerra, exército e colonização, e Brecht chama-a pelo devido nome. Do mesmo modo, em *A Exceção e a Regra,* o *coolie* não pode deixar de ser culpado, apesar de ser inocente, porque o mundo (isto é, seus patrões) precisa que seja culpado. Entre o homem e o mundo, não há interação possível. Brecht limita-se então a um puro teatro de denúncia. Põe em cena nossa alienação para que nos levantemos contra ela, contra o mundo, contra a História que a provocam.

Em suas *Lehrstücke,* Brecht propõe uma solução para esta relação inteiramente negativa entre o homem e o mundo. Esta solução é a renúncia, é o *Einverstandnis* (o estar de acordo com...). Leia-se *A Importância de Estar de Acordo, Peça Didática de Baden-Baden:* para se tornarem homens, os heróis devem renunciar a tudo o que fazia deles heróis (o nome, a consciência de seus feitos...). Trata-se de abdicar da própria personalidade para fundir-se na massa, para aceitar a verdade da História e poder fazê-la em seguida. Solução mística (estas *Lehrstücke* derivam, aliás, do teatro dos jesuítas da época da Contra-Reforma), na qual Brecht não se deteve por muito tempo.

De fato, após este período das *Lehrstücke*, Brecht admite que, se o homem é feito e pode ser modificado pelo mundo, o mundo também é feito pelo homem, deixando-nos a tarefa de concluir que o mundo, portanto, pode ser modificado pelo homem.

Voltemos a *Mãe Coragem*. Anna Fierling não é apenas passiva, sacudida pela guerra. Ela participa desta guerra. Vemo-la participando dela, e às vezes ela própria toma consciência disto. Assim, após o "momento histórico" do enterro do Marechal Tilly, depois de sua filha ter sido desfigurada (por sua culpa: ela queria aproveitar a ocasião e comprar), grita num momento de lucidez: "Maldita seja a guerra". Mas já na cena seguinte, volta a cair em suas contradições: ela torna a vender, vende cada vez mais, mesmo sabendo que vendendo assim ela faz o jogo da guerra que lhe tomou os filhos e que deformou sua filha. Anna Fierling não é mais apenas uma vítima, oprimida, desmembrada pelo mundo; ela tem um pacto com a guerra, é responsável por sua própria alienação.

Em *A Vida de Galileu (Galileu Galilei)*, Brecht insiste ainda mais nestas contradições. Galileu é ao mesmo tempo oprimido e responsável por sua opressão. Deixando Veneza e indo para Florença, entregou-se ele mesmo às mãos da Inquisição. É verdade que o faz apenas para poder continuar sua obra, pois Florença, à diferença de Veneza, oferecia-lhe os meios de fazê-lo.

Esta responsabilidade não é de fato de ordem moral. Brecht ultrapassou completamente o estágio "voluntarista" das *Lehrstücke*. Ele nos mostra a responsabilidade objetiva do homem engajado no mundo. Faz-nos conhecê-la.

Esse realismo brechtiano, devemos defini-lo, ao contrário do naturalismo, como uma vontade de evocar uma sociedade que transforma o homem mas que também pode ser transformada por ele. Brecht nunca deixou de repeti-lo: para ele esta dinâmica é essencial. Ainda no fim de sua vida, respondendo a Dürrenmatt, colocava-a como condição *sine qua non* de um teatro de nosso tempo: "No teatro como em qualquer parte, o mundo hoje só pode ser representado de maneira válida se for considerado como suscetível de mudança."

Antinaturalista, porque recusa a dissolução do homem no mundo, antiexpressionista, porque rejeita a ruptura com o mundo, a obra de Brecht baseia-se nesta necessidade de transformar a sociedade, e, para transformá-la, de conhecê-la. Seu ponto de partida é a contestação da natureza como tal. Possivelmente, então, os expressionistas já haviam feito o mesmo, mas sua contestação havia permanecido abstrata ou se havia convertido em uma recusa global. A contestação de Brecht é a contestação da natureza burguesa. Recusando a noção de que houvesse uma natureza "naturalizante", reconhecendo que o que chamamos de natureza não é nunca mais do que o conjunto das regras que nos são impostas pela classe dominante, com a finalidade de manter e perpetuar sua dominação dando-a como natural, Brecht empenhou-se inicialmente em nos revelar a realidade datada, histórica, de uma tal natureza, falsamente considerada eterna.

Na *Ópera de Três Vinténs* e em *Grandeza e Decadência da Cidade de Mahagonny,* o instrumento desta contestação é a paródia. Brecht reconhecia que estas obras procediam ainda daquilo que ele chamava de "arte culinária", isto é, um teatro destinado ao mesmo tempo a satisfazer as necessidades, os desejos de um público em sua grande maioria burguês. No entanto, acrescentava, esta arte culinária em seu teatro é levada ao absurdo e, através disto, é denunciada:

A *Ópera de Três Vinténs* não tem somente um conteúdo burguês, mas a maneira pela qual é encenada é também burguesa. É uma espécie de versão condensada do que o espectador deseja ver da vida no teatro. Mas como, na mesma ocasião, ele também vê aí diferentes coisas que não deseja ver, assim como vê seus desejos criticados no momento mesmo em que são realizados (deste modo, ele não se vê mais como sujeito, mas como objeto), ele se vê levado — teoricamente, ao menos — a atribuir ao teatro uma função nova.

Em *Mahagonny,* história fabulosa de uma cidade em que todos os prazeres são permitidos, tornamos a encontrar os temas de certas operetas burguesas, mas "objetivados". Neste caso, os prazeres permitidos não são mais inocentes. Eles levam todos ao crime. Quadros intitulados *A Vida em Mahagonny* mostram-nos como se faz o amor, como se come, como se brinca... e terminam todos com a morte do protagonista. Mas a morte não é mais que um fantasma. Nesta cidade de sonho, há apenas um elemento real: o dinheiro. Paul Ackermann matou, violou, traiu... isto não tem nenhuma importância, mas ele não teve dinheiro suficiente para pagar seu uísque, e isto sim é grave, isto é *o* crime: condenado à morte, será executado.

Levando ao absurdo as contradições da civilização burguesa (principalmente as que existem entre as práticas desta civilização, fundadas no dinheiro, e sua moral, à base do Cristianismo), Brecht coloca em questão, graças aos estratagemas da *Ópera de Três Vinténs* e de *Mahagonny,* a natureza burguesa; ele a revela, em bloco, como sendo falaciosa, incoerente ou criminosa; ela a desmascara, como sendo o contrário mesmo de uma natureza, como um conjunto de convenções às quais apenas o dinheiro dá uma realidade.

Na transformação de *Aquele que Diz Sim* em *Aquele que Diz Não,* podemos perceber de modo vivo como seu teatro passou da pura negatividade (da denúncia) a uma positividade (isto é, a um reconhecimento, uma base). Brecht havia escrito uma pequena ópera (musicada por Kurt Weil), intitulada *Aquele que Diz Sim.* O tema era o seguinte: em uma cidade, uma epidemia se declarou, não há mais remédios para combatê-la, é portanto preciso organizar uma expedição para chegar ao outro lado da montanha e trazer os remédios necessários. Uma criança, cuja mãe está doente, pede para juntar-se à expedição. É aceita. Eles partem. No caminho, a criança também fica doente. O que fazer? É preciso voltar para a cidade com a criança e tratá-la como a todos os outros, ou então abandonar a criança, deixá-la morrer ali, pois está fraca demais para continuar a subida e, no entanto, se continuarem talvez possam trazer os remédios que salvarão a cidade. Cabe à criança decidir por si mesma, e ela diz *sim:* consente em sacrificar a vida para salvar a cidade. Reconhece assim a necessidade do Grande Costume que exige o sacrifício de si pelo bem de todos. Diz "sim" à nossa civilização, age conforme "nossa" natureza. É nosso herói.

Esta versão foi então representada para os alunos de uma escola: a Karl Marx Schule. Interrogados após o espetáculo, para saber se davam ou não razão à criança, a maioria destes alunos respondeu negativamente. Brecht modificou então sua obra e fez com que a criança dissesse "não". Nesta nova versão, a criança e a expedição voltam portanto para a cidade, de mãos vazias mas com o coração alegre. O "não" da criança aboliu o Grande Costume; agora é preciso fazer as coisas lá mesmo, na realidade, sem ir para o outro lado da montanha, sem sacrificar ninguém pela "salvação" hipotética de todos em nome de uma "natureza" qualquer. Um novo costume é instaurado. O Grande Costume é denunciado como falacioso, e esta denúncia cria uma nova natureza.

A intervenção desses alunos no processo criador dá mostras da importância da mediação do espectador, do público, na dramaturgia brechtiana. De fato, os três elementos constitutivos do teatro épico, que tentei analisar, só assumem toda eficácia com relação ao público. O espetáculo de Galy Gay transformado em Jeremiah Jip pela pressão da sociedade seria um espetáculo da fatalidade, se o espectador não fizesse nele uma descoberta de sua própria liberdade — e ainda assim, para tanto, é necessário que Brecht dê aos espectadores os meios de efetuar esta inversão, ou seja, que lhes permita identificar exatamente as forças que se encontram na origem da metamorfose de Galy Gay.

Resumindo a diferença de atitude entre o espectador do teatro dramático e o do teatro épico, Brecht afirma [4]:

O espectador do teatro dramático diz: Sim, isto eu já senti, eu sou assim. Isto é natural. Isto vai ser sempre assim. O sofrimento deste homem me perturba porque, para ele, não há saída. Esta é a arte maior, tudo nela acontece porque é necessário. Choro com os que choram, rio com os que riem.

O espectador do teatro épico diz: Isto, eu não teria pensado assim. Não se deve fazer isso desta maneira. É

---

4. Em "Théâtre récréatif ou théâtre didactique?", in *Écrits sur le théâtre*, edição citada, pp. 112-113.

espantoso, quase incrível. Isto não pode continuar. O sofrimento deste homem me perturba porque justamente para ele há uma saída. Esta é a arte maior, nada nela acontece porque é necessário. Rio dos que choram, os que riem me fazem chorar.

A primeira atitude é a de *participação,* não apenas do espectador no que ocorre com o ator, mas do espectador na própria natureza do mundo representado — seu reconhecimento como natureza geral, eterna. Em todas as fases do teatro épico intervém um *distanciamento:* distanciamento entre os detalhes naturalistas e a História esquematizada, entre as próprias cenas, separadas umas das outras, entre o mundo e o Homem, entre o espetáculo e o espectador. E este é então levado a reconhecer o caráter passageiro, temporário, da natureza que lhe é representada para ele, e a considerá-la como um certo estado histórico do mundo e dos homens.

Aqui não caberia estudar todas as técnicas de "distanciamento" ajustadas por Brecht, seja em suas próprias peças seja ao longo de seu trabalho no Berliner Ensemble. Seja suficiente mencionar, a título de lembrete: a utilização de cartazes destinados a anunciar a ação e indicar seu local e momento, a iluminação do palco por fontes de luz visíveis, o esquematismo dos cenários que servem apenas para situar a obra, a riqueza e a multiplicidade dos objetos que "cristalizam" de alguma forma a relação do homem com o mundo e passam a significá-lo, a descontinuidade da representação dos atores, o corte do próprio texto em vários planos: plano da conservação banal, plano da declamação, plano das *songs* — planos que é importante isolar uns dos outros, consistindo o erro (muito comum entre os atores que representam Brecht) em passar insensivelmente de um a outro, como por gradação...

O teatro de Brecht pressupõe uma crítica perpétua, múltipla, entre todos os elementos do espetáculo, uma crítica também entre o espectador e o espetáculo de maneira que em nenhum momento possa haver absorção, cair-se na cilada de uma natureza naturalizante, eterna. Sua finalidade é mostrar o *antigo,* mostrá-lo como tal, para permitir ao espectador criar o *novo.*

Pouco a pouco, nas peças de Brecht, esta crítica se torna mais ampla, mais rica: em *Um Homem é um Homem,* ela nos revela apenas uma simples relação de opressão entre o mundo e o homem; em *Galileu,* organiza um conjunto complexo e revela a responsabilidade objetiva de Galileu em sua própria opressão. Vendo *Um Homem é um Homem,* o espectador pode dizer: não serei nunca um Galy Gay, e ficar por aí. Diante de *Galileu,* ele é incessantemente remetido de sua participação no que ocorre com a personagem Galileu a uma desalienação com relação a ele — o que resulta em uma compreensão tanto de Galileu e de sua época à luz de nosso tempo como do próprio espectador e de sua época à luz do fracasso de Galileu.

Philippe Ivernel [5] falou com acerto da "perspectiva múltipla" do teatro de Brecht. Este requer, de fato, mais que uma simples tomada de consciência do espectador que, vendo personagens cegas, recobra sua clarividência; este espectador deve ser levado a desfrutar um mundo que começa a compreender (no sentido mais amplo do termo) em toda a sua complexidade. Então, tudo o que lhe parecia natural pode parecer-lhe incomum, tudo o que lhe parecia ser eterno pode parecer passageiro, e, sobre as ruínas de um Grande Costume de que compreendeu ao mesmo tempo a utilidade e a precariedade, estará em pouco tempo pronto a instaurar um Novo Costume.

Este foi, de fato, o sonho maior de Brecht: a fundação, o reconhecimento de uma *Nova natureza,* de uma nova familiaridade com o mundo, e transformação do teatro épico, que é o teatro de um mundo que nos transforma, em teatro de um mundo que se torna cada vez mais natural.

*O Círculo de Giz Caucasiano* revela esta intenção. A peça nos propõe, como dizia ainda Philippe Ivernel, o exemplo de uma "maternidade social". Expressão que define muito bem não apenas a maternidade artificial de Grucha, mas o projeto fundamental do *Círculo de Giz:* além da história de Grucha e

5. Durante a conferência intitulada *Pedagogie et politique chez Bertolt Brecht,* que proferiu por ocasião dos Encontros de Arras em 1957 e que está reproduzida em *le Théâtre moderne: Hommes et Tendances,* Paris, edição do Centre National de la Recherche Scientifique, 1958.

de "seu" filho, o que a peça anuncia é o parto social de uma nova natureza.

Por isso, no fim de sua vida, Brecht temia que a categoria do teatro épico permanecesse demasiado formal e que designasse apenas um teatro da tomada de consciência. A esta expressão, preferia a de teatro dialético — literalmente de *dialética no teatro (Dialektik auf dem Theater)*. Desejava assim que o realismo épico se abrisse para um realismo dialético que, ultrapassando seus próprios dados, se manifestasse por um mundo reconciliado.

Pode-se então falar de poesia, no sentido mais amplo do termo. O teatro, para Brecht, torna-se o próprio lugar do conhecimento: é mais que o instrumento de uma tomada de consciência, é a imagem de um trabalho alegre, de um parto coletivo. O teatro grego não celebrava, sobre as ruínas das antigas fatalidades, a consagração de uma cidade livre, libertada e reconciliada?

Ninguém melhor que o próprio Brecht exprimiu esta grande esperança, quando concluiu assim seu *Pequeno Órganon Para o Teatro:*

As imagens recriadas não devem predominar sobre o que é recriado: a vida coletiva dos homens, e o prazer que se obtém com a perfeição destas recriações deve transmutar-se em um prazer mais alto: o de ver todas as regras da vida social tratadas como provisórias e imperfeitas. Assim, o espectador faz mais que olhar: passa a ter um papel ativo. Em um teatro que é desta vez o seu, ele pode gozar como um divertimento trabalhos terríveis e intermináveis que lhe permitem assegurar a subsistência, bem como o terror de suas incessantes metamorfoses. Aqui, ele se produz a si mesmo da maneira mais fácil; pois a maneira mais fácil de existir está na arte.

## 20. A PRÁTICA DO BERLINER ENSEMBLE

1. *Uma lição*

Em 29 de junho de 1954, depois que o Berliner Ensemble apresentou pela primeira vez em Paris, *Mãe Coragem e Seus Filhos,* no teatro Sarah Bernhardt, tivemos a imediata certeza de termos assistido a algo mais que a uma representação teatral bem sucedida. O que então se nos impôs foi a necessidade de uma arte em que se encontrem conciliadas as duas exigências opostas de comunhão e de crítica na realidade de um *teatro político*.

Depois disso tivemos oportunidade de assistir a muitos outros espetáculos do Berliner Ensemble sem encontrar motivos para que nossa primeira certeza se debilitasse. Ao contrário. Em cada uma destas montagens, a *lição* do Berliner Ensemble se impôs com mais força.

Por certo, podemos constatar que foi o Berliner Ensemble que nos revelou a obra de Brecht. Mas isto seria dizer muito pouco: seus espetáculos não apenas nos apresentam Brecht, mas surgem como a própria *realização* de sua obra. É impossível, neste caso, dissociar a obra de sua encenação. A peça não é um pretexto para o espetáculo, assim como o espetáculo não se reduz a uma apresentação da peça. Muito mais do que um estilo de teatro, o que temos diante de nós é aquilo que Roger Planchon chamou, recentemente [1], de uma *escrita cênica*. A obra se realiza plenamente numa linguagem em que todos os elementos (cada acessório, cada gesto e cada movimento dos atores) são significativos e portanto estranhos a qualquer intenção decorativa. A representação é a explicação mais completa que podemos imaginar do texto.

Daí a impressão de clareza, de inteligibilidade, propiciada por todos os espetáculos do Berliner Ensemble. Nada é deixado ao acaso da efusão ou da intuição. E se existe uma magia do espetáculo, ela se destina não a cegar, mas a compreender e a nos fazer compreender. O espetáculo é uma *leitura*.

Assim como não pretende comunicar estados de alma, o Berliner Ensemble não visa nos impor idéias. O que deseja é suscitar, no palco, uma certa *realidade*.

Decerto, o Berliner Ensemble não pretende nos levar a esquecer que estamos no teatro. Sua maneira de representar a realidade está, pois, distante do naturalismo. Os quadros da ação são apenas indicados, seja por um ciclorama ornado com alguns desenhos, seja por elementos do cenário, ou através de projeções cinematográficas. Todo um sistema de cartazes e letreiros lembra-nos que nos encontramos frente a um espetáculo, não frente ao real. A cena é inundada por uma luz branca (Brecht desejava mesmo que as fontes de luz ficassem visíveis)... Em resumo, há uma estilização que intervém incessantemente, que rompe a ilusão teatral, sistematizando-a. Mas se o quadro, se o conjunto da representação, confessa sua

[1]. Numa conferência intitulada *Comment jouer Brecht?*, que realizou na Sorbonne em 18 de maio de 1960.

irrealidade, os detalhes são concretos. A cena é povoada de objetos verdadeiros. Objetos que possuem ao menos o desenho, o peso e a textura de objetos reais. E que, como estes, estão gastos e consumidos pelo uso.

A matéria-prima de um espetáculo do Berliner Ensemble é a nossa vida cotidiana. A parte mais material desta vida cotidiana. As personagens de Brecht não se definem apenas por suas palavras. Seus gestos mais simples, suas necessidades mais comuns contam igualmente. Fica impossível, atualmente, imaginar Mãe Coragem sem a maneira pela qual Hélène Weigel se serve dos utensílios de sua carroça, sem seu jeito particular de receber e devolver o dinheiro. E fica também impossível imaginar Galileu sem a voracidade de Ernst Busch à mesa... Estas personagens são o que fazem. A relação que estabelecem com as coisas e com os objetos importa pelo menos tanto quanto suas opiniões ou paixões: ela completa, nega ou enriquece estas opiniões ou paixões. Às vezes chega mesmo a ser determinante: o hábito faz o monge. Basta lembrar a cena de *Galileu Galilei* na qual, à medida que vai vestindo os ornamentos e as insígnias da dignidade de Papa, o Cardeal Barberini entrega seu "amigo" Galileu à Inquisição.

Cada gesto, cada hábito significa. Que um determinado homem se sente desta ou daquela maneira numa poltrona, que assim descasque cenouras, que coma ou beba de tal ou qual maneira..., tudo isto está tão distante quanto possível da marcação (tempos vazios, gestos gratuitos, ritmos) através da qual os encenadores habitualmente sublinham o movimento das falas. No Berliner Ensemble, o espetáculo se enraíza na vida cotidiana. E exige uma crítica desta vida cotidiana.

Pois se a personagem nos é mostrada em suas relações concretas com o meio social em que vive, ela não é reduzida a isso. O ator brechtiano não é um objeto entre objetos. Quanto mais sua interpretação leva em conta a materialidade da existência, mais exige uma distância em relação a esta materialidade. Muitas vezes o ator precisa sair de si mesmo e, voltando-se para o público, cantar para a platéia a verdade de uma personagem da qual, até então, havia revelado apenas as aparências ou a ideologia.

Assim, um espetáculo do Berliner Ensemble se constitui a partir dos mais diversos elementos. Da utilização do cenário em seu conjunto, ao realismo minucioso dos objetos, passando pelo jogo múltiplo, constantemente "quebrado" dos atores, confronta todos os estilos do teatro contemporâneo. E o resultado não é uma confusa antologia.

A permanente contestação que se institui entre o cenário e os objetos cênicos, entre os objetos e a personagem, entre a personagem e o ator, nos remete ao movimento que fundamenta o espetáculo: o de uma sociedade aparentemente estável e como que imutável, mas que de fato está engajada numa incessante transformação histórica, onde nada subsiste na permanência de seu ser. O teatro não é, e não pode mais ser, a descrição de um estado ou de uma paixão. A epopéia substitui o drama. E esta epopéia, ao mesmo tempo que é a de um homem que se liberta de sua existência cotidiana (é o caso da Mãe, que consegue encontrar uma solução para sua situação sem saída), é a epopéia de uma sociedade.

O Berliner Ensemble nos propõe, portanto, não apenas receitas de teatro ou a exigência de uma escrita cênica coerente e uniforme: seus espetáculos, e todo o teatro épico brechtiano, se fundam numa visão dialética da nossa história.

Hoje não é raro em nosso teatro que se retomem ou se imitem estes recursos de representação. Nossos heróis clássicos comem, banham-se, e não se cansam de manipular objetos em cena... O Berliner Ensemble está na moda. Tanto melhor. Mas esta moda corre o risco de se tornar tão vã quanto a moda de estilização "à la Vilar" que a precedeu, se nos limitamos a estes processos. A lição do Berliner Ensemble não é unicamente estética: fundamenta-se numa atitude histórica e, em sentido amplo, política. Só será fecunda se fizermos nossa essa atitude. Brecht compreendeu isto melhor do que ninguém quando constatava, no fim de sua vida: "O caráter épico do meu teatro não se prende à estética formal, mas ao social". E prosseguia: "Decerto, não me oponho a que, no teatro, a realidade ganhe um certo brilho. Mas nem os atores nem os espectadores deveriam esquecer que este encanto e este brilho mágico devem servir para desvendar e esclarecer a realidade do mundo"[2].

## 2. O trabalho do Ensemble

Nenhuma experiência pode ser mais enriquecedora do que ver o Berliner Ensemble em trabalho. Fica-se então convencido de estar às voltas não com um teatro melhor do que aquele que estamos acostumados a ver, mas com um *outro* teatro.

Assinalemos inicialmente a quantidade e a continuidade do trabalho realizado. É sabido que o Berliner Ensemble dedica aproximadamente três ou quatro vezes mais tempo à montagem de uma peça do que qualquer teatro parisiense que cumpre seriamente sua tarefa: em Paris os ensaios duram um mês, raramente dois; em Berlim, duram quatro, às vezes seis meses. Mais que isso, aqui, uma vez realizada a estréia, o espetáculo fica abandonado à própria sorte, aos artistas e ao público. Todas as noites, no Berliner Ensemble, um ou vários dos "assistentes" assistem à representação, anotam suas qualidades e seus defeitos, e, nos dias em que o espetáculo figura no programa (as peças são levadas alternadamente), passagens inteiras são novamente ensaiadas, revisadas, retificadas a partir do que foi anotado. Assim, não só o espetáculo, ao contrário do que acontece freqüentemente em nossos teatros, não se deforma, como inclusive se aperfeiçoa. A representação de uma peça não é encarada como o objetivo último da atividade teatral: constitui uma experiência, é uma ocasião de progresso.

É verdade que esses contínuos retoques — lembremo-nos, a esse respeito, que Brecht não cessava de colocar em questão seus próprios textos, modificando-os depois de submetidos à prova do público — não seriam realizáveis sem os meios de que dispõe o Berliner Ensemble. Quando o palco do teatro está ocupado pela revisão do espetáculo daquela noite, os

---

2. Cf. as afirmações de Brecht mencionadas por ERNST SCHUMACHER em "Er wird Bleiben", em *Neues Deutsch Literatur*, de outubro de 1956.

ensaios da nova peça inscrita no programa são realizados em outra sala, situada num prédio vizinho. E não esqueço também o número de atores do Ensemble: na verdade não está longe de atingir o efetivo de duas companhias teatrais.

Um trabalho deste tipo evidencia também, como Hélène Weigel faz questão de frisar, um caráter coletivo. Sem dúvida somos tentados a ver nisso alguma palavra de ordem política, uma preocupação de mostrar que, no caso de Brecht como em outros, os desvios do culto à personalidade foram devidamente "retificados". Contudo, o que existe é mais do que isso: este *slogan* corresponde a uma realidade na prática do teatro.

O cartaz de *Os Dias da Comuna*[3] traz os nomes de dois encenadores: Joachin Tenschert e Manfred Wekwert — um, Wekwerth representa mais especificamente aquilo que se entende aqui por um "homem de teatro", eu diria mesmo um "animal de teatro" se esta expressão estivesse isenta de todo paternalismo intelectualista, enquanto que o outro, Tenschert apenas recentemente chegou à encenação, vindo da crítica dramática e daquilo que, na Alemanha, se chama de "dramaturgo" (atualmente ainda exerce as funções de dramaturgo-chefe no Berliner Ensemble). Além destes dois diretores, que se completam e se equilibram, existem ainda cinco assistentes (Uta Birnbaum, Guy de Chambure, Isot Kilian, Hans-Georg Simmgen e Kurt Veth) que, eu mesmo fui testemunha, desempenham também um significativo papel na elaboração do espetáculo. Aliás, é todo o Ensemble que participa da realização. Karl von Appen, o cenógrafo, está presente na maior parte dos ensaios; modifica constantemente seus esboços para os cenários, seus projetos para os figurinos, simplificando-os ou enriquecendo-os, e trabalha em função da movimentação das personagens, dos grupos por elas formados, sobre os quais multiplica os *croquis,* contribuindo freqüentemente com sugestões para a encenação. O mesmo se pode dizer do músico Hans-Dieter Hosalla. Um outro exemplo: quando se fala em Hans Eisler, morto subitamente em

---

3. A estréia de *Os Dias da Comuna* pelo Berliner Ensemble foi realizada em Berlim, em outubro de 1962.

1962, a primeira coisa que se evoca não é tanto seu talento de músico, quanto a inteligência, a cultura desse amigo de Brecht, deste homem de quem todos dizem que foi um "grande dialético", menos as partituras que compôs para os espetáculos do Berliner Ensemble do que sua colaboração em todos os níveis da realização dos espetáculos. Isto sem falar na participação de Hélène Weigel nos ensaios, mesmo quando não tem um papel na peça que está sendo montada: muitas vezes, com uma simples frase, ou um gesto, Hélène Weigel fornece ao ator a indicação da interpretação ou do tipo de movimento da cena que melhor esclarecem determinada personagem ou determinada situação, e de que ninguém se tinha dado conta até aquele momento.

A encenação não é mais o privilégio de uma só pessoa; o teatro perde seu caráter de competição entre personalidades que só pensam em impor suas singularidades. Neste trabalho coletivo cada um observa o outro, cada um ajuda e é ajudado pelo outro. Certamente existem no Berliner Ensemble, como em qualquer outro lugar, ciúmes entre pessoas e rivalidades entre grupos, mas estas tensões ou mesmo desentendimentos não prejudicam o essencial: a multiplicidade de reflexões cuja soma e organização resultam num espetáculo, a riqueza de um trabalho onde experiências diversas são confrontadas, em vez de serem submetidas à vontade onipotente do encenador tornado rei, e por ele empobrecidas.

Resta definir este trabalho e indicar seu significado. Para tanto, lembremo-nos de duas noções caras a Brecht: a da *fábula* e a *de concreto*. A primeira preocupação do Berliner Ensemble, face a qualquer peça, é a preocupação de colocar em evidência a fábula, conforme definida por Aristóteles em sua *Poética,* ou seja, "o conjunto das ações realizadas", notando ainda que "as personagens não agem para imitar os caracteres, mas recebem os caracteres por acréscimo em razão de suas ações; de modo que os atos e a fábula são o objetivo da tragédia". No Ensemble, os encenadores não se preocupam em especial nem com os caracteres, nem com sua psicologia, nem com a atmosfera, nem com o colorido desta ou daquela cena, nem mesmo com o ritmo do espetáculo — são problemas secundários que serão posteriormente resolvidos: a preocupação primordial é a de reencontrar a fábula, torná-la nítida e compreensível para todos. Brecht não cessou de insistir neste aspecto. Assim, todo o trabalho realizado com *Os Dias da Comuna* (cujo texto deixado por Brecht constitui apenas a primeira versão de uma obra que ele teria certamente retomado) consistiu em ressaltar da melhor maneira possível aquilo que Manfred Wekwerth chama "o apogeu e o declínio da pequena família Cabet da rua Pigalle" durante os dias históricos da Comuna. Do mesmo modo, a versão de *A Tragédia Otimista* realizada pelo Berliner Ensemble difere das duas outras versões que conhecemos da peça de Vichiniévski: a ênfase não mais recai no combate entre o Comissário e Aléxis, nem mesmo na luta que opõe comunistas e anarquistas, mas sim no movimento pelo qual uma sociedade se transforma, na lenta mutação dos anarquistas em comunistas, através do desenraizamento destes marinheiros que abandonaram seus navios para defender, nas fileiras do Exército Vermelho, a revolução soviética.

Existe um perigo: o de deixar que esta valorização da fábula redunde num teatro puramente didático e sem vida. O Berliner Ensemble evita este risco conferindo atenção permanente ao concreto — este concreto a que Brecht tanto gostava de se referir, pois, para ele, "a verdade é concreta". Por isto, os encenadores do Berliner Ensemble procuram fazer com que a fábula seja sempre mediatizada. Em vez de se prenderem aos caracteres das personagens, à sua psicologia, tratam de ressaltar-lhes as ações, mesmo as mais ínfimas, bem como suas contradições. Certamente nenhum traço psicológico é negligenciado. Mas o que o espetáculo privilegia são os detalhes do comportamento cotidiano: a maneira pela qual Geneviève Guéricault, a mestre-escola nos *Dias da Comuna,* sorri para Mme Cabet, é menos importante do que seu gesto de comer o pedaço de pão que a mesma Mme Cabet lhe dera... Pensamentos e sentimentos são confrontados com a densa realidade do dia-a-dia, com todo um universo de objetos e costumes. A fábula não é revelada do exterior, pelo cenário ou por determinada imagem da encenação. É legível ao nível dos objetos, das coisas e dos gestos, na sucessão e nas contradições dos atos e das palavras.

É o que produz a beleza e o significado de uma representação como foi a de *Os Dias da Comuna*. Entre a fábula (a pequena história da família Cabet submersa na grande história da Comuna) e a descrição dos fatos e dos atos cotidianos, não há solução de continuidade, mas sim um movimento dialético. É nos mais simples gestos do "Papa", ensaiando um passo de dança com Mme Cabet, que podemos dimensionar a magnitude da esperança revolucionária dos Comunardos. E é na confusão e na fadiga dos delegados da Comuna, sediados no Hotel de Ville, que compreendemos o desenlace trágico da história pessoal dos Cabet. A verdade concreta dos detalhes remete aos significados mais amplos e vice-versa. Entre o naturalismo e o painel há lugar para um realismo deste tipo.

É nisto que o teatro brechtiano se separa do teatro tal como o praticamos habitualmente. No Berliner Ensemble, longe de se desgastar de uma só representação que distrai ou que exalta, a atividade teatral é sobretudo um ato de conhecimento, um trabalho lento e contínuo de reflexão sobre a realidade, sobre nossa condição histórica. Brecht não deixou apenas uma obra e um método (não existe um estilo Brecht válido para tudo e o tempo todo — caso contrário, dois espetáculos tão distintos como *A Tragédia Otimista* e *Os Dias da Comuna* seriam inconcebíveis): é uma prática e quase uma moral do teatro que constituem seu ensinamento mais profundo.

3. *O Berliner Ensemble em Londres (1965): nove anos depois*

Durante o verão de 1965 o Berliner Ensemble, que não se apresentava no Ocidente desde 1960, foi convidado pelo National Theatre para uma temporada de quase um mês no Old Vic de Londres.

Sua primeira temporada na Inglaterra registrara extraordinária repercussão. Foi uma das origens da "onda brechtiana" que lá, como em outros países, invadiu o teatro. Lá ainda mais, talvez, já que grande parte do teatro inglês viria a ser posteriormente colonizada por Brecht: como exemplo é suficiente citar precisamente o National Theatre de Laurence Olivier, cujo diretor literário é Kenneth Tynan (antigo crítico teatral do *Observer* e um dos homens que mais fez para impor Brecht) e onde um dos principais encenadores é o "brechtiano" William Gaskill. De resto, representa-se muito Brecht em Londres: pouco antes da temporada do Ensemble, duas de suas peças, e não das menos importantes, *Mãe Coragem* e *Puntila*, haviam sido encenadas. Mas estes espetáculos, principalmente *Mãe Coragem*, foram bastante mal recebidos. A onda brechtiana estaria em refluxo? Alguns críticos já se apressavam em proclamá-lo. O teatro inglês estaria com necessidade de um tratamento de desintoxicação brechtiana: Artaud e seu "teatro da crueldade", os *happenings*... eram chamados em socorro. Apostava-se em Peter Brook contra Brecht (esquecendo um pouco o quanto o primeiro deve ao segundo).

Além disso, o Berliner Ensemble de hoje não é mais o mesmo de 1956. Já faz dez anos que Brecht morreu. Em 1960 o Ensemble ainda vivia de sua herança: dos quatro espetáculos então apresentados em Paris, *Arturo Ui* era o único em cuja encenação Brecht não trabalhara. Agora, de *Coriolano* a *Arturo Ui*, passando por *Os Dias da Comuna* e pela *Ópera de Três Vinténs*, todo o repertório apresentado em Londres era um repertório de após-Brecht. E não era possível deixar de colocar a questão: teria o Berliner Ensemble apenas conservado a tradição (dez anos de idade representam muito para uma tradição teatral) ou teria ido mais além?

Sem contar com o fato de que a companhia já não é mais a mesma de antes: alguns atores, idosos, já não representam mais (Ernst Busch, por exemplo); outros trocaram Berlim Oriental por Berlim Ocidental (especialmente Angelica Hurwicz e Regine Lutz), encenadores também o fizeram (como Peter Palitzsch); o "departamento de encenação e dramaturgia" foi inteiramente renovado: toda uma equipe de jovens assistentes começou a trabalhar, de Guy de Chambure, que acaba de montar uma extraordinária versão de

*A Alma Boa de Se-Tsuan* em Eisleben (pequena cidade da Alemanha Oriental), a Hans-Georg Simmgen, de Ruth Berlaus (que dirigiu as cenas de batalha de *Coriolano),* a Uta Birnbaum e Matthias Langhoff.

Em suma, esta visita do Berliner Ensemble era como que uma prova dos nove para o teatro "brechtiano" inglês e para o próprio Berliner Ensemble. Apressemo-nos em dizê-lo: o Ensemble triunfou em todos os sentidos. À parte alguns rabugentos habituais (por exemplo, no ultraconservador *Daily Telegraph),* os críticos londrinos foram unânimes em seus elogios.

Retratando-se de sua desconfiança a respeito de Brecht, que chegara mesmo a suspeitar de "fascismo", Harolde Hobson reconhece francamente no *Sunday Times:* "O Ensemble não é apenas uma criação; é também criador". E, ao Brecht para crianças, que segundo ele os teatros ingleses haviam até então mostrado, Hobson opõe este "Brecht para adultos". Já Penelope Gilliatt, do *Observer,* considera que o *Coriolano* do Berliner Ensemble é nada mais nada menos que "o melhor a que já assistimos até hoje". E o *Daily News* não hesita em escrever que "a encenação de *Arturo Ui* é uma das mais belas" e o desempenho dos atores "um dos mais esclarecedores" que os palcos ingleses "viram nos últimos... sim, nos últimos nove anos (isto é, desde a última temporada inglesa do Ensemble)".

Das quatro obras representadas, apenas *Os Dias da Comuna* recebeu uma acolhida reticente. Na ocasião, a crítica desenterrou velhos clichês do tipo "marxismo primário" e "realismo aplicado", que já haviam sido utilizados pela imprensa parisiense para rejeitar *A Mãe.* Na *Ópera de Três Vinténs* foi o desempenho dos atores (principalmente o de Wolf Kaiser, um Macheath incuravelmente burguês e o de Christine Gloger, uma Polly "agridoce") que foi aplaudido, ao passo que Ekkehard Schall triunfava com seu Arturo Ui "clownesco". Contudo, o mais surpreendente foi o êxito do *Coriolano* de Shakespeare, adaptado por Brecht e remanejado por Manfred Wekwerth e Joachin Tenschert: nenhum ou quase nenhum protesto diante da maneira pela qual Brecht "retocou" Shakespeare é a mais franca admiração pela eficácia, pela força e pela clareza do espetáculo.

De fato, o que talvez mereça maior admiração, nesta série de representações, é a amplitude e a variedade do trabalho realizado pelo Ensemble. Cada um destes quatro espetáculos é fundamentalmente diferente do outro: cada um tem seu estilo próprio. A *Ópera de Três Vinténs,* que retoma em grande parte a encenação original, realizada em Berlim em 1928 (hoje, como ontem, assinada por Erich Engel), joga com a nostalgia dos anos vinte, sem renunciar ao rigor brechtiano na apresentação destes bandidos, que não passam, no fundo, de burgueses, é de algum modo o espetáculo folclórico do Ensemble. *A Resistível Assensão de Arturo Ui* tornou-se ainda mais abertamente cômica e "clownesca" do que em sua apresentação em Paris: trata-se de "um grande *show* histórico de gangsters" onde os "fatos se transformam, com a ajuda de disfarces", em números de feira popular.

Ao contrário, *Coriolano* é despojado de todo histrionismo trágico: o estilo épico do Ensemble se consuma aqui numa ampla narração histórica, no decorrer da qual as personagens não são nem glorificadas nem desvalorizadas, mas mostradas — como a guerra — com uma fascinante objetividade que se funda na análise de uma situação acirrada de luta de classes. E se é fato que *Os Dias da Comuna* são tratados de forma naturalista — com uma veracidade, uma precisão e uma paixão pelo detalhe que fariam inveja ao próprio Stanislávski — isto não se deve nem ao gosto de recriar atmosferas nem a qualquer tipo de piedade proletária, mas simplesmente ao fato de que tal estilo corresponde profundamente à época descrita. O naturalismo aqui não é um mergulho no "eterno humano": ao contrário, serve para situar melhor a obra, para atribuir-lhe sua verdadeira cor histórica.

O Berliner Ensemble não se tornou escravo de um pseudo método ou de uma pretensa retórica brechtiana. Seu realismo (que vai, como observaram os críticos ingleses, do *kabuki* japonês a Stanislávski) não se cristalizou em uma única fórmula. Conhece fronteiras ideológicas, mas não limitações na escolha dos meios.

Não interpretemos esta variedade de estilos como um abandono da reflexão e do trabalho de Brecht. Uma concessão ao ecletismo. É justamente através desta diversidade de meios que o Ensemble afirma sua coerência, a unidade e a eficácia de seu trabalho. Pois o que nos toca profundamente, ao término de tais representações, é sua *clareza*. Nenhum apelo à criação de atmosfera, à *Stimmung;* tudo aqui tem um sentido; o espetáculo é enriquecido por um grande conhecimento da obra, por uma escolha intelectual, e nos transmite tudo isto da forma mais concreta possível. Mais ainda, essa clareza não exclui a intensidade e a emoção. Ao contrário, atores como Ekkehard Schall e Wolf Kaiser, e atrizes como Christine Gloger e Felicitas Ritsch (a Jenny da *Ópera)* nos estão constantemente fornecendo uma prova tangível disto: jogam com as personagens que estão interpretando, marcando incisivamente seus tempos fortes, e sabem como deixar de se solidarizar com eles quando o *pathos* ameaça intervir, fazendo alternar, enfim, adesão e rejeição — o que confere às suas interpretações uma espécie de alegria quase física e mesmo um humor que contagiam o espectador, comunicando-lhe este *prazer* que só é possível encontrar no teatro.

A melhor ilustração desta mestria é dada ainda por Hélène Weigel interpretando o papel de Volúmnia em *Coriolano*. Em Berlim, uma outra atriz criara este papel: ela não conseguiu impor esta Volúmnia que deve mais a Brecht do que a Shakespeare, e que não é, com efeito, uma personagem isenta de contradições. Com Weigel, tudo se modifica: repentinamente Volúmnia ganha vida. Desta vez as contradições do papel se inscrevem a favor da personagem: não mais a destroem mas, ao contrário, permitem construí-la em toda sua complexidade. Hélène Weigel-Volúmnia aparece sucessivamente como perfeita dona-de-casa, como sogra intrometida, como temível patrícia e como mulher, uma romana que toma consciência da situação sem saída em que se encontram ela e os demais patrícios, situação provocada pelo próprio filho, Coriolano. Para isto basta-lhe interpretar a fundo, mas separadamente, cada um dos diferentes "tempos" de seu papel: a tranqüilidade doméstica, a exaltação guerreira, a tensão trágica de seu último encontro com Coriolano... Caberia analisar em pormenor seu desempenho durante esta entrevista capital, mostrar qual é a sua gradação, descrever os três níveis do discurso que Volúmnia faz a seu filho... Seria sem dúvida a melhor introdução possível para aquilo que é preciso continuar — apesar das confusas generalizações que já se fizeram sobre o "efeito de distanciamento" — a chamar de *interpretação brechtiana*.

Pois, em que pese o despeito de alguns, o Berliner Ensemble encontra-se ainda longe, mesmo dez anos depois da morte de seu fundador, de estar "ultrapassado". Ainda não chegamos ao fim com Brecht!

## 21. "DISTANCIAMENTO", PARA QUÊ?

Hoje, na França, quando se diz Brecht entende-se "distanciamento". Depois de ter servido de entrave, este neologismo passou à categoria de pedra filosofal. Inicialmente foi um pretexto para recusar, senão todo o Brecht, pelo menos uma parte de sua obra: a da reflexão teórica sobre teatro, arte e literatura. Aliás, não havia necessidade de tanta preocupação com esta palavra bárbara, pois como escrevia Jean-Jacques Gautier: "Felizmente Bertolt Brecht faz com sua própria teoria o que fazem com todas as teorias os verdadeiros homens de teatro: desdenha aplicá-la"[1]. Agora o termo permite a não importa quem

---

1. Resenha crítica de *O Círculo de Giz Caucasiano* pelo Berliner Ensemble, no Théâtre des Nations, *Le Figaro*, 23.6.1955.

afirmar, a bom título brechtiano: não basta, para tanto, "distanciar" um pouco? O "distanciamento" tornou-se um segredo de Polichinelo: uma canção, um cartaz, um aparte de ator... e o lance está feito. Tão bem feito que Brecht se tornou inútil: o distanciamento falhou, está superado. Os atores franceses não "distanciam" naturalmente? São brechtianos por direito divino. Portanto, não falemos mais de Brecht. Ele é bom para os pesados atores alemães. Nós agora temos mais coisa a fazer. Artaud nos chama. Quando muito, vamos sonhar com uma síntese de Brecht e Artaud, de "distanciamento" e de "peste"... Infelizmente as coisas não são tão simples — nem no que se refere a Artaud, nem no que se refere a Brecht. Para nos limitarmos a este último, digamos que ainda estamos longe de estar quites para com ele, para com sua reflexão e sua prática teatral, depois de termos pago o tributo ao distanciamento.

*Uma reflexão contínua*

É que Brecht não inventou o tal "efeito de distanciamento". Este sempre existiu e sempre existirá. Brecht o reconhece: limitou-se apenas a retomar, por sua própria conta e para fins precisos, uma técnica bastante comum. Um de seus textos teóricos mais conhecidos não se intitula "Efeitos de distanciamento na arte dramática chinesa"? E, neste texto, como em muitos outros, citando exemplos de *Verfremdungseffekt*, Brecht menciona tanto a maneira de falar dos palhaços e o emprego dos telões pintados nas cenas e nos quadros apresentados nas feiras populares, quanto os processos usados pelos dadaístas e surrealistas (encontrar uma máquina de costura ou um guarda-chuva numa mesa de operação não constitui o mais belo "efeito de distanciamento" com que se possa sonhar? — mas, acrescenta, os objetos assim "distanciados" permanecem afastados de nós: se tornam estranhos a nós, para todo o sempre, escapam ao nosso alcance) e, até mesmo truques e tiques dos maus atores, que executam seus números de composição... Ora, tais efeitos não são certamente os que ele propõe a seus atores e aos novos dramaturgos. "Distanciar", segundo Brecht, não é manter qualquer coisa à distância (uma palavra, um gesto, uma personagem) de qualquer modo, nem ficar frio diante do que é quente, opor a razão à paixão e, em vez de representar uma personagem, comentá-la e desmontá-la com uma fingida impassibilidade. O distanciamento brechtiano é um método rigoroso: supõe, para ser compreendido e utilizado de maneira fecunda, uma visão de conjunto da concepção que Brecht tem do teatro, e, mais amplamente, da arte como meio específico de representar a vida dos homens.

Confessemo-lo: assumir tal visão de conjunto não foi sempre fácil na França. Durante muito tempo não dispusemos senão de uma pequena parte dos escritos teóricos de Brecht: um volume [2] contra os sete tomos dos *Escritos Sobre Teatro* publicados pela Suhrkamp, e completados pelos *Escritos Sobre Literatura e Arte* e também pelos *Escritos Sobre Política e Sociedade* (o que faz com que os textos teóricos de Brecht ocupem, agora, a terça parte da edição das *Obras Completas* colocada à venda pela Suhrkamp em outubro de 1967 — ou seja, um espaço quase igual ao das peças). Ora, nestes textos, inacessíveis ao leitor francês, encontram-se, além das críticas de teatro redigidas para um jornal de Augsburgo (que interessam porque nos informam acerca das primeiras atitudes de Brecht, suas primeiras reações instintivas), a série de conversas intituladas *A Compra do Cobre 1937-1951,* que constituem nada menos que o esboço, sob a forma de diálogos à maneira de Galileu, de um novo sistema de teatro (lembram a forma dos *Diálogos dos Grandes Sistemas do Mundo* de Galileu [3].

Além disso, a reflexão teórica de Brecht nunca é integralmente apreensível, em qualquer momento que seja de sua obra. Mesmo *A Compra do Cobre,* aliás inacabada, não nos fornece a suma desta reflexão, nem tampouco, de outra maneira (mais aristotélico do que galiléico, esta vez), o *Pequeno Órganon para o teatro.*

2. *Écrits sur le théâtre,* texto francês de Jean Tailleur, Gérard Eudeline e Serge Lamare, Paris, L'Arche, 1963.
3. O Berliner Ensemble realizou um espetáculo notável com *A Compra do Cobre* que ainda faz parte de sua programação, nas *Brecht Abend. A Compra do Cobre* (L'Arch du Cuivre) está agora disponível numa tradução francesa de Béatrice Perregaux, Jean Jourdheuil e Jean Tailleur, Paris, L'Arche, 1970, coleção Travaux I.

Se Brecht tenta, aqui e ali, avaliar seu pensamento, é precisamente para pô-lo em questão: não para detê-lo numa formulação definitiva, mas para abri-lo a novos desenvolvimentos. Pois este pensamento nunca toma como definitivos os resultados obtidos. Pensamento baseado numa verificação, a das incessantes transformações do mundo, admite também a transformação como sua própria lei. Ademais, só se desenvolveu através do contacto íntimo com a prática do teatro: a maioria dos textos teóricos de Brecht nasceu diretamente das experiências do dramaturgo ou do encenador, das quais constitui o comentário. Assim, a prática teatral e a reflexão teórica, em Brecht, não estão ligadas apenas pelo fato de se referirem ao mesmo assunto: são as duas faces inseparáveis de um mesmo trabalho. É impossível isolar uma da outra: juntas constituem a atividade teatral brechtiana.

*"Sou a favor do teatro épico"*

Voltemos ao ponto de partida da teoria brechtiana. Quando em 1926 (ou seja, depois de mais de cinco anos de prática teatral) Brecht declara: "Sou a favor do teatro épico" e se pronuncia por uma arte que "depende muito do entendimento" ("não escrevo para a gentalha que só procura a emoção"); quando, mais tarde, opõe esta dramaturgia épica ("não é tanto o homem quanto o desenrolar dos acontecimentos que é preciso esclarecer") a uma dramaturgia aristotélica fundada, segundo ele, na "propensão do espectador para se identificar com as personagens e para se abandonar ao espetáculo", tal tomada de posição nada tem de sonho ou de hipótese acadêmica. Foi sua própria experiência de teatro e de luta política que conduziu Brecht a tomá-la de Piscator (ou de Alfred Döblin), a enriquecê-la e desenvolvê-la. Não cessou de constatar desde que abordou o teatro: numa época em que os confrontos entre os homens deixaram de ser os confrontos entre "grandes individualidades" para serem os confrontos de massas, quando o econômico prevalece sobre o psicológico, assim como o político sobre o moral, a dramaturgia tradicional, ainda que cheia de sentimentos de "esquerda", perdeu toda eficácia. "O próprio aprofundamento de assuntos novos necessita de uma forma dramática e teatral nova": precisamente a forma épica.

Assim, a reforma que Brecht preconiza por volta de 1930 é total. Ela atinge todos os setores da atividade teatral. Substitui o drama pela narrativa: trata-se menos de "exprimir" sentimentos que de descrever comportamentos e narrar opiniões; ela rompe com a organização harmoniosa da progressão dramática (o dramaturgo ou o encenador "monta" fragmentos, e deve sublinhar mais as contradições do que a gradação); rejeita como falaciosa qualquer conclusão definitiva; a obra não se encerra com a conclusão final que reclamava Hegel, mas permanece suspensa em várias soluções possíveis. Substitui a noção de conflito pela de contradição. E é ao espectador, não às personagens, que Brecht confia tarefa de pronunciar a última palavra: entre palco e platéia, a separação (e, conseqüentemente, a identificação imaginária) não é mais absoluta. Como observa o grande crítico alemão, amigo de Brecht, Walter Benjamin, "o teatro épico valoriza uma circunstância até então bastante negligenciada: chamemo-la de preenchimento do fosso da orquestra [...] O palco continua ainda elevado. Porém não surge mais de uma insondável profundidade: transformou-se em *podium*. Teatro didático e teatro épico constituem uma tentativa para se instalarem neste *podium*"[4].

*Da "singularização" ao "distanciamento"*

A expressão *Verfrendungseffekt* só aparece um pouco mais tarde no vocabulário brechtiano. Exatamente em 1936, depois de uma viagem a Moscou durante a qual Brecht (traduzido e encenado naquela época da URSS: em 1930, Tairov montara *A Ópera de Três Vinténs* em Moscou e Tretiakov divulgara alguns de seus textos teóricos sobre o teatro épico) encontrou os principais homens de teatro soviéticos,

---

4. WALTER BENJAMIN, *Essais sur Bertolt Brecht*, traduzido do alemão por Paul Laveau, Paris, ed. François Maspéro, 1969. Petite Collection Maspéro. A tradução aqui citada é a de "Qu'est-ce que le théâtre épique", feita por Maurice Regnaut, publicada em *Théâtre Populaire*, n.º 26, set. 1957.

entre os quais Meyerhold. Foi provavelmente então que Brecht ajustou esta expressão [5]: a qual poderia, com efeito, provir da fórmula *Priem Ostrannenija* empregada desde 1917 por Chklóvski para designar um processo específico da arte, o "processo de singularização", que consiste "em sombrear a forma, em aumentar a dificuldade e a duração da percepção" de modo a "liberar o objeto do automatismo perceptivo" (assim, não se chamará o objeto por seu próprio nome, mas ele será descrito como se fosse visto pela primeira vez e tratar-se-á cada incidente como se ocorresse pela primeira vez... [6]). Aliás, Meyerhold já havia utilizado, em teatro, técnicas desta ordem. Por exemplo, quando recomendava a seus atores praticarem o que chamava "antejogo" (antes de enfrentar a situação propriamente dita, o ator [...] representa uma pantomima [...] sugerindo aos espectadores a idéia da personagem que ele encarna e preparando-os a enxergar, de uma certa maneira, o que virá em seguida) e o "jogo-às-avessas" (abandonando subitamente a personagem, o ator interpela diretamente o público para lembrar que ele, ator, está apenas representando, e que, na realidade, o espectador e ele são cúmplices" [7].

Brecht não se contenta com a expressão tirada dos "formalistas russos" nem com os processos meyerholdianos. Recarrega o neologismo *Verfremdung*, assim forjado, de toda sua teoria do teatro épico. Instala-o no centro de seu método. Provocar um *Verfremdungseffekt* não é mais unicamente proceder a uma "operação de singularização" para fins estritamente artísticos, liberando o "objeto do automatismo perceptivo", nem sequer "falar do antigo e do habitual como do novo e do inabitual" [8]: trata-se do avesso do processo de *entfremdung*, isto é, do processo de alienação

5. Ver, a propósito, os interessantes comentários de John Willet na edição inglesa dos "Escritos sobre o teatro", *Brecht on Theatre*, Londres, Methuen and Co., 1964, p. 99.
6. V. CHKLÓVSKI, *"L'Art comme procedé"*, em *Théorie de la Littérature*, textos dos formalistas russos reunidos, apresentados e traduzidos por Tzvetan Todorov, prefácio de Roman Jacobson, Paris, Le Seuil, 1965. col. Tel. Quel.
7. VSEVÓLOD MEYERHOLD, *Le Théâtre Théâtral*, tradução e apresentação de Nina Gourfinkel, Paris, Gallimard, 1963, col. Pratique du Théâtre.
8. B. TOMATCHEVSKI, "Thématique", em *Théorie de la Littérature*, *op. cit.*, p. 290.

do homem na sociedade de exploração, segundo as leis desta sociedade; é, literalmente, empreender um processo de "desalienação", dando aos "acontecimentos nos quais se defrontam os homens o aspecto de fatos insólitos, de fatos que necessitam de explicação, que não falam por si, que não são simplesmente naturais". E tal "distanciamento-desalienação" deve intervir em todos os níveis da representação: no trabalho dos atores como na dramaturgia, na música como na cenografia... deve "conduzir o espectador a assumir uma atitude crítica — a partir de um ponto de vista social, sem destruir a vitalidade, o caráter concreto e o desenho histórico dos acontecimentos e das personagens" [9].

Afinal, o que Brecht nos propõe é, como confirma Manfred Wekwerth, "uma nova organização das relações entre a platéia e o palco", que antecipa uma transformação nas relações entre o teatro e a sociedade": "Brecht desejava desenvolver duas artes: a arte do ator e a arte do espectador".

*O teatro na sociedade*

É preciso convir: estamos longe do "distanciamento" concebido como um processo entre outros ou como um conjunto de receitas e de técnicas teatrais cuja única função é promover um estilo Brecht. Este método que consiste em: "tornar histórica a descrição dos acontecimentos que colocam os homens em relação uns com os outros" e que é, por conseguinte, "uma tentativa [...] de desvendar as contradições na descrição dos eventos de tal maneira que, ao mesmo tempo, os acontecimentos e as condições históricas que lhes servem de preâmbulo possam dar ensejo a um conhecimento" [10] este método constitui uma escolha fundamental tanto no que se refere à estrutura, quanto à função da atividade teatral. Primeiro, retoma e prolonga, ao mesmo tempo, as transformações havidas

---

9. MANFRED WEKWERTH, *Notate, über die Arbeit des Berliner Ensemble 1956 bis 1966*, Frankfurt-sobre-o-Meno, edições Suhrkamp 219, Suhrkamp Verlag, 1967, p. 25.
10. MANFRED WEKWERTH, "Brecht aujourd'hui", tradução de Monica Décourt e Jean Michel Jourdheuil, em *Théâtre et Université*, revista trimensal de C.U.I.F.E.R.D., de Nancy e do Festival Mundial do Teatro Universitário, n.º 8, out.-dez. 1966.

na vida do teatro há mais de meio século. Extrai todas as conseqüências da invenção da encenação moderna: é ao nível da representação que existe a obra teatral. Encenar uma peça não é traduzir mais ou menos fielmente, em linguagem cênica, um texto que já possuía uma plena existência no papel: é conferir existência a este texto — uma existência diferente para cada espetáculo. O trabalho teatral — aquele que se baseia precisamente no *verfremdung* — se realiza no palco. E o ator nele desempenha um papel capital: não é mais apenas um intérprete — é um mediador, é precisamente o lugar e o meio da tomada de consciência histórica. Em seguida tal método nos propõe uma nova concepção das relações entre a platéia e o palco, e re-situa a atividade teatral na sociedade. Talvez seja isto que a reflexão de Brecht nos traz hoje de mais novo. A um sistema que concebe a obra e o espetáculo, até mesmo o edifício teatral, como fechados em si mesmo (pensemos num teatro "à italiana") e em imagens de nossa vida acabadas de uma vez por todas, a este microcosmo a reflexão de Brecht substitui por uma série de trocas entre o teatro e a realidade, uma verdadeira colaboração entre eles, uma representação aberta.

Ora, é exatamente isto que silenciam ou esquecem todos os que se apresentam em proclamar Brecht ultrapassado. Como escreve Wekwerth: "Limitam-se aos processos de encenação e, não, ao seu realismo; examinam-se seus efeitos sobre o teatro e não sobre a realidade. Assim, sendo a influência de Brecht sentida em todo o mundo, numerosos são aqueles que — conscientemente ou não — procuram privar Brecht de sua própria influência: a ação inversa do teatro sobre a realidade. Pois toda reflexão de Brecht sobre teatro tem como ponto de partida e de chegada a produtividade social de seu teatro" [11]. Sem dúvida pode-se e deve-se agora colocar em questão a imitação servil dos processos e do estilo de certos espetáculos do Berliner Ensemble (mas, não existe um estilo Berliner Ensemble, como não existe um estilo Brecht); parece-me igualmente válido indagar sobre a temática das peças de Brecht (ela tem data e convém, desde já, tratá-la

11. MANFRED WEKWERTH, art. cit.

historicamente). Enfim, importa romper com uma pseudo-ortodoxia brechtiana: a que consistiria em considerá-lo como um clássico ou como o detentor de uma *visão de mundo* acabada (então, como observa Wekwerth, "não é mais para traduzir a realidade que se utilizam os processos; confere-se realidade unicamente aos processos"). Mas é ainda Brecht que nos proporciona o melhor instrumento para realizar uma tal *superação:* um método de reflexão e de trabalho artístico válido para todos aqueles que desejam "um teatro engajado na realidade".

## 22. ELOGIO DO MÉTODO BRECHTIANO

Em nossa sociedade neocapitalista ocidental, encontramo-nos agora em presença de um fenômeno relativamente novo: a integração cada vez mais acentuada dos valores culturais ao sistema de trocas, a utilização da cultura como produto de consumo. Isto é particularmente nítido no domínio do teatro. Desaparecem os teatros privados, financiados segundo as leis rígidas da oferta e da procura, mas nascem e se multiplicam os teatros administrados por gestão pública. Desenvolve-se um importante setor cultural do Estado. Até então marginalizada e tida como suspeita pelo capitalismo, a cultura é agora adotada pelo neocapitalismo (ou capitalismo, em muitos setores, estatal). Por isso a atividade teatral se debate atualmente, na

França por exemplo, em numerosas contradições: de um lado, beneficia-se de uma ajuda, certamente bastante insuficiente, de parte do Estado, e quando não a recebe, é obrigada a pedi-la: de outro lado, teme fixar-se, institucionalizando-se, e procura evitá-lo. Isto significa que a atividade teatral é tentada a declarar-se como exclusivamente cultural e ao mesmo tempo reivindicar-se como ato de revolta contra toda cultura. Neste momento o teatro hesita entre um estatuto de órgão de difusão cultural (é a tendência que, na França, levou aos teatros-casas de cultura) e uma reivindicação radical (o teatro como contestação permanente e total, o teatro-rebelião preconizado por grupos de vanguarda). No plano da prática teatral, encontramos a mesma oposição entre um teatro da palavra e um teatro do corpo, entre teatro racional e teatro irracional... Em resumo, não teríamos mais escolha senão entre a "peste" segundo Artaud e o "establishment".

Ora, a meu ver esta é uma falsa alternativa, e a obra de Brecht nos permite denunciá-la como tal — sob condição de apreendermos desta obra (neste sentido compreendo tanto o método brechtiano como também suas peças) o que ela apresenta de mais novo e de mais radical. Pois é evidente que também ela, segundo o uso que dela fizermos, poderá alimentar a referida alternativa e ser mobilizada em proveito do teatro como atividade de difusão cultural ou do teatro como ato de revolta bruta.

*Brecht naturalizado*

O método de Brecht é muito freqüentemente reduzido a um conjunto de receitas e de processos: é, convertido num estilo Brecht. Por conseguinte, a obra brechtiana pode ser assimilada pelo que Brecht antigamente chamava de "o aparelho", e pode assim perder toda sua eficácia crítica. É o que aconteceu na maioria das representações brechtianas realizadas no Ocidente (e noutras partes também, sem dúvida...). A forma épica é substituída pelo que não passa de uma espécie de "naturalismo" brechtiano, baseado na imitação servil dos espetáculos do Berliner Ensemble. Começa com a elaboração de uma atmosfera de pobreza ou populista (figurinos usados e gastos, maquilagem pálida, multiplicação de objetos antigos e velhos...) e chega a uma forma de interpretação dos atores que se pretende "fria" e que não toma do *verfremdung* senão suas aparências: a introdução, no desempenho, de um "distanciamento" que apenas realça a estilização. Tais espetáculos são apenas formalmente brechtianos: tratam as peças de Brecht como se não passassem do reflexo de uma ordem estabelecida.

Talvez seja preciso ir mais longe e interrogar sobre a tendência a tratar Brecht como um clássico e a ver em suas peças a imagem de uma totalidade histórica — exatamente como Lukács vê os grandes romances do século XIX como obras que nos contam processos históricos acabados. O que redunda em valorizar o drama histórico às custas da parábola. Tivemos um exemplo na França: a representação de *A Mãe* no TNP em 1968. Nesta ocasião *A Mãe* transformou-se numa peça de comemoração da revolução soviética, quase numa peça de aniversário. Era reduzir seu sentido e seu alcance. Não resta dúvida que a obra se desenrola na Rússia durante os primeiros vinte anos do século. Mas trata-se de uma peça histórica? Não acreditamos. O que Brecht nos propõe é antes uma "parábola" sobre a transformação de um indivíduo e sobre a transformação de uma sociedade. Reduzir a peça às circunstâncias históricas de base é diminuir seu caráter exemplar. Hoje talvez seja necessário fazer o contrário, desvincular *A Mãe* de seu contexto: representar a fábula e não as circunstâncias. O próprio Brecht nos indicou o caminho: modificando as versões de *A Vida de Galileu*, afastou-se da verdade histórica da Florença do século XVII, sublinhando a profunda historicidade da aventura galiliana. Resumindo, também neste caso o método brechtiano nos convida a uma recusa de todo naturalismo (mesmo o "de época") enquanto que a maior parte de nossas representações de Brecht reinstaura este naturalismo.

*Um teatro de intervenção?*

Cumpre então escolher uma solução oposta, enfatizar não a historicização mas sim a atualização, e representar o teatro de Brecht como se fosse um teatro de ação política imediata, mesmo de provocação? É certo que, a propósito de *Grandeza e Decadência da Cidade de Mahagonny*, Brecht referiu-se à provocação como uma "maneira de repor a realidade sobre seus pés". Mas desta forma já se referia à provocação como meio e não como fim. Agir como se as obras fossem primordialmente provocativas equivale a confundir teatro e realidade. Não é por acaso que é justamente esta a palavra de ordem do *Living Theatre*, por exemplo. Julien Beck não se cansa de afirmar que para ele "teatro é vida". Ora, Brecht sempre manteve e mesmo aprofundou esta distinção: teatro não é vida; o teatro apenas reproduz, representa a vida, não se confunde com ela. É certo que sua função é permitir ao espectador a possibilidade de intervir *em seguida* na vida, mas na medida em que é teatro, este não poderia fazê-lo, não poderia tomar posição na própria vida. O teatro é essencialmente mediação — mediação com vistas a uma ativação do espectador.

Este ponto me parece capital. Manfred Wekwerth, aliás, desenvolveu-o de forma extremamente interessante [1]. Acho que ainda convém sublinhá-lo e dele tirar as conseqüências mais radicais quanto à modificação (ou à reviravolta) que Brecht submeteu a concepção tradicional do teatro. Somente nesta perspectiva é que a obra brechtiana pode nos ajudar a denunciar a falsa alternativa a que nos referimos antes.

## A "divisão" brechtiana

Segundo a concepção tradicional do teatro, o palco nos propõe imagens acabadas da realidade: realiza a conciliação do individual e do geral. Aristóteles afirmava que a tragédia era superior à história e Hegel adiantava que a conclusão do conflito dramático deveria nos propor a imagem de uma ordem acabada (quer se trate do restabelecimento de uma ordem antiga ou do estabelecimento de uma ordem nova), ou mesmo a ins-

---

[1]. Cf. *Brecht-Dialog*, 1968 — *Politik auf dem Theater* (Documentação de 9 a 16 de fevereiro de 1968). O texto alemão integral foi publicado por Henschelverlag Kunst und Gessellchaft, Berlim, 1968. Trechos traduzidos em francês foram publicados em *Recherches Internacionales*: "Brecht aujourd'hui", número 60, terceiro trimestre de 1969, caderno traduzido e apresentado por Jean-Claude François.

tauração do "autenticamente verdadeiro e racional". Desta forma o palco ensinaria a verdade à platéia: uma verdade que, por definição, a platéia deve assumir como sendo sua. O edifício teatral realizaria uma unidade perfeita entre atores e espectadores: seria o microcosmo do mundo. Representação e realidade coincidiriam, em última instância.

Brecht, ao contrário, introduz uma divisão fundamental no exercício do teatro. Denuncia esta unidade como astúcia ideológica, enfatiza as diferenças e as articulações. Lança assim as bases de uma nova concepção da estrutura da atividade teatral. Palco e platéia não mais coincidem no que diz respeito a uma verdade revelada: suas relações são reguladas pelo uso do *Verfremdung,* que ao mesmo tempo é identificação *e* distanciamento, alienação *e* desalienação. O palco não está mais fechado em si mesmo, em uma verdade válida para todos: está aberto para o público e cabe à platéia decidir afinal o sentido do que o palco representa. A cena não é mais o reflexo de uma realidade aceita por todos: fala sua linguagem cênica própria, mas cabe aos espectadores compreenderem esta linguagem. Desta forma é possível instituir um trabalho em comum entre o palco e a platéia — trabalho cujo objeto é o mundo, a sociedade, que se encontra justamente fora do teatro. A representação brechtiana não tem conclusão: esta conclusão deverá ser feita, mas não para intervir no palco nem na platéia, mas, sim, na vida real. Deverá ser tirada pelo espectador, considerado como membro ativo da sociedade (revolucionador ou produtor).

Uma tal concepção da "divisão" brechtiana acarreta conseqüências. Deveria levar à revalorização de noções, como as de *fábula* (conviria distinguir a fábula segundo Brecht, da fábula definida por Aristóteles) e de *parábola* (oposta, de fato, à de peça ou drama histórico, entendidos no sentido tradicional). Seria também conveniente mais uma vez definir em que consiste, em cada caso determinado, a linguagem brechtiana: uma linguagem abertamente teatralizada (a que, por exemplo, é imposta pelas *Lehrstucke).* Mas o essencial seria, diante de cada representação de uma peça de Brecht, colocar com clareza a questão do "quando", do "como" e do "por quê" desta representação. Encenar uma peça de Brecht simplesmente por encenar, porque ele se tornou um "clássico moderno" ou porque já faz parte integrante de nossa herança cultural, parece-me literalmente um contra-senso.

Sob pena de ser esvaziada daquilo que constitui seu valor, a obra de Brecht não pode e não deve funcionar sozinha. Ela pertence ao espectador tanto quanto ao leitor ou ao encenador. Daí a ambigüidade da noção do "modelo". O "modelo" é efetivamente exemplar na medida em que nos propõe uma organização coerente dos diferentes elementos de uma representação teatral desta ou daquela peça, um certo número de relações entre a linguagem literária e a linguagem cênica. Mas é enganador na medida em que nos faz acreditar que poderemos reencontrar esta organização em outra representação da mesma peça, em condições sociais e políticas diferentes, para outro público. Partindo do "modelo" devemos voltar ao método, e o que precisa ser seguido é este método, não o "modelo". Cada representação de Brecht deve obrigar-nos a colocar de novo o problema do relacionamento entre todos os elementos, não somente do espetáculo mas também da representação, entendida em seu sentido mais amplo (inclusive as relações palco-platéia). Querer salvaguardar uma tradição cênica brechtiana é uma contradição em termos — ou então é negar o que Brecht nos trouxe de mais novo e fecundo: não uma obra acabada em si mesma, refletindo uma visão de mundo fechada e estabelecida de uma vez, por todas, mas um método de re-presentação crítica de nossa realidade, graças a técnicas e a uma linguagem especificamente teatral. Somente a utilização deste método radical é capaz de provocar este trabalho em comum entre o palco e a platéia que é o de tomar posição em relação à realidade comum a ambos — trabalho no qual Brecht via a própria função do teatro. Então poderemos falar não da eficácia imediata do teatro de Brecht, mas de sua produtividade social, podemos procurar superar a pseudo-oposição entre um teatro de pura cultura e um teatro de ação direta, e denunciar esta falsa alternativa como um produto ideológico da sociedade neocapitalista.

## 23. "A ÓPERA DE TRÊS VINTÉNS" OU OS PODERES DO TEATRO

É de surpreender a prodigiosa vitalidade da *Ópera de Três Vinténs*. A peça, entretanto, foi criada sob os piores auspícios. Segundo a própria Lotte Lenya-Weill[1], raramente um espetáculo conheceu, antes da estréia, tantas "chateações". Era em 1928. Um jovem ator, Ernst Robert Aufricht, havia alugado um teatro que até então o público mantinha deserto: o teatro Am Schiffbauerdamm, o mesmo onde o Berliner Ensemble instalou-se a partir de 1954 e havia escolhido, para inaugurar a nova fase, a *Ópera de Três Vinténs*. Bertolt Brecht estava acabando de redigir o texto, a partir da

---

1. LOTTE LENYA-WEIL, "Das waren Zeiten!" (1955) em *Bertolt Brecht Dreigroschenbuch*, Frankurt-sobre-o-Meno, 1960, Suhrkamp Verlag.

tradução realizada por Elisabeth Hauptmann de *A Ópera dos Mendigos* de John Gay [2], e ao mesmo tempo Kurt Weill compunha a música. Os prazos eram mínimos. Brecht e Weill passaram uma temporada juntos na Riviera e tiveram de trabalhar dia e noite para concluir a tarefa. Assim que os ensaios começaram, vieram as catástrofes: o poeta Klabund entrou em agonia e, para ir para junto dele, sua esposa, a atriz Carola Neher, teve que abandonar o papel de Polly; o ator previsto para interpretar Peachum — Lotte Lenya não lembra mais se era ou não Peter Lorre — devolveu o texto; foi necessário buscar um comediante em Dresde, Erich Ponto. E os dois astros, Harald Paulsen, um tenor de operetas, e Rosa Valetti, cantora de um cabaré em voga na época, proclamava o tempo todo que tinha pouca confiança no empreendimento. No último minuto explode um último escândalo: o nome de Lotte Lenya, que interpertava o papel de Jenny, e que ainda por cima era esposa de Kurt Weill, não figurava nos cartazes. Em resumo, um dia antes da estréia não havia mais ninguém, no Schiffbauerdamm, que ainda acreditasse na *Ópera de Três Vinténs*. Contudo 28 de agosto de 1928 foi o dia do triunfo — um triunfo que se espalhou pelo mundo inteiro e que ainda hoje parece não ter se esgotado.

## Uma "Ópera" Manca

*A Ópera de Três Vinténs*, entretanto, não é uma das obras mais importantes de Brecht. Se este não a renegou, experimentou ao menos a necessidade de transformá-la em profundidade quando surgiu a ocasião de filmá-la (sabe-se que o roteiro de Brecht foi então recusado pela empresa produtora, a *Nero-Film--Gesellschaft*, que estava interessada em explorar o sucesso da *Ópera*, não em dar carta branca e Brecht para que ele "retificasse" sua obra), e também quando o próprio Brecht a ampliou em forma de romance: como assinala Walter Benjamim [3], o *Romance de Três Vin-*

2. A propósito do trabalho de adaptação de Brecht, pode-se consultar com proveito o estudo de WERNER HECHT, "Die Dreigroschenoper und ihr Urbild" em *Aufsatze über Brecht*, Berlim, Henschelverlag Kunst und Gesellschaft, 1970.
3. WALTER BENJAMIN, "Le Roman de Quat'sous" em *Essais sur Bertolt Brecht*, traduzido do alemão para o francês por Paul Laveau, Paris, Librairie François Maspéro, Paris, 1969, p. 95: Petite Collection

*téns* traz o peso dos oito anos (tão negros para a Alemanha) que separam a época da sua redação da época em que a *Ópera* foi escrita.

Comparando *A Ópera de Três Vinténs* com seu modelo, *A Ópera dos Mendigos*[4] é forçoso constatar que a peça de John Gay é mais bem construída e possui uma eficácia dramática mais segura. Em Gay são as tribulações de Macheath e seu bando que constituem a ação. Na peça de Brecht, Macheath não está mais inteiramente no centro da ação: Peachum e seus mendigos lhe disputam a primazia. Por instantes, sua aventura individual desaparece no rumor das festas da Coroação e no tumulto dos desfiles dos mendigos. A personagem de Jenny parece perdida na Londres Vitoriana, ainda que fosse como ilusão de óptica, da *Ópera*: esta prostituta, que em certo sentido representa para Macheath o papel do destino, pertence inteiramente à mitologia berlinense dos anos vinte. E a *Ópera de Três Vinténs* é uma peça manca. Mantém um equilíbrio instável entre Aristóteles e Brecht, entre Londres e Berlim, entre a monarquia e a república... A Inglaterra vitoriana lhe serve unicamente de muleta.

*Um deslanchamento*

Se perdeu no plano da coerência dramática, *A Ópera de Três Vinténs* também não ganhou em virulência satírica. Na peça de John Gay as personagens da *Ópera dos Mendigos* remetiam o público da época diretamente a seus modelos (note-se que Peachum era, na verdade, Robert Walpole, o Primeiro Ministro britânico da época). E ainda mais, este público não tinha dificuldades em identificar a sociedade que é questionada como sendo a sua própria sociedade: não a dos assaltantes das grandes estradas, mas a dos fidalgos, não a dos ladrões mas, sim, a boa sociedade londrina do início do século XVIII (a *Ópera dos Mendigos* foi criada em 1728 — ou seja, exatamente dois séculos antes da *Ópera de Três Vinténs*). Aliás o mendigo e o

Maspéro: "Para escrever este livro, ele retomou as coisas de muito longe".
4. JOHN GAY, *L'Opera des Gueux*, texto francês de Renée Villoteau, Paris, editora L'Arche, 1959, col. Répertoire pour un théâtre populaire, 18.

saltimbanco, que se encarregavam do prólogo e intervinham para metamorfosear o enforcamento de Macheath num alegre *"finale"* de ópera, colocavam os pontos nos is: "Do princípio ao fim da peça, os senhores vão constatar uma tal simplicidade de costumes nas altas como nas baixas classes da sociedade, que fica bem difícil decidir se os fidalgos estão imitando os salteadores de estradas ou se os salteadores estão imitando os fidalgos. Se a peça houvesse terminado como eu pretendia no início, teria apresentado uma moral admirável: teria demonstrado que as pessoas que vivem nas mais baixas condições possuem, até certo ponto, os mesmos vícios que os ricos... mas que por causa deles, são punidos".

Pouco antes, Macheath havia cantado:

> Dizem que as leis
> São feitas pra todos.
> Para o vício punir,
> Onde o vício estiver.
> Mas então por que,
> No patíbulo,
> A sociedade não é mais escolhida?
> Será que as bolsas bem polpudas
> Tornam os juízes negligentes
> E os carrascos preguiçosos?
> Se os ricos viessem conosco,
> Ficassem balançando nos postes,
> Seria preciso amarrar todos os pescoços

A *Ópera de Três Vinténs* não possui mais esta eficácia imediata. O espectador de 1928 e, por motivos mais fortes, o espectador de hoje, não mais pode ler, sob o nome dos heróis da *Ópera*, o nome de seus dirigentes. É verdade que todos os nossos "barões" dos negócios ou da política permanecem mais ou menos iguais aos Peachum. E não é preciso ir muito longe, basta pensar no assassinato de Ben Barka, para ver os nossos Macheath e os nossos Brown se banqueteando juntos, examinando as "dicas" limpando ou sujando a seu bel-prazer as fichas policiais... Mas, ao contrário da *Ópera dos Mendigos*, a peça de Brecht não convida mais a uma leitura, a uma decifração direta. Procede por alusões, por ecos filtrados através da espessura de duas ou três épocas, enquanto que a peça de Gay recordava, com um mínimo de transformações, fatos precisos, concretos.

*Muitos rostos*

Não seria pois o caso de ver *A Ópera de Três Vinténs* como uma peça do folclore do Berlim dos anos vinte? Então Pabst teria ganho em apelação o processo que sua produtora cinematográfica já havia ganho em primeira instância contra Brecht (e perdido contra Weill). A *Ópera* estaria reduzida ao que pretendia não ser: uma opereta — nem tanto: uma coleção de árias de sucesso exploradas tanto por Ella Fitzgerald como por Lotte Lenya. Mas neste caso, por que continuaria sendo representada ainda hoje? Ninguém mais retoma as obras que na mesma época chegaram a ter ao menos igual êxito. *Jonny spielt auf...*, a Jazz-Ópera de Ernst Krenek, estreada em Leipzig em 1927 com um tumultuoso sucesso de escândalo — ao ponto de inspirar a um fabricante de cigarros, o lançamento rápido de "Jonny" no mercado — hoje não passa de uma curiosidade para os discotecários atentos. Por que os jovens encenadores, principalmente ainda se interessam pela *Ópera de Três Vinténs?* Em 1968, só no que se refere a Alemanha Ocidental, a *Ópera* apresentou ao menos três faces totalmente diferentes: Peter Palizsch, em Stuttgart, realizou com a peça um espetáculo em puro estilo vitoriano (com retratos da rainha e um verdadeiro cavalo branco); Günte Büch, em Oberhausen, ao contrário, tentou atualizar o texto ao máximo, chegando a introduzir no palco, ao final, um grupo de mineiros da Ruhr, com roupas de trabalho, cantando a *Internacional;* enfim, no Kammerspiele de Munique, o encenador Jan Grossman e o cenógrafo Josef Svoboda, ambos checos, transformaram esta "ópera de mendigos" (*Bettler-Oper* numa "ópera de ricos", numa festa burguesa na qual os aproveitadores do "milagre econômico" representam os papéis de salteadores e de mendigos.

*A mentira do palco*

A explicação é simples: a virtude fundamental da

*Ópera de Três Vinténs* é precisamente — arrisquemos uma tautologia — ser *teatro*. Ser teatro deliberadamente, com ostentação e agressividade. Giorgio Strehler, cuja encenação da *Ópera*, no Picollo Teatro, em 1956 marcou época, tanto na cena italiana como na história das representações brechtianas, compreendeu-o muito bem. Ele encontrou a chave da peça na fala em que Peachum sugere a Brown que o cortejo da Coroação poderia ser perturbado de forma bem mais grave do que pela irrupção de seu bando de mendigos: "Se os verdadeiros infelizes chegarem — porque aqui não há nenhum deles —, vão vir aos milhares. Eu lhe digo uma coisa: você não imaginou a imensa multidão de miseráveis. Se eles ficarem um ao lado do outro, em fileiras, no adro da igreja, não seria um espetáculo lá muito alegre, não! Essa gente não tem um aspecto muito bonito..." Com efeito nesta fala a *Ópera* confessa que não passa de máscara e disfarce. Seu espetáculo é teatralmente falso: destina-se a mascarar, a esconder a realidade. Mas esta realidade, que no palco só aparece disfarçada, chega ao espectador justamente através deste processo. Não cabe nem aos atores nem ao autor dizer a verdade: o palco não pode ser senão o lugar da mentira. Mas o próprio espectador pode desvendar esta mentira e descobrir ou, antes fazer sua própria verdade, a verdade do mundo, não a do teatro. É ele que pode ver, não mais Robert Walpole, mas seu próprio rosto de pequeno-burguês por trás da goela um tanto ou quanto pitoresca de Mackie-Navalha; como deve distinguir, por trás do cortejo dos mendigos, a multidão dos "verdadeiros infelizes".

*Transformações à vista do público*

Assinalemos a todo momento que na *Ópera* as palavras ou os gestos fazem alusão ao teatro e ao que lhe dá origem: o disfarce. Peachum não cessa de repetir: para ele a realidade é insuficiente (entenda-se perigosa), é preciso conduzir-se como artista, o truque é obrigatório. "Ninguém acredita nos miseráveis verdadeiros, meu filho. [...] Nos dias de hoje só os artistas é que falam ao coração. Se você fizer o seu trabalho bem feito, o seu público vai aplaudir você". Diante de nós, as cenas de disfarces se sucedem: o pessoal do bando de Macheath veste calças e camisas engomadas para celebrar o casamento de seu patrão com Polly; esta vai, em seguida, metamorfosear-se de noiva em mulher de negócios; mesmo as prostitutas nos aparecem, ora como pacíficas burguesas ocupadas em remendar e passar suas roupas, ora como criaturas fatais, que fazem tremer as boas donas-de-casa e as esposas honestas... Do princípio ao fim da *Ópera* se sucedem transformações a vista do público. O palco assume o que é: uma loja de acessórios, um local de disfarce. O palco se expõe como tal e assim se valoriza.

*O auge da ilusão*

Acontece então um duplo movimento: à medida que a *Ópera* se desenvolve, rompe com toda verossimilhança (Mackie é jogado na prisão, escapa, volta para junto das prostitutas e acaba novamente preso; é condenado a ser enforcado sem passar pela justiça... A própria prisão está tão aberta como um moinho...) e parece afastar-se de toda realidade, caminhar para uma fantasmagoria exclusivamente teatral. Mas, paralelamente, o que é então evocado e posto em questão não são mais os indivíduos ou as funções particulares (claramente decifráveis por debaixo das máscaras): é todo um sistema social, toda uma *ordem* — a ordem mesma de nossa sociedade burguesa que, como dizia Brecht, a propósito de *Mahagonny,* "tem necessidade de óperas semelhantes". Com efeito a *Ópera* se conclui na cena da "chegada providencial do Arauto do Rei": estamos aqui em plena "ilusão cômica". Mas no mesmo instante, se dissipam todas as nossas ilusões a respeito das próprias personagens: Macheath é, ele mesmo confessa, um "artesão com métodos obsoletos"; Polly é uma pequeno-burguesa que sabe bem como investir seu dinheiro; e Peachum é o diretor de um *trust* que consegue explorando maravilhosamente aquilo que Brecht chama, sem ironia, seu "desespero radical" (não esqueçamos o vínculo histórico entre a mentalidade puritana e o desenvolvimento do capitalismo). Levado ao auge, o jogo se suprime a si próprio: revela então o que tinha por função mascarar. O teatro era uma fuga diante da realidade: por uma inversão radical, torna-se revelação desta mesma realidade. O importante não é tanto mostrar que os burgueses são salteadores (foi tudo o que Dürrenmatt reteve da *Ópera de Três Vinténs* em sua peça *Frank V* ou *A Ópera de um Banco Particular*) mas, sim, estabelecer esta evidência: o jogo de salteadores e de burgueses, que é a *Ópera*, supõe uma sociedade onde cada um só pode se conduzir como salteador e como burguês, salvo se romper totalmente com ela. A providencial chegada do Arauto do rei convida claramente a uma transformação radical de nossa sociedade e de nosso teatro.

Isto não deixa de ter atualidade nos dias de hoje. Num momento em que nos interrogamos sobre o poder de intervenção direta, sobre a eficácia política imediata do teatro, quando constatamos amargamente a impotência de um teatro que pretendia ser popular e engajado, o exemplo da *Ópera* é mais válido do que nunca. Sem dúvida a *Ópera* não ensina nada que já não soubéssemos antes, assim como não nos propõe a menor palavra de ordem nem a mínima ação política. Apenas estende ao espectador o espelho do teatro, um espelho deformante, para que ele, finalmente, se reconheça neste espelho. Para que reconheça, neste mundo literalmente inacreditável — um mundo de contos de fazer dormir em pé — a imagem de sua própria sociedade. Brecht aqui não faz outra coisa senão o que haviam feito, antes dele, os dramaturgos e filósofos do século XVIII, quando relaxavam em Paris seus Persas ou seus "bons selvagens" imaginários. Só mudou a tonalidade: os heróis da *Ópera de Três Vinténs* são maus selvagens, Brecht é mais pessimista ou mais revolucionário do que Montesquieu ou Marivaux. As últimas palavras da *Ópera* nos falam de um "universo de condenados". É bem a nossa realidade. Cabe a nós compreendê-la e, se possível, transformá-la. Semelhante tarefa não cabe ao teatro. Que ele se contente, por seus próprios meios, em nos afirmar a necessidade de transformá-la: Já será muito. Acentuando ao máximo a ilusão, a *Ópera de Três Vinténs* constitui, hoje, um chamado à realidade.

## 24. PRÁTICA ARTÍSTICA E RESPONSABILIDADE POLÍTICA

É significativo que, desde as primeiras páginas dos *Escritos Sobre Literatura e Arte* [1], Brecht faça o elogio do humor, definido como o "sentimento da distância", e confesse que se sente quase inteiramente "prisioneiro" de um vício: escrever. Equivale a assinalar, de vez que sua obra não pode ser dividida em compartimentos estanques: de um lado peças, novelas e poemas, de outro os textos teóricos. E, entre estes últimos, não pode também haver separação entre os que concernem ao "teatro" e os que tratam de "literatura e arte", ou mesmo

[1]. BERTOLT BRECHT, *Écrits sur la littérature et l'art*, texto francês de Jean-Louis Lebrave, Jean-Pierre Lefebvre, André Gisselbrecht e Bernard Lortholary, Paris, L'Arche, 1970, 3 v., Travaux 7, 8, 9.

de "política e sociedade". Podemos lamentar que, agora, a edição os distinga. No início dos anos trinta, Brecht publicava suas obras em brochuras no formato de caderno escolar, que intitulava *Versuche* (Tentativas) e que geralmente reuniam uma peça, fragmentos de narrativas, alguns e poemas e reflexões teóricas. Hoje sonhamos com uma edição de Brecht na qual se reencontrasse a mesma continuidade, o que nos permitira apreender a escrita brechtiana em todas as suas manifestações.

*Fogo de toda madeira*

Como estão, os três volumes dos *Escritos Sobre Literatura e Arte,* que reúne textos escritos durante toda a vida de Brecht, de 1920 a 1956, não deixam de impressionar. Efetivamente, para Brecht tudo é ocasião para escrever. Quando lê um livro, é membro de um júri literário (em 1927, recusando atribuir o prêmio de poesia no concurso organizado pela *Literarische Welt,* Brecht propôs que fosse impressa "uma canção que eu encontrei num jornal sobre ciclismo"), redige um panfleto destinado a ser divulgado clandestinamente na Alemanha de Hitler: *Cinco dificuldades para escrever a verdade,* ou quando traz sua contribuição para o debate sobre o realismo que foi realizado, de 1936 a 1939, em *Das Wort,* uma revista literária publicada em Moscou em lingua alemã..., Brecht não cessa nunca de comentar sua própria atividade de escritor e de se interrogar sobre os meios e a função da arte em nossa sociedade.

Para ele todos os pretextos e todos os registros eram bons: os *Escritos Sobre Literatura e Arte* vão do aforismo à dissertação de um pedantismo agressivo (basta ver o "Processo da Ópera de Três Vinténs — Experiência Sociológica", que, não obstante, permanece como um texto singularmente rico), da desenvolta resposta a um questionário de jornal ao discurso (quase) acadêmico, e se referem tanto ao cinema e ao rádio, como à literatura, à arquitetura ou à pintura. Sem dúvida, um certo gosto pela provocação nunca está ausente: Brecht gosta de intervir no momento e da forma que menos se espera. Não recua diante de nenhum paradoxo. Mas, como ele mesmo afirma, "a superficialidade do tom com que faço estas constatações não deve enganar sobre a seriedade do assunto"[2]. Poderíamos acrescentar que o inverso às vezes também é válido. O que desta forma se desenha nos *Escritos,* é um retrato inteiro de Brecht. E uma história de atitudes e posições brechtianas que, em certos pontos (principalmente seu comportamento em relação aos expressionistas, sua posição diante dos dogmas zhdanovistas ou suas prudentes objeções à política cultural da República Democrática Alemã), rompem com muitas lendas.

*A arte-mercadoria*

O que entretanto se afirma, através da diversidade e do disparatado destes *Escritos,* é a coerência e a amplitude de uma reflexão teórica sobre a arte e a literatura. Brecht certamente não se propõe a elaborar um sistema da obra de arte, à maneira dos estetas clássicos. Depois de, quando ainda estava na escola, ter celebrado "a voz de flauta da beleza eterna" a propósito do *Jardineiro* de Rabindranath Tagore, o que lhe interessa, primeiramente, é a noção de obra de arte. Ele se recusa a considerá-la fora das condições de sua produção e de sua difusão: "Seja qual for a maneira como é concebida a obra de arte e seja qual for seu destino, ela é de agora em diante uma coisa que se vende, e esta venda desempenha, no sistema global das relações humanas, um papel inteiramente novo. A venda, que se tornou quantitativamente tão forte, não somente regula as antigas relações aos meios de usos adaptados à época mas também introduz finalidades totalmente novas no consumo e portanto igualmente na fabricação [3]. A transformação, portanto, é radical: "Na verdade, é a arte inteira, sem exceções, que está mergulhada numa situação nova. É enquanto totalidade, e não como se estivesse cortada em mil pedaços, que a arte sofre um confronto, é enquanto totalidade que se torna ou não uma mercadoria "[4].

A obra de arte não é mais, e não pode mais ser, a transcrição de uma experiência vivida por um único pre-

2. BERTOLT BRECHT, *op. cit.,* v. I, p. 66.
3. BERTOLT, BRECHT, *op. cit.,* v. I, p. 214.
4. BERTOLT BRECHT, *op. cit.,* v. I, p. 168.

destinado, o artista. Transformada em mercadoria, está duplamente vinculada à realidade: nasce dela, já que a exprime e a ela regressa, já que se inscreve no grande circuito de trocas que a constitui. Por conseqüência é mister apelar para métodos novos: o autor, por exemplo, terá interesse em ser substituído por um "coletivo" ("Um coletivo não pode senão criar obras que transformem também o público num "coletivo" [5] e este poderá "confeccionar documentos". Contra a *Morte e Transfiguração* de Richard Strauss e contra *A Montanha Mágica* de Thomas Mann (este último, para Brecht literalmente o *demônio*), Brecht escolhe uma canção de sucesso, *Valência,* e qualquer romance policial.

Certamente Brecht não se detém em semelhante posição, que poderíamos qualificar de "sociologista". Assim como em seu teatro, passou da glorificação do homem-mercadoria (era o tema central da primeira versão de *Um Homem é Um Homem*) à descrição do processo segundo o qual o homem é tratado enquanto mercadoria, nos *escritos* ele se pergunta seguidamente como a nova obra de arte pode se tornar uma arma nas mãos dos que procuram transformar o mundo. Mas o postulado fundamental permanece idêntico: esta obra não se define somente por suas formas ou tendências ideológicas, mas também pelo seu modo de produção. É este modo de produção que convém analisar e é sobre ele que é preciso agir. Assim Brecht recusa tanto uma crítica das formas como uma crítica dos conteúdos: a nova crítica, que reclama, terá de "estudar as representações que os artistas se fazem do mundo, a ação dos homens, etc. [...] e quais são as falsificações da verdade que resultam da utilização de certas formas estéticas (antigas). Deve ser materialista e deduzir uma forma de arte de seu objetivo prático" [6].

*Um realismo revolucionário*

É nesta base que, de 1936 a 1939, Brecht participa de uma grande polêmica com os defensores oficiais do realismo socialista, principalmente Georg Lukács. Os numerosos textos (perto de uma centena de páginas)

5. BERTOLT BRECHT, *op. cit.*, v. I, p. 183.
6. BERTOLT BRECHT, *op. cit.*, v. I, pp. 121-122.

que se referem ao assunto permaneciam inéditos. Constituem agora o centro dos *Escritos Sobre Literatura e Arte* e, em muitos aspectos, um exemplo desta nova crítica brechtiana.

Brecht não renuncia ao conceito de realismo, mas se recusa a defini-lo esteticamente a partir de processos formais estabelecidos de uma vez por todas segundo modelos anteriores. Brecht inverte os argumentos de Lukács: para ele não são Joyce ou Döblin, por exemplo, que aparecem como formalistas; mas sim o próprio Lukács, na medida em que, para julgar uma obra de arte de hoje, emprega critérios que pertencem às obras de arte do passado (os critérios do "realismo burguês"). O romance de nossos dias não pode conformar-se ao modelo balzaquiano, pois "Balzac escrevia num mundo que era profundamente diferente do nosso, com meios perceptivos e processos de representação que em nada correspondem ao nosso nível (no que se refere à economia, à tecnologia, à biologia etc.) e escrevia para uma classe que estava apenas principiando a se servir do código de Napoleão" [7].

Desta forma o realismo existe na adequação entre um projeto político engajado numa prática (a que visa à dominação da natureza e da sociedade) e a utilização de técnicas literárias apropriadas (estas últimas constituindo efetivamente processos de representação da realidade). É preciso reconsiderá-lo o tempo todo: seus "critérios distintos" são sempre "relativos". Brecht vai mesmo ainda mais longe na crítica ao zhdanovismo: "O Slogan *Realismo Socialista* não tem sentido, não tem utilidade prática, não tem virtude produtiva exceto se for especificado segundo o tempo e o lugar" [8].

Em resumo, não é apenas a obra que é preciso interrogar ou questionar: é também a prática artística, da qual esta obra é o produto. Neste ponto, Brecht reencontra a sociologia. Mas não procura reduzir a obra a um simples material. O que nela lê, através de suas formas e também de seus conteúdos, em suas figuras como em suas tendências, é o relacionamento do autor com o processo de produção: sua aceitação dos antigos modos de representação do real ou sua vontade de descobri-los

---

7. BERTOLT BRECHT, *op. cit.*, v. II, p. 151.
8. BERTOLT BRECHT, *op. cit.*, v. II, p. 169.

novamente, sua adesão a uma certa ordem artística (que é também uma ordem social) ou sua vontade de transformá-la. Walter Benjamin sublinhou com ênfase: "Brecht elaborou o conceito de transformação da função. Foi o primeiro a formular para os intelectuais esta exigência de grande alcance: nada entregar ao aparelho de produção sem ao mesmo tempo, tanto quanto possível, modificá-lo no sentido do socialismo" [9].

Mais além dos imperativos ideológicos ou estéticos (estes muitas vezes muito menos distintos dos primeiros do que se imagina), Brecht aponta a responsabilidade política. Nos *Escritos Sobre Literatura e Arte,* assim como nos *Escritos Sobre Teatro,* seja quando redige uma firme resposta a Lukács ou quando rabisca algumas linhas à margem de um poema ou de um quadro, quando analisa os "ritmos irregulares da poesia lírica não rimada" ou quando evoca "as artes e a revolução", é sempre de trabalho que ele fala: trabalho no sentido de execução de técnicas particulares (precisamente as técnicas da arte), mas também trabalho enquanto meio de transformação do que está estabelecido.

A novidade e a fecundidade da reflexão brechtiana em nossos dias, ainda se atém, essencialmente, a esta vontade de ligar a arte ao trabalho, e de defini-la como uma "prática social humana, com propriedades específicas, história própria, mas, apesar de tudo, uma prática entre outras, vinculada às demais práticas". Retomando algumas proposições dos formalistas russos (principalmente de Tynianov, que se preocupou em estudar as "funções da série literária em relação às séries sociais vizinhas" [10]), e antecipando pesquisas críticas atuais, foi na elaboração de uma teoria marxista da arte que Brecht não cessou de trabalhar.

---

9. WALTER BENJAMIN, *Essais sur Bertolt Brecht,* traduzido do alemão por Paul Laveau, Paris, Librairie François Maspéro, 1969, Petite Collection Maspéro Ver "9. L'Auteur comme production", exposição feita em Paris no Instituto Para o Estudo do Fascismo, em 22 de abril de 1934, p. 117.
10. J. TYNIANOV, "De l'évolution littéraire" (1929), em *Théorie de la littérature,* textos dos formalistas russos reunidos, apresentados e traduzidos por Tzvetan Todorov, prefácio de Roman Jakobson, Paris, Le-Seuil, 1965, p. 135, col. Tel Quel.

## 25. B.B. CONTRA BRECHT?

Hoje escuta-se mais uma vez a afirmação que o teatro francês não teria mais necessidade de Brecht; este já estaria há muito tempo superado... Sem dúvida diante de tais afirmações, é preciso distinguir o que, em circunstâncias inteiramente diferentes, se chamou de "covarde alívio". Brecht não constitui um obstáculo à superficialidade e o melhor meio de livrar-se dele não seria afirmá-lo como assimilado e digerido? Os que se recusaram a passar por Brecht são, agora, os primeiros a proclamá-lo superado. Sua obra não teria assim constituído senão um inútil desvio na trilha real do teatro francês!

Falemos sério. Quando Jean-Jacques Gautier ou Ionesco colocam Brecht na loja de antiguidades, um dar de ombros é suficiente. Em compensação, quando Jean-Marie Serreau, Gabriel Gararn ou Roger Planchon se interrogam sobre a utilidade de Brecht nos dias de hoje, o problema se torna mais grave. E alguns espetáculos, como *A Mãe,* que Jacques Rosner montou no TNP em 1968, nos obrigam a formular a questão de saber se Brecht não foi definitivamente "recuperado" se sua obra não se tornou parte integrante do repertório cultural burguês, em suma, se agora Brecht não possui, segundo a fórmula de Max Frisch, "a ineficácia flagrante de um clássico".

*Brecht, clássico ou eficaz?*

Sem dúvida podemos retorquir a Frisch, como fez Manfred Wekwerth durante o *Brecht-Dialog* [1], que Brecht justamente desejava ser um clássico — mas um clássico no sentido em que ele mesmo compreendia que Marx e Lênin são clássicos. Isto é, um clássico do mundo socialista em construção e o contrário de um clássico da sociedade burguesa (que admite como acabado e definitivo aquilo que, historicamente, estaria em processo). Podemos também nos interrogar sobre a noção da eficácia no teatro. Wekwerth tinha razão ao sublinhar que esta eficácia é específica: "A apresentação de peças de Brecht em países imperialistas não substitui a luta de classes fora do teatro; ao contrário, supõe esta luta [...]. E não é uma representação brechtiana — digamos numa cidade da República Federal —, que provocará a dissolução do NPD, permitirá a abolição da lei sobre o estado de emergência ou provocará a expropriação de Springer [...]. O teatro sozinho não pode mudar a sociedade nem chegar a resultados políticos imediatos". Somente "uma eficácia maior: e eficácia social" pode suprir a "ineficácia do clássico Brecht e de todo o teatro tal como existe": "pois o teatro só pode ter uma eficácia: contribuir para tornar eficazes as forças sociais que, por

1. Cf. *Brecht-Dialog* 1968 — *Politik auf dem Theater* (documentação de 9 a 16 de fevereiro de 1968). O texto alemão integral foi publicado por Henschelverlag Kunst und Gesselchaft, Berlim, 1968. Trechos traduzidos em francês foram publicados em *Recherches Internationales*: "Brecht aujourd'hui", n.º 60, terceiro trimestre de 1969, caderno traduzido e apresentado por Jean-Claude François.

sua própria natureza histórica, estão em condições de produzir transformações na sociedade".

Não obstante, somos forçados a constatar que a maior parte das representações brechtianas estão ainda longe de caminhar no sentido de uma tal "eficácia social". O sucesso de Brecht e a inscrição de suas obras no repertório das grandes instituições teatrais não provocou uma modificação nestas instituições, não as levou a tomar partido em favor do proletariado. Antes, na verdade, Brecht foi alinhado ao lado dos clássicos burgueses, tal como são representados comumente. Montando *Galileu* nem mesmo se coloca mais em questão o drama histórico à maneira de Schiller: no palco, *Galileu* se aproxima de *Wallenstein* ou, pior ainda, de *Maria Stuart*, quando não é transformado em alguma coisa assim como uma peça de um Montherlant laico e ligeiramente progressista!

*O estilo Brecht*

Há algo de ainda mais grave: é que, pouco a pouco, o método de Brecht foi sendo reduzido a um conjunto de receitas e de processos, convertido num estilo Brecht. A forma épica é substituída por uma espécie de "ilusionismo" brechtiano, baseado na imitação míope dos mais célebres espetáculos do Berliner Ensemble (de *Mãe Coragem* a *Arturo Ui*). Isto começa com a elaboração de uma atmosfera de pobreza (figurinos usados e gastos, maquilagem pálida, acúmulo de objetos antigos e velhos...) e chega a uma forma de interpretação dos atores que se pretende "fria", não empresta do "distanciamento" senão suas aparências, realçando, na verdade, a estilização. Tais representações tratam as peças de Brecht como se fossem apenas o reflexo de uma ordem estabelecida: a ordem teatral brechtiana. Separam as peças de toda realidade exterior às mesmas (realidade na qual são interpretadas; realidade de toda a sociedade na qual são representadas) e chegam ao ponto de privá-las, por esta razão, de toda "eficácia social". Neste ponto é necessário, já dissemos [2], refletir sobre a utilização do que Brecht chamava de "modelo". De fato, a utilidade do modelo

2. Cf. artigo "Elogio do Método Brechtiano", neste volume.

é existir para ser negado: a partir do modelo devemos voltar ao método. E não converter o respeito por este modelo em imitação de um estilo. Ora, na maioria dos casos, os melhores encenadores de Brecht não foram além de semelhante imitação. Basta comparar as encenações de *Mãe Coragem* realizadas nas últimas décadas em quase todos os países do mundo: exceção feita às aberrações, não fizeram senão refletir a imagem da peça que nos foi entregue, de uma maneira é verdade, inesquecível, pelo Berliner Ensemble há mais de quinze anos.

Não se trata de recusar incondicionalmente esta preocupação de fidelidade ao pé da letra (e às imagens) do Berliner Ensemble. Este admirável instrumento de teatro, tal como Brecht o organizou, efetivamente estava dez ou quinze anos à frente de qualquer de nossos teatros. Tentar copiar alguns de seus espetáculos foi uma maneira de recuperar nosso atraso. Mas seria necessário fazê-lo deliberadamente (geralmente o que se fez foi feito "às escondidas") e seria necessário também não se deter na cópia. Era preciso descobrir, de maneira crítica e por assim dizer brechtiana, nossa diferença em relação ao Ensemble, em relação a seus meios artísticos e a seu contexto político e social.

Ora, precisamente isso foi omitido. Então (não vejo senão uma exceção notável: o trabalho brechtiano de Giorgio Strehler no Piccolo Teatro di Milano) a cópia se tornou decalcomania de um pseudo-estilo brechtiano. E as grandes peças de Brecht, ao menos aquelas que foram consagradas como "clássicos", se tornaram petrificadas ao ponto de atualmente ser difícil, senão impossível, devolver-lhes vida e eficácia, salvo brutalizando-as como Brecht fez quando usou Shakespeare.

*B.B. e sua armadilha*

Permanece aberto um outro caminho de acesso a Brecht: a volta ao jovem Brecht, às suas obras menos representadas até o momento, a peças que, ao menos relativamente, ainda estão virgens, e que, sobretudo, se mostram rebeldes a este pseudo-estilo brechtiano. Ou seja, recorrer a B.B. contra Bertolt Brecht.

Aqui há um perigo à espreita: o de conceder privilégios a B.B. às custas de Brecht. Desta forma cairíamos numa armadilha que alguns não cessaram de armar para nós. Escutemos Herbert Luthy falar da ruptura que teria constituído, para Brecht, sua "conversão" ao comunismo — "ruptura ao mesmo tempo consigo mesmo e com sua própria vitalidade literária": "O despreocupado vagabundo que vivia sem problemas, tornou-se um ativista revolucionário; o cantor de rua, improvisado e expressionista, tornou-se um asceta pedante e erudito; a poeta-lamento (*sic*) tornou-se um escritor prosaico e racionalista. Seja qual for o progresso que tenha realizado seu pensamento, a palavra do pobre B.B. secou, descarnada a ponto de ficar só o esqueleto, endurecida a ponto de tornar-se um teorema"[3]. E recusemos uma semelhante dicotomia Hoje montar B.B. não é representá-lo contra Brecht: representá-lo para atingir Brecht mais além das imagens estereotipadas do "brechtismo".

Jean-Pierre Vincent anotou com precisão no programa do Théâtre de Bourgogne, onde em 1969 montou *O Casamento dos Pequenos-Burgueses*: "Escolhemos o jovem Brecht para, começarmos pelo começo e com ele recusarmos, de início, um certo número de comportamentos estéticos ou sociais. E através desta recusa prioritária esperamos prosseguir, com Brecht e com outros, a pesquisa de novos comportamentos". Mas esta lógica cronológica ainda não é o suficiente. A escolha de uma "farsa" da juventude, como *O Casamento dos Pequenos-Burgueses,* pode ter, na atual vida teatral francesa, uma outra função.

*Uma terapêutica*

Com freqüência já constatamos e com mais freqüência ainda já esquecemos: nosso teatro permaneceu, em grande parte, naturalista. Mesmo a "pincelada" da estilização, que há meio século vem sendo aplicada a

[3]. HERBERT LUTHY, "Du Pauvre Bertolt Brecht", *Preuves*, mar. 1953, n.º 25.

este teatro, estilização literária com o Vieux-Colombier de Copeau e plástica com o TNP de Vilar, não apagou a marca deixada por Antoine (esta "pincelada" apenas o perturbou, mas isto é uma outra história). Ora, representar *O Casamento* é precisamente voltar a este naturalismo, obrigar atores e acessórios a um retorno às fontes, a um retorno aos materiais em estado bruto, com sua espessura e sua textura. Mas por uma reversão já brechtiana, é também o contrário: é fazer explodir — no sentido duplo da palavra — este naturalismo. Ao mesmo tempo confessá-lo e negá-lo. Palavras, gestos, objetos... Tudo é concreto em *O Casamento*. Entretanto, no final, uns e outros se destroem. A ilusão naturalista — melhor, a ilusão de uma natureza a salvo de qualquer perigo — é dissipada [4]. Representar *O Casamento* é também submeter nosso aparelho teatral a uma terapêutica salutar (e, não tenho dúvidas, bastante divertida para o espectador): tratar o mal pelo mal.

Há outras peças de Brecht que exigem ser montadas em nossos dias: são as "peças didáticas". Através delas o teatro francês poderia retomar pelo princípio o itinerário épico de Brecht. Quer se trate de *A Decisão*, de *A Importância de Estar de Acordo*, de *Aquele que diz sim* e *Aquele que diz não* ou de "fragmentos", como os de *Comércio do Pão* (a representação das duas últimas eclipsou, sem contestação, todos os outros espetáculos apresentados pelo Berliner Ensemble durante o *Brecht-Dialog*), todas estas peças nos permitiriam reapreender a lição brechtiana na origem. Ora, temos uma necessidade urgente disto, depois de duas décadas de "pseudobrechtismo". Não nos enganemos: descobrindo B.B. é a Brecht que reencontraremos.

---

4. A propósito de sua concepção "Brecht como clássico", Manfred Wekwerth menciona que "o teatro brechtiano deve tanto ao cômico popular Karl Valentin quanto à analítica de Hegel". E acrescenta: "No fato de que este cômico da Baviera tenha conseguido inventando esta personagem magra, desconfiada que combate em toda linha a lógica de cabeça para baixo de nosso mundo e abandonada, superar a separação do trágico e do cômico, na qual tanto se comprazia a burguesia, neste fato Brecht viu uma possibilidade de reencontrar a totalidade perdida e, conseqüentemente, uma marca do classicismo". Sabe-se que foi para Valentin que Brecht escreveu *O Casamento*.

VI. A REALIDADE TEATRAL

## 26. O FIM DE UM SONHO

No fim de 1967, tudo ainda parecia correr bem no que se refere aos teatros subvencionados. Face aos teatros particulares, obrigados a se adaptar a um sistema de produção "à americana" (o *boulevard* parisiense se amolda cada vez mais à Broadway) ou a recorrer ao auxílio de um mísero "fundo de sustentação do teatro particular", os "teatros públicos" (comprendemos, sob esta denominação, tanto os teatros nacionais como a Comédie Française, o TNP ou o Odéon-Théâtre de France, como os novos Centros Dramáticos Nacionais, os nove Elencos Permanentes da descentralização ou os mais recentes teatros dos subúrbios, chamados também de periferia parisiense) pareciam ainda em plena prosperidade. Além disso, alguns deles haviam-se ampliado ou se preparavam para se transformar em Casas de Cultura. Em outubro de 1966, diante da Assembléia Nacional, André Malraux havia profetizado: "Pelo preço de 25 quilômetros de auto-estrada, a França pode, nos dez anos vindouros, tornar a ser, graças às Casas de Cultura, o primeiro país cultural do mundo". Coincidindo com os jogos Olímpicos de Inverno, a inauguração, com grande pompa, da imponente Casa de Cultura de Grenoble, concebida pelo arquiteto André Wogensky (chegando a comportar três teatros, entre eles um anular com palco e platéia giratórios), testemunhava, na aurora de 1968: nosso país ia ter, enfim, suas "catedrais do futuro" (André Malraux) onde todos os jovens poderiam entrar em "contacto com tudo que vale tanto quanto o sexo e o sangue, pois existe talvez uma imortalidade da noite, mas existe certamente uma imortalidade dos homens" [1] e "se achar confrontados, de vez, e à custa de seus próprios riscos e perigos, com as formas mais elevadas da cultura" [2]. Na verdade, tudo ainda estava longe da perfeição: embora aumentados, os créditos concedidos aos teatros permaneciam ao mesmo tempo desigualmente distribuídos (os três teatros nacionais absorvendo, só eles, tanto quanto o restante das empresas teatrais sustentadas pelo Estado) e globalmente insuficientes (todo o orçamento do Ministério de Negócios Culturais representa menos de 0,43% do orçamento do Estado — e dois terços deste orçamento são destinados à manutenção dos monumentos históricos, dos museus etc,); parecia difícil, senão impossível, fazer um estatuto padrão das Casas de Cultura que respeitasse ao mesmo tempo os interesses do Estado, das municipalidades ou das coletividades locais, dos usuários e da liberdade de criação necessária. Inquietações surdas não deixavam de surgir, aqui e acolá, como também dúvidas sobre a pureza das intenções dos poderes (tanto municipais quanto governamentais) e sobre a concepção "gaullista" de cultura. Isto não impedia que os melhores de nossos homens de teatro en-

1. Cf. o discurso pronunciado por André Malraux na inauguração, no início de 1964, da Primeira Casa de Cultura, a de Bourges, em outubro de 1963.
2. Cf. a explanação feita por Pierre Moinot ao grupo de trabalho Théâtre et Musique no quadro de preparação para o IV Plano.

trassem no jogo, estivessem ou já se vissem à frente das Casas de Cultura. E pareciam dispostos a assumir, como afirmara Roger Planchon no Festival de Avignon de 1967, "o poder cultural".

*Um desabamento*

Hoje, as coisas mudaram por completo. André Malraux não é mais Ministro de Estado encarregado dos Negócios Culturais: para substituí-lo, foi tirado da sombra gloriosa do Conselho Constitucional, um velho partidário do "gaullismo", honesto e sem brilho, Edmond Michelet [3]. Os dois funcionários responsáveis pelos teatros e pela ação cultural, Pierre Moinot e Francis Raisin, nem mesmo esperaram a partida de Malraux para se demitirem. Ao mesmo tempo, a Direção Geral das Artes e das Letras foi suprimida, a conjugação dos "teatros e da ação cultural" (era esse o título de um dos setores do Ministério) foi rompida... e o Ministério não garantiu aos teatros o pagamento de suas subvenções além da data de 1º de outubro de 1969. Em suma, uma política de dez anos desmoronou, de uma só vez, como um castelo de cartas. Quanto às relações dos animadores com as coletividades locais, não são das mais brilhantes. Latente já há algum tempo, o conflito que freqüentemente colocava em oposição os diretores dos Centros Dramáticos ou dos Elencos Permanentes promovidos a Casas de Cultura, com os poderes municipais, explodiu abertamente. Várias destas Casas, entre as quais as que tinham sido as primeiras a funcionar, não resistiram. Uma ruptura definitiva se deu entre os homens de teatro-animadores e os poderes locais. Estes reavendo seus prédios, aqueles voltando-se para o Estado a fim de obter outra situação ou a fim de obter que suas companhias se beneficiassem com o estatuto de Elenco Nacional. O mal, entretanto, pode ser mais profundo: foi não apenas uma política das artes e das letras que acabou, mas uma certa concepção de teatro, ou mesmo de cultura, que se viu ameaçada e em dúvida sobre si mesma. Chega-se a sentir que uma época do

---

3. Estas linhas foram escritas antes da morte de Michelet e antes de sua substituição por Jacques Duhamel.

teatro francês — a do TNP de Jean Vilar, a da descentralização dramática e da aparição dos teatros da periferia parisiense, aproxima-se de seu fim, antes mesmo de ter atingido a verdadeira maturidade. Daí decorrem a perturbação e a confusão atuais: alguma coisa está morrendo, entretanto isto que morre estava longe de ter produzido todos os seus frutos. E não se vê o que poderia substituí-la. O que aconteceu então?

## A última grande festa

Certamente, aconteceu maio de 1968. Um a um os teatros fecharam as portas. Atores e técnicos entraram em greve, afirmando, assim, sua filiação à classe operária. Ou, pelo menos, sua solidariedade para com ela. Mas não foi apenas questão de reivindicações ou de vontade revolucionária. De fato, durante duas ou três semanas o teatro se sentiu profundamente deslocado e inútil: era na rua que o verdadeiro espetáculo estava sendo representado. Não tanto sob a forma de "teatro de rua", desajeitadamente tentado naqueles dias, mas nas próprias manifestações, no decurso das infindáveis discussões, dia e noite, nas salas e no pátio da Sorbonne "liberada". E esta "rua" transbordou sobre o teatro: o Odéon ocupado se transformou num imenso fórum, num local de permanente peço a palavra. Toda uma mocidade fabricou seu próprio teatro. Para que serviriam então representações muito bem cuidadas, nas quais esta mocidade só teria o papel de espectador: ela podia ser, ao mesmo tempo, seu próprio ator e seu próprio espectador!

No mesmo momento, reunidos pelo chamado de Roger Planchon, cerca de quarenta diretores de Teatros Populares e de Casas de Cultura se debruçavam sobre seu passado e publicavam, em 25 de maio, em Villeurbanne, uma declaração que possuía o amargo sabor de uma autocrítica. Embora reivindicando sua "responsabilidade em relação a uma situação que certamente não quisemos" não podiam senão constatar o "corte cultural" que "separa os privilegiados" gozando de uma cultura hereditária particularista, isto é, simplesmente burguesa e a massa de seus concidadãos "constrangidos a participar da produção de bens materiais, mas privados dos meios de contribuir na própria orientação da marcha geral [de nossa sociedade]". Entretanto tal constatação era menos nova do que parecia: seus fundamentos eram ainda a ideologia do teatro popular, tal como se afirmara progressivamente desde o século XIX e tal como parecia se ter encarnado no TNP de Jean Vilar. De fato, continuava a se referir às três exigências fundamentais que, de acordo com o Manifesto dos Amigos do Teatro Popular, de 1956, constituíam o código de qualquer empresa de teatro popular: "um público de massa", um "repertório de alta cultura" e "uma arte de encenar livre e exigente". O Comitê Permanente de Villeurbanne não rompia com esta ideologia. Reafirmava-a, ainda que reconhecendo que até então ela havia permanecido, quanto ao essencial, uma mitologia. Villeurbanne de 1968 foi a última grande festa do teatro popular segundo Gémier e Vilar.

Ao mesmo tempo que repetia de modo nostálgico o sonho de quase um século de teatro, o Comitê Permanente dava um passo a mais: afirmava o teatro como "empreendimento de politização", reclamava para si uma participação direta na definição da política cultural do Estado. Os diretores dos Teatros Populares e das Casas de Cultura não mais queriam ser apenas agentes de difusão de uma cultura que não controlassem. Nem criadores irresponsáveis, sustentados financeiramente pelo Estado. Reivindicavam a responsabilidade da elaboração de uma nova política cultural. Acentuaram a necessidade não apenas de coordenar seus atos, até então dirigidos separadamente, e de assim se constituírem em interlocutor único em face do Estado (daí o surgimento deste Comitê Permanente, que, em menos de um ano, se tornou a sombra de si mesmo), mas ainda de unir indissoluvelmente a formação do ator, a animação cultural e a criação teatral. Foi a pedra no caminho do projeto de Villeurbanne Levando a seu fim lógico a concepção do "teatro como um serviço público", cara a Jean Vilar, os membros do Comitê Permanente desencadearam uma máquina infernal que muito breve, se voltaria contra eles mesmos. As contradições, que esta ideologia do teatro popular continha em germe, iam agora aparecer

claramente. E o *modus vivendi* sobre o qual os teatros
públicos, as coletividades e o Estado regulavam seu
relacionamento, ia ser recolocado em questão.

## O desmantelamento

Isso não tardou. Desde setembro de 1968, sob
pretexto de uma declaração feita a um jornal inglês,
e argumentando que o diretor do Odéon-Théâtre de
France não tinha cortado a eletricidade no momento
da ocupação de seu teatro (em maio de 68), Malraux
participou a Jean-Louis Barrault (que então dirigia
o Odéon) que seu contrato estava acabado. Em dezembro, sob a intervenção do Ministro de Relações
Exteriores, o governo retirou do repertório do TNP
(por "motivos internacionais") a peça de Armand
Gatti *A Paixão do General Franco* que fora inscrita no
programa da temporada de 1968-1969 (sob o título
mais discreto de *Paixão em Roxo, Amarelo e Vermelho*) e cujos ensaios já haviam começado há mais de
duas semanas. Sem dúvida, não se tratava de restabelecer uma censura prévia (o Ministério de Assuntos
Culturais deixou mesmo entender que o único problema estava ligado à qualidade de "teatro nacional" do
TNP e que Gatti poderia montar sua peça em qualquer outro teatro que não fosse "nacional" — o que
naturalmente estava excluído, em vista do alto custo
do espetáculo). Mas o caso não era menos significativo: como diversas personalidades do teatro sublinharam, com tal medida o governo tendia a substituir
a noção de "serviço público" pela de "empresa a seu
serviço". Os novos estatutos do TNP e do Odéon,
publicados em 1969, estão cheios de ameaças: na verdade desobrigam os diretores destes teatros subvencionados da responsabilidade sobre seus bens próprios na
gestão destes estabelecimentos — era uma reivindicação formulada desde muito tempo por Georges Wilson
— mas prevêem, também, a possibilidade, para o governo, de decretar o afastamento do diretor não apenas por uma falta cometida nesta função mas ainda
"por um ato incompatível com a execução de sua missão" (depois do pronunciamento, é verdade, de uma
comissão consultiva).

Paralelamente, Malraux fazia uma contramarcha no que diz respeito às Casas de Cultura. Longe de dar satisfação a uma de suas exigências essenciais, formuladas pelo Comitê Permanente, e de instituir uma verdadeira continuidade entre a formação, a animação e a criação, concluía por sua necessária dissociação: "É assim que encaramos dar a estes centros de criação um estatuto nitidamente distinto daqueles das Casas de Cultura: as duas responsabilidades não mais se sobrepondo, a gestão das Casas ficaria facilitada"[4] A reorganização dos serviços do Ministério dos Assuntos Culturais criando, independentemente da direção dos teatros, uma direção de ação cultural, órgão dito "horizontal" e destinado a desempenhar um papel de incitação e de coordenação, já vem consagrar esta dissociação: que os homens de teatro se ocupem da criação, enquanto que outros, animadores especializados, se encarregarão da animação e da difusão.

No plano local, o mesmo desmantelamento do setor público do teatro seguia uma marcha acelerada. Desta vez não mais se tratava de garantir uma boa gestão ou de evitar organismos culturais monolíticos (Malraux encarava a multiplicação das Casas de Cultura como *"estouradas* cujos diversos elementos encontrarão colocação em vários lugares, em diversos conjuntos" e "também circuitos culturais constituídos a partir de equipamentos antigos ou novos"[5]): algumas municipalidades simplesmente denunciaram o contrato que colocava à disposição do Centro Dramático ou do Elenco Permanente a Casa de Cultura ou o Teatro Municipal. Em face da radicalização da ideologia dos teatros-populares, em face também das assembléias ou das manifestações de grevistas que puderam realizar-se, aqui ou acolá, em maio e junho de 1968, a burguesia de muitas das grandes cidades de província decidiu reaver "seu" bem. Nada mais fácil: na falta de qualquer estatuto das Casas de Cultura, bastava que a municipalidade de Caen, a de Bourges ou a de Toulouse, anunciasse a intenção de não mais pagar à Casa a sua parte de 50% das subvenções ou-

---

4. Cf. o discurso de André Malraux na Assembléia Nacional, na discussão do orçamento do Ministério de Assuntos Culturais, em 14 de novembro de 1958.
5. Cf. o discurso de André Malraux, cit.

torgadas. Ou que então notificasse ao diretor do teatro que a concessão que lhe havia sido feita não mais seria renovada. Retomando assim, sob sua administração direta, o teatro em questão. Gabriel Monnet foi, pois obrigado a deixar Bourges, onde havia inaugurado, seis anos antes, a primeira Casa de Cultura: em compensação, foi encarregado da missão de implantar um novo centro teatral em Nice. Em Toulouse, o Grenier de Toulouse de Maurice Sarrazin, que nele trabalhava mais de vinte anos (e que cinco anos antes havia inaugurado, naquela localidade, um novo teatro, com o *Peixe Negro* de Gatti, o Teatro Daniel Sorano) ficou provisoriamente sem sala. E Jo Tréhard, em Caen, também precisou refugiar-se, com sua companhia promovida a Centro Nacional, numa sala de patronato. Assim, "recuperados" pela burguesia local, os teatros municipais se tornarão em breve, tal como os cassinos das cidades de estações de águas ou dos balneários, as frutuosas paradas no itinerário das temporadas parisienses, que darão, quatro vezes por ano, aos "notáveis" do local, a oportunidade de se sentirem freqüentadores dos *boulevards*.

É preciso ainda lembrar a parte ínfima concedida às despesas culturais no orçamento do Estado: já citei a cifra de 0,43%. Mas, enquanto o Comitê proclamava a "necessidade de obter com que os créditos culturais se elevem pelo menos a 3% do orçamento nacional", eles ainda diminuíram, em importância relativa, no orçamento de 1969: não chegam nem a 0,435%, mas, apenas, a 0,427%. Por ora, parece excluída a hipótese de que a recente campanha nacional, para que cheguem a 1%, obtenha qualquer satisfação.

*Contradições internas*

Entretanto, nem a reviravolta da política governamental, nem o desejo de vingança de uma burguesia que em maio de 1968 farejou um cheiro de "revolução cultural" bastam para explicar completamente o fenômeno atual. Este, já sugerimos, tem também sua origem no setor público do próprio teatro. O grande exame de consciência de Villeurbanne, ainda que os dados às vezes estivessem falseados, e a perspectiva política francamente utópica, a interrupção de toda a atividade teatral durante dois meses, até a tragicomédia da contestação no Festival de Avignon de 1969... tudo isso levou os homens de teatro a duvidarem de sua própria atividade e de seus próprios mitos. Aí também alguma coisa desmoronou. Basta lançar um olhar à temporada 1968-1969 para perceber. Foi com o firme propósito, senão de expulsar os clássicos de seus repertórios, ao menos de dar uma parte predominante à criação contemporânea, que a maioria dos animadores organizaram seus programas. Em Aubervilliers, Gabriel Garran abriu mesmo seu teatro a companhias muito jovens, para que apresentassem, a um público não pagante, obras novas por elas mesmas escolhidas; logo depois, o próprio Garran criou *Off Limits*, a última peça de Arthur Adamov. No TNP seria a *Paixão em Roxo, Amarelo e Vermelho* de Gatti que deveria, numa encenação dirigida pelo próprio autor, suceder à apresentação de *O Diabo e o Bom Deus* de Sartre. E foi com a peça de um jovem dramaturgo grego, Dimitri Dimitriadis, que lembrava o assassinato de Lambrakis, retocada para incorporar os episódios de maio, intitulada *Preço da Revolta no Mercado Negro*, que Patrice Chéreau começou sua temporada 1968- -1969... Em resumo, por toda parte manifestou-se uma vontade de abertura e o desejo de encontrar, no teatro, "uma arte em fase de se fazer", como se afirmava em Villeurbanne em 1968. Tratava-se porém, tão-somente de uma espécie de fuga para frente. E, longe de ser encontrada uma solução, o mal-estar constatado não fez senão se acentuar. Pela primeira vez, desde muitos anos, teatros como o TEP ou o Teatro da Comuna de Aubervilliers viram baixar o número de seus assinantes e espectadores. Apenas um recém-chegado, o Théâtre de la Ville, suntuosamente instalado no centro de Paris, na carcaça do Teatro Sarah Bernhardt, conseguiu ter casas cheias com o programa mais heterogêneo possível: os *Seis Personagens à Procura de um Autor* de Pirandello, numa encenação empoeirada de Jean Mercure; *Muito Barulho por Nada* de Shakespeare, transformada numa opereta vagamente barroca por Jorge Lavelli; e *A Engrenagem* de Sartre, que recendia furiosamente ao imediato pós-guerra. A presença no TNP de um ator como Robert Hirsch, da Comédie Française, retomando o papel de Arturo Ui, anos antes criado por Vilar, também tem um valor simbólico: indica claramente o lado para o qual se inclina lentamente o TNP.

Sob o impulso de maio, contradições até então cuidadosamente disfarçadas, explodiram. Sendo a principal a que se refere a uma profunda inadequação entre uma ideologia, métodos de trabalho e um público real (bastante diferente deste "público da Cidade reunida", com o qual, contra todas as verossimilhanças, não se deixava de sonhar). Entre os diretores dos Teatros Populares e das Casas de Cultura, somente Roger Planchon e Patrice Chéreau parecem não ter ficado presos à ilusão lírica da Declaração de Villeurbanne e ter tomado consciência verdadeiramente, em seus trabalhos, da necessidade de reformular a ideologia e os métodos do "teatro popular", mesmo que daí tenham tirado conclusões radicalmente diferentes.

Assim, depois de ter acalentado o fantasma de um acesso ao "poder cultural", Roger Planchon realizou, durante a temporada 1968-1969, uma espécie de volta sobre si mesmo, sobre seu trabalho e sua criação. Montando a *Contestação e a encenação da mais ilustre das tragédias francesas*, *"O Cid" de Pierre Corneille, seguida de uma "cruel" execução do autor dramático e de uma distribuição gratuita de várias conservas culturais*, e passando em revista nessa ocasião os principais estilos do teatro e do antiteatro atuais, como também os mitos do "teatro popular" (inclusive os da Declaração de Villeurbanne), como que os exorcizou: pelo cômico — um cômico que ele próprio qualificava de "aristofanesco" — manteve sua distância em relação a eles; e se libertou de sua tentação. Então pôde voltar a si mesmo, à sua própria obra: com *O Infame*, a melhor de suas peças, realizou um espetáculo de rara eficácia e de uma sutileza pouco comum — espetáculo que nos valeu também o retorno de Planchon como ator. Por mais inatual que possa parecer, esta história extraída do caso do cura de Uruffe, que alguns anos atrás assassinara a amante que ele havia engravidado (tivera mesmo a preocupação de submetê-la a uma cesariana e de batizar a criança pouco antes dela morrer), impôs-se ao público de Villeurbanne. É que tal obra é não apenas a mais pessoal que Planchon escreveu, como também o resultado de um profundo diálogo, aquém de todas as ideologias populistas ou para-revolucionárias, com seu público e de um trabalho de criação realizado em contacto com este público durante mais de dez anos.

Ao inverso, Patrice Chéreau abandonou a direção do Théâtre de Sartrouville, pequena cidade dos arredores de Paris, direção que assumira desde 1966. Foi levado a isto pela desastrosa situação financeira do empreendimento: Chéreau era pessoalmente responsável por quase 400 000 francos de dívidas. Mas sua partida tem um significado mais profundo. Foi toda uma concepção de teatro popular recebida que Chéreau recolocou em questão. Sobre isto, ele se explica muito bem: "Desde que nasceu, o teatro de Satrouville praticou, com toda a ingenuidade, a ideologia comum aos teatros populares. Considerava-se um serviço público tal como a escola ou o hospital. Procurava uma definição adequada para a reivindicação cultural e decidira militar, sem malícia, desordenadamente, pela cultura, pela escola democrática e pela redução do tempo de trabalho. Enfim, dava dupla prioridade à criação artística (definindo-se como engajada e crítica) e à animação cultural (pedagógica). Quis levar a termo estas velhas idéias que se arrastavam um pouco por toda parte, descobriu pouco a pouco que lhe faltavam objetos políticos coerentes e se espantou. Nada lhe restava senão morrer. Foi o que fez. Hoje, longe de nos lamentarmos, dizemos que esta morte foi sadia, útil. E podemos qualificá-la de exemplar"[6].

Isto significa que a experiência do setor público do teatro esteja, na França, irremediavelmente condenada? Alguns se apressam a afirmá-lo e a tirar conclusões no sentido seja de uma volta ao teatro particular

---
6. PATRICE CHÉREAU, "Une Mort Exemplaire", em *Partisans* (ed. François Maspéro) número 47, dedicado a "Théatre et Politique (bis"). abril-maio 1969.

(estas "voltas" estão na ordem do dia, em nosso pós-gaullismo atual: só se fala em desnacionalizar!), seja de uma impossibilidade de representar a realidade de nossa sociedade. Tal pressa é suspeita. Dizíamos: alguma coisa está, de fato, em vias de acabar. Mas não é a atividade de teatros engajados num verdadeiro diálogo com uma coletividade. É a ideologia do teatro como serviço público, o sonho de um teatro que significaria para todos o acesso tanto à arte quanto à cultura. Não confundamos a realidade com seu reflexo. Que esse reflexo se dissipe talvez seja uma oportunidade a mais que nos é dada para apreender, com proveito, a realidade: a realidade do teatro e o teatro como meio de intervir na realidade. Reportemo-nos aos raros espetáculos um tanto vivos da temporada 1968-1969. Por exemplo, deixando de lado os de Planchon e Chéreau, a *Moschetta* de Ruzzante, representada e encenada por Maurice Marechal, que se entregava com desenvoltura calculada ao prazer de um jogo duplo ou triplo entre Ruzzante, sua personagem, o século XVI paduano e nossa época; um Marivaux quase desconhecido, *Os Pequenos Homens ou A Ilha da Razão*, revitalizado por uma montagem maliciosamente meyerholdiana de Michel Berto; e *Os Clowns*, criação coletiva do Théâtre du Soleil dirigido por Ariane Mnouchkine, onde no vocabulário e na sintaxe a um tempo artificiais e sobejamente exteriores do circo, os atores nos falavam de suas angústias mais íntimas. Não é paradoxal constatar que estes espetáculos foram precisamente aqueles onde, longe de se esconder ou de tomar a aparência enganadora de uma verdadeira vida (como no caso dos espetáculos do *Living Theater*), o teatro se mostrava, ou se confessava, literalmente espetáculo *sobre* o teatro.

Pois, querendo realizar-se num empreendimento de culturalização de massas, ou aspirando uma eficácia política ou mesmo revolucionária imediata e, mais ainda, confundindo esses dois objetivos, o teatro francês esqueceu um pouco de si mesmo. A crise atual, por dolorosa e inquietante que seja, talvez tenha por virtude conduzi-lo a refletir sobre suas condições reais de exercício, sobre seu público (em oposição ao "não-

-público", em cuja existência os diretores reunidos em Villeurbanne pensarám encontrar a pedra filosofal), sobre seus meios e métodos de atividade, sobre seus poderes e limitações. O sonho de um teatro ecumênico, que reconciliaria o homem, a Cidade e a arte, dissipou-se totalmente. Restam agora os teatros chamados a se definirem não mais em função de um mito, mas levando em conta realidades que lhe são peculiares.

## 27. A VOCAÇÃO POLÍTICA

Quando se fala em teatro político, pensa-se em teatro engajado, teatro didático, tomada de posição. Creio que isso é colocar mal o problema, ou, em todo caso, restringi-lo de maneira abusiva. É preciso não esquecer: "político", em sua acepção mais ampla, designa tudo "o que se relaciona com os interesses públicos" e por teatro é preciso entender não apenas a obra dramática e seu conteúdo, mas também a peça tal como é representada diante de um certo público e para um certo público — a obra e sua forma cênica. A partir daí, tudo muda: a interrogação não se aplica mais unicamente às "mensagens" deste ou daquele autor dramático, mas abrange todo o teatro no coração mesmo de seu exercício.

Em vez de ficarmos nos perguntando como o teatro pode ser político, não seria melhor refletir sobre o fato de que, de alguma maneira, o teatro sempre é político, ontologicamente? E falar de uma vocação política do teatro. Nestes termos, a questão não seria mais saber qual poderia ser, em determinadas circunstâncias, a eficácia desta ou daquela obra dramática, mas estabelecer, claramente, a dimensão própria a todo grande teatro — ficando apenas por avaliar, posteriormente, de que modo autores e encenadores, nos dias de hoje, aceitam ou recusam tal dimensão.

Partamos, pois, não do texto impresso, mas da representação teatral, pois o teatro não é um gênero literário entre outros. Ele não se define pelo respeito a certas regras ou convenções ditas dramatúrgicas. A obra escrita só ganha existência quando encenada. É a representação cênica da peça escrita que funda o teatro, não o contrário.

Ora, este fenômeno da representação supõe, a um só tempo, o palco e a platéia. Opõe e confronta dois espaços: o da cena e o da sala. O público não é simplesmente composto de indivíduos reunidos ao acaso: em pouco tempo passa a constituir grupo, uma micro-sociedade (talvez o seja, inclusive, por definição: cada teatro, como se diz habitualmente, tem *seu* público). Este público nada tem de semelhante a uma reunião de indivíduos separados e solitários. Vejam os espectadores da escura sala de cinema: cada um está separado do outro, isolado em sua cadeira como numa ilha deserta; cada um vive, ali, apenas para si mesmo e para a tela. No teatro, ao contrário, é impossível não "sentir" o outro, não adivinhar sua presença, suas reações individuais. Impossível não ser por ele, de alguma maneira, perturbado ou influenciado. Já repetidas vezes observei: podemos perfeitamente sair de um cinema sem saber nada sobre o que a pessoa que nos acompanhava pensa do filme, e mesmo perceber, no confronto das opiniões, uma oposição radical entre estas. No teatro, nunca se perde o outro de vista; as opiniões pessoais se ajustam umas às outras e formam como que uma pequena opinião pública. Certamente os intervalos entre os atos contribuem bastante para isso, assim como os tempos mortos que existem em todos os espetáculos (troca de cenários, "brancos" e "buracos" na peça...) mas só isto não bastaria para fazer da platéia este todo orgânico, mais ou menos coerente, mais ou menos contraditório, onde se instaura uma solidariedade que é em todo caso, difícil de romper.

O importante, no teatro, é a relação palco-platéia. Estes dois espaços com efeito estruturam-se um pelo outro: o palco faz a platéia e a platéia faz o palco. Não apenas as dezenas, centenas ou mesmo milhares de espectadores que estão ali sentados, comprimidos uns contra os outros em um lugar que, decorativa ou arquiteturalmente, é feito à imagem dos palácios, das casas ou das cabanas da classe dirigente, um lugar que permanece mais ou menos visível e que, enfim, não apenas *contém,* mas dá uma forma à cerimônia... não apenas estes espectadores se sentem juntos, num mesmo espaço fechado, mas também são aproximados. Reunidos pela contemplação deste outro espaço que está diante deles: o espaço do palco. Pois ali, também, é de um espaço que se trata: não desta ou daquela personagem privilegiada, com a qual o espectador teria tendência a se confundir, mas de relações espaço-temporais que diversas personagens mantêm, fictícia e fisicamente, entre si. Relações que se estabelecem, entre essas personagens e certos objetos ou em relação a um cenário... Nada mais ilusório que acreditar na identificação imediata do espectador com este ou aquele herói, ou em seu pronto envolvimento com o desempenho de um ator, seja quem for. Ou ainda naquilo que se chama, de maneira aliás bastante ambígua, a *presença* deste ator. A experiência primeira, fundamental, de qualquer espectador de teatro é a de um espaço cênico que reúne e opõe homens (ou mulheres) num dado local — a experiência, para retomar uma palavra cara aos naturalistas, de um *ambiente* (não importando se reproduz exatamente a realidade, como era o caso entre os naturalistas ou se, ao contrário, não comporta nenhuma alusão a esta realidade sensível).

É esta experiência comum do espaço cênico que faz da platéia um todo. (No cinema praticamente só se pode falar da experiência de uma presença e de uma duração. O espectador frui o espetáculo através do ator, da *star* ou do herói; descobre o mundo fictício do filme por intermédio da personagem, não inversamente). Reciprocamente, é a platéia constituída como um todo que, afinal, dota o espaço cênico de sua significação simbólica. É ela que eleva as relações cênicas das personagens entre si, do plano do particular ao plano do geral, do anedótico ao exemplar. E aqui nasce a dimensão política do teatro.

Num teatro de tipo aristotélico, palco e platéia são o espelho um do outro. O palco reflete a platéia; a platéia reflete o palco. O que se está representando no palco é a própria história dos que estão do outro lado da ribalta. A ação da obra, sua *fábula*, é a própria verdade de seus espectadores e o palco, literalmente, liberta a platéia da preocupação de sua história. Daí a *catarse*.

Pensemos no papel do coro na tragédia grega. De um lado existe o mundo dos deuses e dos heróis, de outro lado, o dos homens da Cidade, reunidos no anfiteatro. Um é a imagem do outro. Mas entre ambos introduziu-se como que uma distância que os faz aparecer como fundamentalmente diferentes: a unidade do mundo épico se rompe. É aí que intervém o coro. Êle religa, literalmente, o palco à platéia. É ele que julga, que fala, Roland Barthes já observara: "Bem mais que uma simples ressonância lírica de atos que parecem se desenrolar a despeito e fora dele, como já se afirmou muitas vezes, o coro é a palavra-mestra que explica, que denuncia a ambigüidade das aparências e reintegra o conjunto de gestos dos atores numa ordem causal inteligível"[1]. O coro restabelece a identidade fundamental da representação teatral; vive esta identidade e dá vida a ela. Por seu intermédio os heróis e os deuses estão novamente integrados à Cidade. E esta se reconhece, confirmada em seu ser, graças à contribuição destas figuras lendárias ou imaginárias.

Num teatro deste tipo, que é o nosso teatro há mais de vinte séculos, não existe o particular: tudo é público. Tomemos Racine. Nada é, aparentemente, mais singular, nem mais individual que a aventura de Fedra. De fato, pode-se ler *Fedra* como a história, anedótica e sublime) de uma paixão incestuosa ou até mesmo como a de uma mulher em luta com os deuses, com o Deus (escondido). Ou com o destino.

1. ROLAND BARTHES, "Pouvoirs de la tragédie antique" em *Théâtre Populaire* n.º 2, jul-ago. 1953, p. 21.

Mas, uma vez a tragédia *Fedra* representada no teatro, tudo muda. É verdade que é sempre a história de Fedra que estamos vendo ou ouvindo, com a qual podemos nos envolver a ponto de até mesmo chorar (aqui estamos o mais próximo possível da identificação entre o espectador e a personagem-ator, em virtude da importância de Fedra na tragédia). Mas para os espectadores do século XVII, pelo menos, o sentido desta tragédia não podia ser apenas o da história privada de Fedra. Encenada teatralmente, exposta ao olhar de um público de seu tempo, mais ou menos homogêneo, a obra de Racine exprimia também, de maneira irrefutável, a experiência que Racine compartilhava com aquele público: a de uma corte dominada por um monarca absoluto, cada vez mais estagnada em ritos petrificados. Os senhores de 1677 não podiam deixar de reconhecer em *Fedra* sua própria situação: não apenas um destino individual, mas uma experiência coletiva.

Este teatro devora a psicologia. Palco e platéia não se comunicam senão no nível do geral. Como escrevia Hegel, trata-se sempre de "submeter o característico e o individual da realidade imediata à ação purificadora da generalidade, [ de ] realizar a mediação entre estes dois aspectos"[2].

Já Aristóteles estabelecera que a "fábula", isto é, "a reunião das ações consumadas" é "a mais importante das partes" de uma tragédia — pois "a tragédia imita não os homens, mas uma ação e a vida". Os "caracteres" das personagens vêm em segundo lugar: "as personagens não agem para imitar os caracteres, mas recebem seus caracteres por acréscimo e em razão de suas ações"[3].

A poesia, observava Aristóteles, é "mais filosófica e tem um caráter mais elevado que a História: pois a poesia narra antes o geral, enquanto a História narra o particular"[4]. O que é verdadeiro para todo o teatro liberadamente mostrar uma ação geral exemplar, mas clássico, não porque a dramaturgia tenha escolhido de-

2. HEGEL, *Esthétique*, v. 2 (II parte), Paris, edições Aubier-Montaigne, p. 227.
3. ARISTÓTELES, *Poétique*, texto consolidado e traduzido por J. Hardy, Paris, Belles Lettres (coleção Guillaume-Budé), pp. 37-38.
4. ARISTÓTELES, *ibid*, p. 42.

porque, exposta no palco, sob o olhar de centenas ou milhares de espectadores que a decifram como sua própria ação — uma ação que lhes é *comum* — a obra passa a significar a história destas centenas ou milhares de espectadores. Fala por eles e em seus lugares. Exprime literalmente sua comunidade. Reflete o acordo social, político, que fundamenta essa comunidade.

Daí o mito, ainda vigente em nossos dias, de um teatro onde a Cidade se revelaria a si mesma, tomaria consciência de sua unidade e de sua liberdade. E o sonho de grandes festas cívicas que seriam outras tantas celebrações de uma história coletiva que, totalmente consumada, chegou à sua feliz conclusão e se tornou poesia. Em 1920, quando criou o Théâtre National Populaire, Gémier imaginou também, por ocasião do 11 de novembro, "uma grandiosa cerimônia na Esplanade des Invalides, dividida em três episódios: a princípio uma paráfrase moderna da Festa da Federação, com um juramento de fidelidade à Nação; em seguida, uma evocação da guerra recente, com a participação dos combatentes, dos mutilados e dos pais dos mortos em combate, que trariam uma urna funerária ao altar da pátria; finalmente, uma espécie de apoteose ao trabalho, com as diversas profissões representadas por indivíduos com seus trajes de trabalho, que viriam jurar consagrar-se ao renascimento do país"[5]. E na mesma época, exatamente a 7 de novembro de 1920, Evreinoff, Kuger e Petrov (juntamente com o pintor Georg Annenkov) mobilizavam boa parte do Exército Vermelho para, diante de quase 100 000 espectadores, reconstituir em Leningrado (na época ainda Petrogrado) com cerca de 15 000 atores e figurantes, com mais *verdade* do que de fato ocorreu, a "tomada do Palácio de Inverno".

O mal-entendido: crer que o teatro, por si só, bastará para ressuscitar a unidade rompida. Quando foi justamente o contrário que aconteceu: unicamente a prévia unidade da Cidade, o acordo profundo de um povo ou de uma confissão, o interesse comum de uma classe é que tornaram possível esse teatro.

Se o palco pode parecer refletir a platéia e transformar em poesia a história vivida pelos espectadores,

---

5. Paul Blanchart, *Firmin Gémier*, Paris, L'Arche, pp. 250-251, col. Le Théâtre et les Jours.

é que tudo estava, de uma certa maneira, previamente regulado. É que as contradições da platéia não eram insolúveis. É que esta platéia, bem ou mal, era homogênea. As celebrações dramáticas não fundaram a cidade grega. Foi da existência real desta que surgiram tais celebrações: com elas, a Cidade confirmava para si mesma sua unidade e sua liberdade, conquistadas por sobre os conflitos dos homens e a vingança dos deuses.

Para que o jogo de espelhos do teatro de tipo aristotélico funcione é necessário que um dos espelhos não esteja partido. Ou seja: é necessário que a platéia permaneça homogênea e não esteja dilacerada por contradições demasiadamente violentas.

Uma vez comprometida esta homogeneidade, o jogo de espelhos se desarticula: o palco se distancia da platéia. Os dois espaços não mais se recobrem mutuamente. Cada um deles tende a se retorcer sobre si mesmo. Entre ambos, a ribalta, a "quarta parede" fictícia, erige uma fronteira. A uma platéia dividida, fragmentada, corresponde um palco sobrecarregado de móveis e objetos que passa a constituir um mundo ao mesmo tempo irrefutavelmente *verdadeiro* e estreitamente particular: a cena naturalista. Mais uma vez um simples indivíduo entre indivíduos, o espectador vê-se reduzido a contemplar a cena pelo *buraco da fechadura*.

Registra-se o aparecimento da encenação, no sentido moderno do termo. É a encenação que dá sentido ao que se passa no palco. O encenador supre a fraqueza da platéia. A encenação é mediação entre o mundo fechado, particular do palco, e o universo fragmentado incompleto da platéia.

E é apenas a partir deste momento que começa a se colocar o problema do teatro político. O "particular" foi separado do "público": existe solução de continuidade. Antes o teatro era, de algum modo, naturalmente político. Agora será deliberadamente político, apolítico ou antipolítico.

O teatro apolítico ou antipolítico: o da tentação idealista que se manifesta timidamente no Théâtre d'Art, depois no início do Théâtre de L'Oeuvre de Lugné-Poe e que encontrou seu profeta em Gordon

Craig [6]. O palco torna-se um lugar abstrato e autônomo, sobre o qual vela e reina sozinho o "dono do palco" [7], seja ele o autor ou o encenador. O que importa é que apenas a sua subjetividade se expressa. Pouco importa o público. A atividade cênica pretende ser pura criação, nascida de um único homem e completa em si mesma, oferecida não a um público, mas a cada indivíduo que o integra, separadamente.

Neste contexto incide o sonho de Artaud: suscitar uma festa coletiva que seria a de indivíduos separados, negando sua singularidade pessoal e participando, por intermédio do ator-encenador-poeta, de uma vida física "apaixonada e convulsiva". Um teatro que superaria, pelo terror, pela crueldade, e pelo êxtase, a ruptura entre o público e o privado, entre palco e platéia, entre cena e sala.

O eterno indivíduo. Antigamente representavam-se os clássicos com figurinos modernos: o Cid envergava traje da corte do século XVIII e Sevilha se transformava no Petit Trianon. Mas isto ainda era uma forma de postular a historicidade dos clássicos. O que o público da Comédie Française, que praticamente em nada diferia do contemporâneo à criação da peça no Théâtre du Marais, encontrava em O Cid era exatamente seus problemas. Deste modo, via-se afirmada uma continuidade de nossa história — ou, pelo menos, o desejo de continuidade, que era o desse público essencialmente conservador.

Este público aplaudia, como observa argutamente Becq de Fouquières, não "a reprodução de uma realidade que não lhe era dado observar diretamente, mas o grau de semelhança da imagem que é apresentada a seus olhos (quer dizer, no palco) com a idéia que ele próprio já possuía a respeito do fato representado" [8]. A permanência dos clássicos, sob seus disfarces de épocas diferentes, era a permanência de uma classe: a aristocracia e a facção da burguesia que a ela havia se aliado; a permanência de uma sociedade e de

6. Cf. a descrição deste "espetáculo teatral" em *Histoire du théâtre russe* de NICOLAS EVREINOFF, Paris, Éditions du Chêne, 1947, pp. 426-430.
7. Gordon Craig emprega com freqüência esta expressão, especialmente em sua importante obra *De l'Art du Théâtre*.
8. L. BECQ DE FOUQUIÈRES, *L'Art de la mise en scène — Essai d'esthétique théâtrale*, Paris, G. Charpentier et Cia., 1884, p. 186.

um poder; a permanência de um público ainda homogêneo. Representa Racine, naquela época, significava, ao mesmo tempo, celebrar a perpetuação e a legitimidade da ordem que suas tragédias refletem.

Hoje representar *O Misantropo* em traje de rigor, ou *Hamlet* em *blue jeans*, implica, ao contrário, negar toda ordem, toda sociedade; pressupõe a existência de um domínio reservado ao Homem, oposto a toda História, e que se pode qualificar quer de psicológico, quer de metafísico. É fazer teatro antipolítico.

Os dois caminhos do teatro político atualmente: ou atribuir um conteúdo e significações políticas ao mundo fechado e simbólico da cena, de modo que a platéia se veja constrangida a aceitá-los ou rejeitá-los em bloco; ou inventar soluções cênicas novas, conseguir um acordo entre palco e platéia que não resulte da submissão ou da identificação de um ao outro — em suma, inverter o postulado aristotélico. E, em última análise, submeter a poesia, tornada mais particular, menos geral, à História. Fazer com que a poesia só encontre seu verdadeiro sentido em sua relação com a História.

O caminho de Piscator e o caminho de Brecht.

O caminho de Piscator. Fazer do palco o local de uma história política total, completa. Piscator:

A idéia fundamental de toda ação teatral reside na elevação das cenas da vida privada ao nível da história; não pode consistir senão numa elevação ao plano social, político e econômico [9].

Antigamente, cabia ao espectador, a todo o público, decifrar o histórico sob o particular, o coletivo sob o individual — e vice-versa. O jogo de espelhos reproduzia-se ao infinito. Com Piscator, é o encenador que transforma o privado em História, dotando o palco do poder de dizer *tudo*. Resta ao espectador responder sim ou não. Piscator lhe recusa outra escolha.

Nada mais significativo deste tipo de vontade, que a montagem de *Rasputim*. A partir de uma peça de Alexis Tolstói. que "se limita ao destino pessoal de Rasputim", Piscator pretende um espetáculo cujo propósito era mostrar nada menos que "o destino da Europa de 1914 a 1917".

[9]. ERWIN PISCATOR, *Le Théâtre Politique*, texto francês de Arthur Adamov, com colaboração de Claude Sebich, Paris, L'Arche, 1962, p. 139.

Nesse contexto, o que nos interessava — escrevia no programa de *Rasputim* um dos mais próximos colaboradores de Piscator, Leo Lania — não é tanto a personagem aventureira Rasputim, nem a conspiração da czarina, nem a *tragédia* dos Romanov. É preciso reviver aqui um fragmento da História universal cujo herói pode ser tanto o monge taumaturgo quanto qualquer dos espectadores da platéia ou das últimas galerias [10].

Eis, pois, instalado sobre o palco um hemisfério do globo terrestre, cujos diversos "segmentos deviam abrir-se e fechar-se com a rapidez do relâmpago, o que permitia transformar a totalidade do hemisfério e criar, assim, o espaço em que se desenrolava o quadro correspondente". Intercalados entre as cenas da peça de Alexis Tolstói, novos quadros evocam a miséria dos operários, o "desespero das massas", o "avanço da onda revolucionária" face à inércia e imbecilidade dos imperadores. Assim a "peça inteira se amplia. Acrescentamos em seguida ao primitivo desenlace (desencadeamento da revolução de março e prisão do casal czarista), dois outros quadros, prolongando a ação até Outubro de 1917, até a tomada do poder pelos Sovietes, até o apogeu constituído pelo célebre discurso de Lênin no Segundo Congresso dos Sovietes Russos". Tudo isto devidamente secundado, ilustrado e comentado por quatro tipos de projeções de filmes: o *calendário*, o *filme didático*, que propicia fatos objetivos, tanto os da atualidade quanto os históricos", o *filme dramático*, que "intervém no desenvolvimento da ação (e) substitui a cena falada" e o *filme de comentário*, "que acompanha a ação como um coro" [11].

É aceitando essas imagens cênicas, aumentadas de sentido, que a platéia recupera sua unidade. Mas o teatro permanece fechado: aprisiona a verdade do mundo entre suas paredes, aperfeiçoando-as, consumando-as (Piscator chega a falar, a propósito de uma de suas grandes "revistas" políticas, em conduzir o espectador a acompanhar "em alguns segundos todo o desenrolar dos séculos, fazendo-o constatar assim a legitimidade das revoluções e de seus defensores"). Cabe ao espectador aprovar. Ou então sair do teatro e

10. *Ibid.*, p. 170.
11. *Ibid.* Cf. descrição completa destes diferentes recursos nas pp. 178-182.
12. HEGEL, *Esthétique*, já citada, p. 221.

reencontrar fora um mundo não acabado e uma história por fazer.

Piscator não rompe com o mandamento fundamental da poética hegeliano-aristotélica. O conflito político que mostra no palco, por ser geral, nem por isso deixa de encontrar "sua explicação exaustiva nas circunstâncias em que se produz, assim como nos caracteres e nas finalidades propostas, e evolui no sentido da conciliação graças mesmo às circunstâncias em meio às quais se originara" [12]. A exigência da "conclusão", da "pacificação definitiva" é respeitada. O "célebre discurso de Lênin no Segundo Congresso dos Sovietes Russos" com o qual se encerra *Rasputim* é o equivalente da morte de Fedra ou da partida de Berenice. Graças a este discurso, toda uma sociedade (cuja única particularidade é a de ser uma sociedade nova) se vê confirmada em seu existir: o discurso manifesta sua unidade e sua legitimidade. E esta verdade não necessita mais do assentimento do público para se impor em sua universalidade: ela é universal, isto é, superior a todos os interesses e conflitos particulares, ou simplesmente ela não é. É questão de tomar ou deixar.

Paradoxo deste tipo de teatro: justamente quando sua pretensão é a de nos revelar a história — a "História Universal" — o que consegue é nos mostrar uma história estagnada, cristalizada no palco, apanhada na armadilha dos refletores, dos tapetes rolantes e dos praticáveis móveis. Uma história consumada e já morta.

Daí o recurso (politicamente sincero, não duvidamos disso) ao mito da Revolução: a Revolução não como começo mas como apoteose e fim da História. Cabe perguntar: isto não será condenar também o teatro a ter um fim?

O caminho de Brecht: não instalar a História no palco, mas situar o palco e a platéia na História. Substituir um teatro fechado por um teatro aberto. Um processo de adesão ou de recusa, por um processo de compreensão. E não deixar a ninguém a última palavra: cabe à História pronunciá-la.

O essencial em Brecht, portanto, é menos o distanciamento — que permanece uma técnica e não tra-

---

13. LOUIS ALTHUSSER, "Le *Piccolo*, Bertolazzi et Brecht — Notes pour un théâtre matérialiste" em *Pour Marx*, pp. 148-149, Paris, edição François Maspéro, 1965.

duz uma situação ontológica (o distanciamento como resposta à alienação) — do que a organização de uma nova ordem de relações. A organização de uma nova dialética entre o palco, a platéia e a história.

Louis Althusser compreendeu-o muito bem [13] ao declarar: não se trata de "dar à platéia o que o rigor recusa à cena [...] Assim como a peça não contém o *Juízo final* de sua própria *história,* o espectador não é o juiz supremo da peça. Também ele vê e vive a peça sob a forma de uma falsa consciência posta em xeque. Quem é ele senão um irmão das personagens, envolvido como estas nos mitos espontâneos da ideologia, em suas ilusões e em suas formas privilegiadas?".

Não existe uma inversão do sistema de Piscator: verdade na platéia, erro no palco, afirma-se uma nova forma de representação teatral (este jogo entre palco e platéia). O palco não se fecha sobre si mesmo. Não admite solução nem conclusão, mas se caracteriza por aquilo que Althusser chama de "dinâmica de sua estrutura latente". O palco não é mais um centro. Ao contrário, é "descentralizado". Remete o espectador para o que está além do palco: não a uma verdade eterna ou histórica, da qual seria o representante, mas àquilo que o espectador tem em comum com o palco, com as personagens: nossa condição histórica.

Vejamos: nenhuma das peças de Brecht, propriamente falando, chega a concluir-se. O conflito fundamental não é resolvido. Ao contrário, aparece sempre mais nítido: é um conflito político. A alma boa de Se--Tzuan permanece dividida em Chen-Te e Chui-Ta. Puntila e Matti não chegaram a se aproximar ou a se confundir num corpo-a-corpo amoroso ou criminoso: ei-los novamente solidamente estabelecidos, ambos, em suas respectivas posições de classe. Nunca mais Matti ajudará o senhor Puntila a escalar o monte Hatelma. Mãe Coragem não terminou seu relacionamento com a guerra: torna a partir em direção aos exércitos, nada tendo aprendido, embora quase tudo tenha perdido, mas sem se modificar...

E, contudo, teve lugar uma redução: a ideologia particular, pessoal, do herói, foi trazida às dimensões da política, a esta realidade constrangedora que é comum a todos nós. O espectador pode se ter identificado com as personagens. Mas o que encontra ao término do espetáculo não é mais a catarse aristotélica nem a certeza revolucionária das representações épicas de Piscator: o que encontra é a si mesmo, é o nosso mundo, a nossa própria situação política — uma vez rasgados os véus do *pathos* e da ideologia.

A cena brechtiana é estreitamente privada. Não nos mostra de frente os grandes acontecimentos da História. Mas não é fechada nem imutável, nem sequer autônoma. De fato, não se basta a si própria. Para explicar, para compreender as palavras e os gestos dos que a ocupam, é preciso enxergar adiante, é preciso olhar o que se encontra por detrás ou em torno dela: a presença de uma sociedade histórica engajada em infinitas transformações. O palco brechtiano tem um horizonte e este horizonte é a História.

Mas a História é também o horizonte da platéia. Ao entrar no teatro, o espectador abandonou suas preocupações de cidadão ou de militante. Não veio para reencontrá-las esperando por ele no palco. Veio para ver agir e falar seres que lhe são próximos. Mas, para além de sua participação individual no destino desta ou daquela personagem, o que redescobre, também, é sua própria situação no mundo. É reconduzido, por intermédio da arte, à realidade - uma realidade que não é mais apenas o destino e a fatalidade, mas também a possibilidade de uma nova liberdade. Uma realidade geral, onde pode reconhecer, aceitar ou recusar o lugar que lhe cabe. Como bem observa Althusser, "a peça é o devir, a produção de uma nova consciência no espectador — inacabada, como toda consciência, mas movida por este mesmo inacabamento, esta distância conquistada, esta obra inesgotável da crítica em ato; a peça é sobretudo a produção de um novo espectador, este autor que começa quando termina o espetáculo, e que não começa senão para acabá-lo, mas na própria vida" [14].

Daí nossa nova modalidade de conceber e representar os clássicos. Não é porque sejam eternos e enquanto poesia, superiores à História, isto é, portadores de respostas para todas as situações históricas, que os clássicos são atuais. Mas, precisamente, porque são profundamente históricos.

14. Louis Althusser, *op. cit.*, p. 151.

E é justamente porque nos remetem o mais amplamente possível à sociedade de seu tempo que podem ainda nos ser de alguma utilidade, que ainda são ricos em ensinamentos e de certa maneira, eternos.

Mostrar que o estágio histórico e social que os clássicos pressupõem (mais que descrevem ou retratam) está ultrapassado, significa levar o espectador de hoje a se interrogar sobre sua própria sociedade. E a compreender que também esta, um dia, estará superada. É fazê-lo tomar consciência, a um só tempo, do fato que pertence a esta sociedade e também de sua própria liberdade. É propiciar-lhe o maior dos prazeres: o de compreender o que ele é, e o que poderia ser — ao compreender o que os outros foram e não são mais.

O teatro político hoje: não a negação do particular em proveito do social, mas sua interdependência, e a esperança de uma consumação do particular no social. O destino individual compreendido como enraizamento social e a liberdade política entendida como uma tomada de consciência histórica real. A alienação e a ação.

A nova vocação política do teatro: não mais a transmutação do particular no público, através da adesão de uma platéia homogênea, mas a superação do particular pelo público, através das contradições de uma platéia homogênea.

Brecht gostava de dizer: "O bom teatro não une seu público. Divide-o". Acrescentemos: reinstaurar este jogo de condições já é participar da História.

Os espelhos, tanto o do palco quanto o da platéia, estão quebrados. Seus estilhaços não mais refletem suas imagens recíprocas: remetem-nos à existência histórica comum.

A tragédia contemporânea não se esgota nunca — salvo em caso de impostura. Beckett sabia-o muito bem quando recusou a suas personagens o apaziguamento trágico definitivo: a morte. Mas, fechada sobre si mesma (ou antes, aberta para o nada — o que dá no mesmo: o horizonte do nada é também uma clausura), o palco becketiano não é senão o avesso do palco clássico. Um palco onde não se produzirá o encontro decisivo, onde o conflito não ocorrerá. Um palco que recusa toda platéia. Um palco desesperadamente particular. O avesso do espelho clássico: não seu vidro, mas a folha de estanho que se põe no inverso do espelho. O jogo de reflexos do teatro aristotélico é apenas bloqueado: não é abolido. Não é preciso muito (Madeleine Renaud representando *Oh! que Belos Dias,* por exemplo) para que o espectador veja sua própria imagem, enobrecida, através da folha de estanho. A tragédia é reinstaurada — com sua impostura — em nossos dias.

A cena brechtiana, ao contrário, está amplamente aberta para uma descoberta que só pode ser obra da platéia: a descoberta da insuficiência de todas as soluções imaginárias e da riqueza inesgotável do real.
E que se critique enquanto teatro para nos permitir
Que, hoje, o teatro assuma sua vocação política.
aceder à História.

Recusemos o dilema: particular ou geral, comédia ou tragédia. E não invoquemos o geral senão através do particular; não evoquemos o particular a não ser em função do geral.

Uma dramaturgia do nosso tempo: aquela em que a descrição do cotidiano significa um acesso à História.

## 28. TEATRO POLÍTICO: UMA REVIRAVOLTA COPERNICANA

Hoje em dia fala-se muito em "teatro político". Ora, esta expressão é imprecisa, senão obscura. Talvez acoberte apenas uma tautologia (tenho a tentação de acreditar que todo grande teatro é, por definição, político; mesmo quando se recusa a ser político). De qualquer forma, é uma expressão impossível de ser definida abstratamente, sem referência às formas e aos usos da prática teatral neste ou naquele momento, nesta ou naquela situação política concreta [1].

1. Este texto retoma o do trabalho que apresentei à Mesa Redonda Internacional consagrada à "participação, denúncia e exorcismo no teatro atual", por ocasião do XXVI Festival Internacional de Teatro da Bienal

De fato, quando antigamente se falava em teatro político, e mesmo quando se fala nele hoje em dia, tem-se muitas vezes em mente uma certa imagem, um certo mito. Experimentemos identificar este mito, delimitar os contornos desta imagem. Talvez seja a partir deles, e em oposição aos mesmos, que vamos conseguir em seguida, se não finalmente definir, pelo menos suscitar o que, agora, na Europa Ocidental, pode passar às vezes por teatro político.

Nossa concepção de teatro político se enraiza naquilo que, durante todo o século XIX, foi chamado "teatro do povo".

O mito do "teatro do povo" vem diretamente das festas revolucionárias. Tem sua expressão teórica no trabalho de Romain Rolland, intitulado precisamente *Teatro do Povo*[2]. Firmin Gémier, que foi o primeiro diretor do Théâtre National Populaire no Palais de Chaillot, procurou durante toda a vida fazer passar para a realidade viva do teatro este mito e o TNP de Jean Vilar em grande parte pretendeu continuá-lo — sem contar, entre Gémier e Vilar, as tentativas realizadas na época da Frente Popular, assim como os sonhos, incansavelmente perseguidos, mas raramente concretizados, de espetáculos políticos de massa (há uns dez anos Sartre ainda falava de uma grande manifestação teatral do *Vel'd'Hiv*, com a colaboração de Fernand Léger).

Certamente desde 1918 outro componente entrou na imagem que fazemos do teatro político: trata-se do teatro proletário, tal como foi realizado na União Soviética e depois, durante os anos vinte, na Alemanha; e tal como surgiu, de modo ligeiramente diferente, nos Estados Unidos durante o primeiro período rooseveltiano (de 1935 a 1940). Mas esse componente — sobre o qual voltaremos a falar — tornou-se pelo menos na França, secundário, sem modificar profundamente o

de Veneza, em setembro de 1967. Não leva em conta, pois, as exigências e as experiências de maio e junho de 1968. Entretanto, não me pareceu sem relação com elas: toma posição em vista de uma transformação radical das instituições e põe em guarda contra uma confusão entre a atividade teatral e a ação revolucionária. Contra o mito da espontaneidade e da participação direta, lembra a necessidade e a possibilidade de um teatro que seja profundamente político, embora permanecendo especificamente teatral.

2. ROMAIN ROLLAND, *Le théâtre du peuple, essai d'esthétique d'un théâtre nouveau*, nova edição, Paris, Albin Michel, s.d. (primeira edição, 1903).

nosso mito de um teatro popular político. Foi, antes, assimilado por este mito.

*A festa da Cidade*

Procuremos, para começar, destacar os traços característicos do grande teatro de participação política, com o qual continuamos, mais ou menos conscientemente, a sonhar. Sua primeira manifestação — a mais ampla e a mais pura também — foi a Festa da Federação de 14 de julho de 1970. Tratava-se, a um só tempo, de comemorar uma vitória (a tomada de Bastilha) e de celebrar uma unidade: as províncias e Paris fundidas num só organismo, a Nação.

Em 1903, em Lausanne, Gémier, que durante toda sua vida sempre quis realizar tais festas, dirige uma cerimônia comemorando a entrada do cantão de Vaud na Federação Helvética. O espetáculo se compõe de "Uma grande peça popular que resumia a história do cantão desde a Idade Média". No palco, ao ar livre, duas mil e quinhentas pessoas, entre as quais crianças, montanheses e pastores, são mobilizados — sem contar numerosos animais; nas arquibancadas, cerca de vinte mil espectadores. E Gémier declara: "Quis que meu público, participasse também da ação. Mandei fazer, em volta da platéia, uma espécie de anel onde coloquei uma parte dos meus figurantes e dos meus coristas. De forma que, ao entoarem o hino nacional, os 18 000 espectadores se levantaram como um único homem, e cantaram com eles"[3]. Em suma, não só a cena conta a história de uma unidade, mas também toda a cerimônia é a prova viva desta unidade: atores e espectadores formam um todo.

A festa é a celebração da unidade nacional conquistada sobre as divisões internas ou afirmada pela vitória sobre o inimigo externo. Em 11 de novembro de 1920, Gémier organiza, em Paris, a festa da Vitória. Em seu projeto inicial o espetáculo devia comportar três episódios: "A princípio, uma paráfrase moderna da Festa da Federação, com um juramento de fidelidade à Nação; em seguida uma invocação da guerra

---

3. Citado por PAUL BLANCHARD, *Firmin Gémier*, prefácio de J. Paul-Boncour, Paris, L'Arche, 1954, pp. 249-250, col. Le Théâtre et les jours, n.º 1.

recente, com a participação dos combatentes, dos mutilados e dos pais dos mortos, que trariam uma urna funerária ao altar da pátria; finalmente, uma espécie de apoteose ao trabalho, com as diversas profissões representadas por indivíduos com seus trajes de trabalho, que viriam jurar dedicar-se ao renascimento do país"[4].

Quase no mesmo momento, em 7 de novembro de 1920, para o terceiro aniversário da Revolução de Outubro, Kugel, Petrov e Evreinoff montam, em Petrogrado, o maior espetáculo de massa jamais realizado: a *Tomada do Palácio de Inverno*. Aqui, teatro e realidade se conjugam estreitamente. A ação se desenrola em três palcos: dois palanques, um de cada lado da praça — o dos brancos e o dos vermelhos, e, entre estes estrados, um terceiro lugar: "o autêntico *lugar real*, onde ocorreu o acontecimento histórico". Cerca de cem mil homens participam desta celebração: inclusive boa parte do Exército Vermelho... Até o cruzador soviético *Aurora*, de onde novamente partiram as famosas salvas. Como escreveu um pouco mais tarde Evreinoff, e lembremos que é ele o teórico do "teatro teatral", achamo-nos aqui diante de uma "encenação viva do passado [levada] quase à ilusão completa"[5]. O jogo teatral une indissoluvelmente o presente e o passado, ao mesmo tempo que glorifica uma nova ordem nacional.

*A massa una e indivisível*

Aqui e ali, pois, trata-se de procurar fazer reviver grandes acontecimentos do passado. E de fazer reviver estes acontecimentos pelo maior número possível de pessoas. O que se celebra são fatos vividos pela coletividade: fatos públicos em oposição a fatos privados, singulares. E é esta coletividade — a mesma ou sua herdeira — que é convocada a ver o espetáculo, talvez mesmo a participar do mesmo. Este teatro é teatro de massa no duplo sentido da palavra: expõe atos de massa — isto é, ações históricas onde a massa é ator

4. *Ibid.*, pp. 250-251.
5. NICOLAS EVREINOFF, *Histoire du théâtre russe*, prefácio e adaptação francesa de G. Welter, Paris, edições Du Chêne, 147, p. 429.

e não mais figurante, como acontecia anteriormente, pelo menos nos espetáculos do século XIX — e se realiza para a massa. Romain Rolland definia assim a condição necessária para qualquer teatro do povo: "Que o palco, como a platéia, possa abrir-se à multidão, conter um povo e as ações de um povo"[6].

É este um ponto essencial: estas festas se dirigem à multidão. O próprio Diderot pressentiu-o ao afirmar que tudo mudaria no teatro quando se passasse de algumas centenas a vários milhares de espectadores. Mas estes espectadores de massa não devem ser uma simples multidão, um ajuntamento: o objeto do espetáculo é justamente lhes conferir uma unidade, lembrar que são um único e mesmo corpo. Não deve mais haver diferença entre atores e espectadores: os primeiros são, apenas, delegados dos segundos; como unem o presente e o passado, apagam toda separação entre platéia e palco. Pelo conteúdo e pela estrutura, a festa é a própria expressão da Nação.

Há adesão, participação em todos os níveis (e não apenas identificação individual do espectador à personagem): participação do homem na vida coletiva de sua cidade, participação do presente na recriação do passado, participação do público na história assim revivida por atores que não passam de representantes dos espectadores. A festa política oferece a imagem real, *verdadeira,* da Cidade. O teatro é História: ele conta, celebra e esclarece a História para todos.

A pergunta que se impõe é saber onde está, hoje, este grande teatro de participação política.

*O tempo da diferença*

Já foi freqüentemente verificado: o próprio estatuto do teatro, como meio de expressão, modificou-se profundamente há uns trinta anos. De início, outros meios de informação se impuseram. As festas da Revolução eram apropriadas para fazer o público conhecer o que se passara: davam uma visão de conjunto, faziam reviver os acontecimentos não mais como indivíduos isolados puderam vivê-los, mas do modo

6. ROMAIN ROLLAND, *op. cit.*, p. 121.

mais amplo e mais geral possível. O teatro de *agit-prop* soviético teve também a missão de remediar a ausência de informações num país onde faltava o papel, onde os jornais eram raros e os meios de comunicação, falhos: os espetáculos eram, então, jornais vivos". Agora esta visão de conjunto dos acontecimentos nos é dada pelo rádio e sobretudo pela televisão. E a eficácia desta última é incomparavelmente superior à possível eficácia do teatro: não somente atinge muito mais gente, como ainda fornece ao espectador a ilusão de estar presente no mundo. Está sentado diante de seu aparelho de televisão e eis que todos os acontecimentos do dia desfilam diante dele, ao alcance de seus olhos, quase ao alcance das mãos. Pode-se afirmar que viveu o primeiro vôo no espaço feito por um cosmonauta, ou o assassinato de Oswald, o presumível (e quanto!...) assassino do Presidente Kennedy etc.

Por outro lado, o uso que foi feito, nos anos trinta, das festas políticas, lançou sobre elas um certo descrédito. O fascismo e o nazismo se serviram das mesmas para celebrar uma unidade nacional que estava longe de ser revolucionária. Mas ainda, a teatralização da vida política que então ocorreu provocou, como conseqüência, uma desconfiança quanto ao teatro de massa e seu temível poder de mistificação.

Uma das mudanças mais consideráveis incide sobre a composição do público. Contrariamente ao que se passou no início do século XIX, o público não se tornou no século XX — apesar de todas as tentativas feitas neste sentido — um público de massa. Ao contrário: embora tenha aumentado um pouco desde a guerra, não parou de se diferenciar, de se dividir, de se fragmentar. Ao ponto que hoje temos que lidar com públicos, mais do que com um só público. Assim, os arquitetos foram obrigados a abandonar, com certo atraso, seus projetos de construção de teatros destinados a vários milhares de espectadores. Em Paris, o projeto de um grande teatro, que deveria conter cerca de vinte mil espectadores localizado no Rond Point de la Défence, permaneceu no papel. O sonho de um teatro que reunisse toda a Cidade parece definitivamente ter passado de moda.

Surgiram teatros, mas teatros "marginais", no sentido próprio e no sentido figurado da expressão: teatros na periferia parisiense ou pequenos teatros destinados a se tornarem pequenos laboratórios de ensaio. E longe de tentar negar o caráter múltiplo de seu público, alguns homens de teatro o reconhecem e reivindicam: seu trabalho não é de unir, mas, como dizia Brecht, de dividir o público.

Enfim, o teatro não mais pretende nos dar a ilusão da realidade. O cinema e a televisão fazem isto muito melhor. *A Tomada do Palácio de Inverno* só poderia fazer uma triste figura diante de *Outubro,* o filme de Eisenstein. É este filme e não o espetáculo que nos dá uma visão global da Revolução de Outubro. Enfim, o palco não é mais, nem pretende mais ser, um reflexo, um *ersatz* da realidade. Rompemos com a ilusão naturalista. Ser realista no teatro de hoje, como Brecht já o proclamava há uns trinta anos (e antes dele, Meyerhold...) é em primeiro lugar aceitar o teatro como teatro, reconhecer seu jogo. Ao mesmo tempo, novas relações se estabeleceram entre platéia e palco. Privado da ilusão de se achar no teatro como se estivesse em sua casa, numa realidade conhecida e admitida por todos, mas confrontado com a realidade propriamente cênica do jogo teatral, eis o público dividido entre identificação e distanciamento, livre para aceitar ou recusar esta linguagem específica que o palco fala por ele. É a ele que cabe, em última instância, a palavra final.

*Uma descentralização radical*

Não esqueçamos também as modificações, exteriores a qualquer atividade teatral, intervindas no que se relaciona com nossa posição no mundo. Nossa época assiste ao fim daquilo que podemos chamar de "eurocentrismo". A imagem de um mundo organizado em torno da Europa e, particularmente, em torno da Europa Ocidental, é substituída pela imagem de um universo do qual a Europa é uma das partes. E não a mais importante. Uma tal ruptura de nossas representações globais não deixa de ter conseqüências sobre o próprio teatro. Retomemos uma comparação cara a Brecht: passamos de uma era ptolomaica a uma era coperniciana. Desde então a organização centrípeta (tal como a encontramos em alguns grandes projetos arquitetônicos-urbanistas desde o século XVIII — penso, por exemplo, na cidade que Ledoux começou a construir em Arc-et-Senans): o teatro no centro da cidade, a cidade no centro da França, a França no centro da Europa e a Europa no centro do mundo — o teatro constituindo o microcosmo deste macrocosmo — revelou-se anacrônico. Do mesmo modo que a platéia e o palco não partilham da mesma ilusão, estes dois espaços não comungam mais da certeza de possuir uma verdade válida para todos e para o mundo inteiro. Ocorreu uma espécie de descentralização geral. O edifício teatral só está no centro relativamente[7]; não é mais detentor de uma verdade geral e universal.

Isto quer dizer que o grande teatro de participação política, assim como o definimos acima, não é mais, com suas exigências de unidade e de totalidade, senão um mito. E este mito é perigoso na medida em que mascara uma situação de fato e tende a se transformar num álibi: é o caso de alguns de nossos teatros populares que continuam a defender uma ideologia desmentida pela própria realidade em que trabalham.

É aqui que intervém o que chamamos de *modificação brechtiana*. Vamos partir daquilo que constituiu uma tomada de posição fundamental, comum a Piscator e a Brecht (este neste caso, apenas seguindo aquele): a recusa de um teatro político ecumênico e a vontade de promover um teatro de combate, ou até mesmo um teatro partidário. O que daí decorreu imediatamente foi um abandono dos critérios de massa e de unanimidade.

O projeto de teatro que Gropius havia feito para Piscator[8] não é o projeto de um edifício gigante, de

7. Lembremos a fala de Jesse, no nono quadro de *Um Homem é um Homem*: "E Copérnico, o que é que ele diz? Que é que gira? A terra é que gira. A terra, portanto, o homem. Segundo Copérnico. Logo, o homem não está no centro. Agora, olhe um pouco isso. Você queria que isto estivesse no centro? Isso? Histórico, é o que lhe digo. O homem não é nada! A ciência moderna provou que tudo é relativo. Que significa isto? A mesa, o banco, a água, a calçadeira, tudo, relativo. Você, viúva Begbick; eu... relativo. Olhe-me nos olhos, viúva Begbick; o momento é histórico, o homem está no centro, mas relativamente". (BERTOLT BRECHT, *Théâtre Complet*, Paris, L'Arche, 1956, v. I, p. 144).
8. ERWIN PISCATOR, *Le théâtre politique*, texto francês de Arthur Adamov com a colaboração de Claude Sebisch, Paris, L'Arche, 1962.

um pseudo-estádio (como o *Grosses Schauspielhaus* de Reinhardt, onde Piscator havia encenado uma grande revista política). Não se trata de realizar espetáculos para o maior público possível: a atenção de Gropius e de Piscator incide, de preferência, sobre as modalidades de contacto entre palco e platéia, sobre as variações destas modalidades (vários tipos de cena são possíveis, num tal edifício. Por outro lado, acentua-se a necessidade de utilizar as técnicas mais modernas e também a função destas técnicas. Como constatou Brecht, a experiência de Piscator foi "a mais radical tentativa feita para conferir um caráter didático ao teatro. [Ela transformou] o palco numa sala de máquinas [e fez] da platéia um local de reunião"[9].

*O grande teatro do mundo*

Em seguida, Brecht e Piscator divergem. A ambição deste último é colocar em cena toda a história do mundo: "A idéia fundamental de toda ação teatral consiste na elevação das cenas particulares ao nível da história — não pode ser senão uma elevação ao plano social, político e econômico"[10]. Encontramos aí uma das características deste teatro de participação política, do qual já falamos: a vontade de transformar o palco em local de ações válidas para todos. A elevação dos dramas individuais ao plano social, político e econômico, se passa sob os olhos do espectador. Ela não mais resulta, como no teatro clássico, do simples consenso deste teatro (era o espectador do século XVII que decifrava *Berenice* ou *Fedra* em termos não apenas de destinos individuais, mas de tragédia política); ela é o produto dos meios técnicos empregados. Assim, o *Rasputim* de Alexis Tolstói se torna, graças ao uso do *Segment-Buhne,* o *Rasputim* de Piscator; a história anedótica da vida e da morte de um favorito do czar se transformou numa evocação da evolução de toda a Europa, e mesmo do mundo, às vésperas da

Cf. o texto de Walter Gropius: "De l'architecture théâtrale moderne, à propos de la construction à Berlin d'un nouveau théâtre Piscator", pp. 129-133.
9. BERTOLT BRECHT, "Du théâtre expérimental", texto francês de Jean Tailleur e Bernard Sobel, *Théâtre populaire*, n.º 50, 2.º trimestre 1963, p. 85.
10. ERWIN PISCATOR, *op. cit.*, p. 139.

389

guerra de 1914-1918 e até a Revolução Soviética. Um contraponto visível se estabelece entre as diferentes ações representadas em cada um dos "segmentos" do palco hemisférico do Teatro Piscator, e um quádruplo comentário vem ainda "ampliar" a visão do espectador (calendário, filme didático, filme dramático e filme de comentário). O que é reconstituído no palco — em virtude de técnicas as mais variadas e sem a menor suspeita de ilusionismo — é a própria totalidade do mundo. O palco é literalmente "o grande teatro do mundo".

Ao mesmo tempo, Piscator reconstitui a unidade palco-platéia. A propósito de *Apesar de tudo*, revista comunista que ele queria montar com dois mil participantes num vale de montanhas de Gosen, e que só pode realizar em 1925 no *Grosses Schauspielhaus*, Piscator escreve: "A massa se encarregou da direção. Todas as pessoas que enchiam o teatro haviam vivido aquela época e aquilo que acontecia diante de seus olhos era exatamente seu destino, sua própria tragédia. Tornando-se o teatro uma realidade para esta massa, não havia desde este momento um palco diante do público, mas sim uma gigantesca sala de reunião comum, um gigantesco campo de batalha, uma gigantesca manifestação" [11]. O teatro pode ser assim o local privilegiado onde se revela a "legitimidade das revoluções".

Aí é que Brecht se separa de Piscator. Ele rompe com a exigência do teatro político compreendido como teatro dos grandes acontecimentos e também com toda a vontade de unidade entre palco e platéia. Assim, Brecht foi obrigado a reformular ao mesmo tempo a estrutura da atividade teatral (fundada sobre uma convergência das imagens do palco e das imagens da platéia numa participação comum à mesma representação do mundo) e a função desta atividade (o teatro como microcosmo de nossa sociedade).

*O jogo brechtiano*

A dramaturgia de Brecht recusa toda separação entre o público (assimilado até então ao político) e o particular (que Piscator elevava até o plano do polí-

11. ERWIN PISCATOR, *op. cit.*, p. 71.

tico). É contrária não só à ilusão do particular e à existência de uma esfera de comportamentos ou de sentimentos estritamente individuais, mas também quanto à dos grandes acontecimentos que constituiriam, unicamente eles, a história. Mais exatamente, continuamente relaciona o particular e o público, os grandes acontecimentos e a vida cotidiana. O que nos propõe, na maioria dos casos, é uma crônica histórica da vida cotidiana. A representação teatral brechtiana institui um jogo entre identificação e distanciamento do espectador em relação aos acontecimentos e às personagens representadas. Identificação ao nível da vida cotidiana; distanciamento quanto à tomada de consciência histórica. Somos e não somos Mãe Coragem. O objetivo da representação é justamente nos fazer tomar consciência da distância histórica que nos separa de Anna Fierling esta cantineira da guerra dos Trinta Anos. Ou seja, enfim, em nos fazer tomar consciência de nós mesmos enquanto indivíduos inscritos nesta ou naquela determinada sociedade. Desde então, o teatro não mais nos revela uma verdade que teríamos que realizar fora do teatro e segundo sua lei: esta verdade está por fazer, só pode resultar da transformação real da sociedade a partir da tomada de consciência histórica da qual a representação foi o pretexto.

Pode-se, pois, falar de descentralização do teatro em Brecht. O palco não é mais o centro de gravidade da atividade teatral. Esta se situa, antes de mais nada, no ponto de intersecção do palco e da platéia: na própria intimidade do espectador, dividido entre a adesão e a recusa, obrigado a colocar em questão sua própria participação na ideologia e nos mitos da vida cotidiana; depois, vê-se deslocado ainda mais longe, ao próprio limite da representação teatral: ali onde o teatro e a cidade comunicam. O edifício teatral brechtiano não está mais fechado sobre si mesmo, como também não é mais cenocrático: é, ao contrário, aberto à vida social à maneira de um laboratório onde nossas representações do mundo e de nós mesmos são confrontadas com outras e reconhecidas como insuficientes, transitórias. Cabe-nos então descobrir as regras de nossa vida social a fim de estarmos em seguida aptos a transformá-las — mas agora, realmente na própria espessura da realidade.

Ao teatro de massa e de ampla participação política, que não pode ser senão um teatro da verdade revelada, Brecht substitui um teatro de exame e de reflexão política, o teatro de uma verdade que ainda está por fazer.

*O curso da história*

Certamente hoje a lição brechtiana pode nos parecer insuficiente. As obras de Brecht foram escritas numa e para uma situação histórica determinada: a da Europa entre guerras e no imediato pós-guerra. Sem dúvida estas obras ultrapassam esta situação e podemos, também, desde já, tratá-las como obras históricas (senão clássicas) — exatamente como Brecht nos ensinou a tratar Shakespeare ou Lenz. Não há dúvida de que a situação se transformou radicalmente. Como já observamos; hoje o eurocentrismo não tem mais curso. Ora, a visão que Brecht tinha do mundo é ainda, em grande parte, organizada em torno da Europa. A China e a India de suas peças não possuem existência independente: elas nos remetem à sociedade européia de entre guerras, à nossa sociedade capitalista e industrial (colonialista também...). Além do mais, uma escatologia da revolução como solução necessária e suficiente está por trás de uma boa parte da obra de Brecht. Ora, sabemos hoje que a revolução comunista pode ser necessária, mas não é suficiente para instaurar o socialismo. Outras questões se colocam em seguida, outras contradições aparecem: Brecht não pôde abordá-las.

A forma brechtiana por excelência — refiro-me à *parábola* — não deixa de ter suas dificuldades. Sem dúvida a defasagem provocada por Brecht quando coloca numa outra época histórica uma ação que poderia ser nossa contemporânea (o pseudoconflito das "cabeças redondas" e das "cabeças pontudas" é equivalente ao dos arianos e dos judeus, por exemplo) é capaz de tornar o espectador ativo. É a este último que compete restabelecer a perspectiva histórica exata; em face da falsa historicidade da parábola, ele deve descobrir sua própria historicidade. Mas conseguirá ele sempre realizar tal operação de "retificação"? É duvidoso. Então o encenador se arrisca a ceder à tentação da atualização, e negando a diferença histórica, a anular a parábola (mostrar que sob Luís XIV vive se como hoje, ou o contrário, é reduzir uma época a outra e voltar ao mais obtuso naturalismo; a mesma coisa é fazer de Galileu um sábio atômico atual. Digamos que algumas peças de Brecht devem ser mantidas num equilíbrio histórico instável). Convém, pois, que se acentue a defasagem. Mas com o risco de entediar o público e de fazer com que ele não mais se reconheça, à distância, na imagem proposta. Manfred Wekwerth gosta de declarar: "O que eu queria, no teatro, é um público de filósofos". Infelizmente este público não existe ainda em parte nenhuma, nem na República Democrática Alemã nem em qualquer outro lugar. A parábola supõe talvez um público imaginário. Destinada a "ativar" o público (Brecht dizia que o teatro deve conjugar a arte do ator e a arte do espectador), ela exige um público já ativo e formado.

*O indivíduo como centro*

Evoquemos um último problema: o do lugar do indivíduo da personagem, na obra de Brecht. Certamente também aqui houve uma descentralização. Brecht foi contrário a uma dramaturgia na qual o indivíduo fosse, ao mesmo tempo, sujeito e objeto. Denunciou mesmo, com extremo vigor, o teatro antigo como tendo sido o teatro "das grandes individualidades solitárias". Desde *Um Homem é um Homem,* como diz Jesse à viúva Begbick, "o homem não está mais no centro" — ou antes, "está no centro, mas relativamente". Brecht estabelece sua nova dramaturgia a partir desta reviravolta à maneira de Copérnico: é o mundo, um certo estado presente da sociedade, que é seu objeto. O homem é apenas o sujeito. Entretanto, ele mantém a noção de personagem (ainda que esta personagem fosse dividida e incompleta, diferente da personagem clássica completa e acabada). Ora, mesmo hoje esta noção é radicalmente contestada. Numa polêmica a propósito de *Os Soldados,* Theodor W. Ador-

12. THEODOR W. ADORNO, "Offener Brief an Rolf Hochhuth", *Theater Heute* n.º 7, jun. 1967.

no [12] sustenta que o teatro não pode mais nos mostrar o homem como indivíduo: diante da reificação radical (aceita por todos) do homem na sociedade de hoje, a personagem deve perder todo traço individual, pessoal; ela só poderia ser o simples portador de um comportamento coletivo. É o que Ernst Wendt, comentando esta polêmica, traduziu assim: "O homem agindo espontaneamente e se desenvolvendo livremente; este homem, não mais podemos salvar" [13].

Ora, Brecht ainda pretende salvar o indivíduo. Por certo não sonha com uma salvação religiosa ou mística, nem uma salvação moral (e de algum modo existenecial): é de salvação política, histórica, que ele fala. E se o indivíduo brechtiano deve, pelo menos passageiramente, renunciar à sua qualidade de indivíduo (os militantes de *A Decisão*, enquanto dura a missão, substituem seus próprios rostos por uma máscara) é afinal de contas para restabelecê-la. É para poder, numa sociedade enfim transformada, voltar a ser plenamente um indivíduo. A dramaturgia de Brecht permanece uma dramaturgia da responsabilidade (não moral ou religiosa, mas política) do homem. Sem compartilhar o ponto de vista de Adorno, pode-se reconhecer, no retraimento do indivíduo, uma das fontes das dificuldades sentidas por Brecht quando quis levar para a cena certos acontecimentos contemporâneos. Ele mesmo, no fim da vida, sentiu a necessidade de transformar seu teatro e fazer dele o que chamava de "teatro dialético" — ou seja, de mostrar em cena a própria dialética da história. Assim esboçou uma volta ao grande teatro histórico clássico que foi, quanto ao essencial, uma volta a Shakespeare. Sua adaptação de *Coriolano* testemunha isto. Brecht não quis nem destruir nem criticar a obra; para ele tratava-se de conservar tanto a história de Roma quanto a tragédia de Coriolano. Apenas descentralizou esta em favor daquela. Mas Brecht não pôde realizar nem reencontrar este grande teatro histórico: a morte interrompeu seu trabalho.

A questão continua proposta: um tal teatro (que reconciliaria, de certo modo, Brecht e Lukács) seria

13. ERNST WENDT, "Ist der Mensch noch zu retten?", *Theater 1967*, número especial, Hannover, Friedrich Verlag.

hoje concebível? Pode-se duvidar. Na obra de Brecht, não é nem *Os Dias da Comuna* nem mesmo *Galileu Galilei* (apesar de toda a admiração que se possa ter por esta peça tão problemática sob aspectos quase tradicionais) que, atualmente, nos falam mais diretamente, nos tocam e nos motivam mais vivamente. São, isto sim, peças como *Um Homem é um Homem*, algumas *Lehrstucke* (peças didáticas) e mesmo alguns fragmentos escritos por volta de 1930, como *A Padaria*, sobre a qual Brecht assinalou, justamente em oposição a *Galileu*, que era de "nível técnico muito alto", o mais alto mesmo que suas obras atingiram [14].

*A ilusão do universal*

A despeito da vontade de Brecht de "introduzir a dialética do palco", hoje parece difícil, se não impossível, ressuscitar um teatro histórico e político no qual a ação cênica representaria simbolicamente a evolução social no seu conjunto, com personagens típicas encarnando as forças fundamentais da sociedade e os conflitos dramáticos que refletem os grandes conflitos deste mundo. Aqui seria preciso retomar os argumentos anteriormente expostos. Contentemo-nos em acrescentar que a ressurreição de um tal teatro, fosse ele batizado "teatro dialético", supõe resolvido o problema que precisamente se coloca para nós: aquele da relação entre nossa realidade vivida, em nível existencial (isto é, no quadro de nossa sociedade de consumo capitalista ocidental), e a realidade global do universo (do qual faz parte justamente o Terceiro Mundo). Já o sublinhamos: a época em que os palcos dos teatros ocidentais podiam se gabar de ser outros tantos microcosmos verdadeiros de nosso mundo está definitivamente ultrapassada. Universo centrípeto e teatro cenocrático já existiram e agora são apenas belas recordações (que encarnam ainda com soberbo esplendor os teatros "à italiana" do século XIX) ou mitos suspeitos.

Vejo ainda uma prova da impossibilidade deste

---

14. Citado por ERNST SCHUMACHER, em *Drama und Geschichte Bertolt Brechts: "Leben des Galilei" und andere Stucke*, Berlim, Henschelverlag, 1965, p. 245, texto que figura no *Bertolt Brecht-Arquiv*, mar. 275, folheto 14.

grande teatro histórico no fracasso parcial, a meu ver, de *Uma Temporada no Congo* de Aimé Césaire. Não discuto aqui o interesse da peça ou do espetáculo dirigido por Jean-Marie Serreau: valem, certamente, bem mais que o que nos habituamos a ver em nossos palcos. Refiro-me ao que parece ter sido a ambição profunda de Aimé Césaire: sua vontade de nos mostrar e de nos explicar o confronto das forças políticas reais que produziram a tragédia de Lumumba e o drama congolês. Ora as personagens de *Uma Temporada no Congo* permanecem demasiado individuais. Encarnam tão-somente seu próprio destino e, por trás deles, as forças políticas tomaram formas de marionetes de um espetáculo de *agit-prop*. O que falta é a relação entre estas e aquelas: Césaire a supõe conhecida, mas não nos deixa vê-la. Podemos pois acreditar ou não nesta relação, mas não, seguramente, apreendê-la a partir do interior. No fundo, o erro de Césaire foi querer dirigir-se a um público universal e escrever uma peça de âmbito geral, válida tanto para os europeus como para os africanos. Assim, quis dizer tudo, mostrar tudo. Mas talvez houvesse aí uma contradição insuperável: dirigindo-se a um público europeu, é o papel da Europa na colonização e, mais precisamente, no drama congolês, que deveria ter sido posto em evidência; dirigindo-se a um público africano, seriam as contradições dos homens que desejaram a independência congolesa que deveriam ter sido sublinhadas. Em resumo, escrever *Uma Temporada no Congo* como Shakespeare escreveu as "crônicas" da Guerra das Duas Rosas, é impossível nos dias de hoje — não pela proximidade histórica, como se pretendeu, mas porque palavras e imagens não possuem o mesmo valor nem o mesmo sentido na Europa e na África (situam-se em duas perspectivas históricas radicalmente diferentes): Césaire devia ter feito a escolha entre a comédia do rei Balduíno e a tragédia de Lumumba...

Entre um grande teatro de participação política e o nosso teatro de fragmentação, houve ruptura. É somente levando em conta esta ruptura — não negando-a ou silenciando-a — que poderemos hoje elaborar novas formas de atividade teatral, um novo teatro político, mais modesto talvez, mas mais eficaz.

Na origem destas formas novas do teatro político atual, há uma dupla verificação: a impossibilidade de apreender a realidade em seu conjunto e de transpô-la simbolicamente no palco; a falsidade ou, pelo menos, a insuficiência das imagens da realidade que os teatros se habituaram a nos dar. É nesta constatação que se enraízam o que se chama de "teatro-documento" e o que se poderia chamar — retomando uma expressão já velha de mais de meio século — o "teatro da teatralidade".

*Realidade e fragmentação*

O "teatro-documento" ou, como dizem mais exatamente os ingleses, o "teatro de fatos" *(theatre of facts)* é antes de tudo a recusa de toda simbologia e a recusa de uma visão global, bem organizada, do conjunto da realidade. Desta realidade só podemos captar fragmentos: são pois estes fragmentos, como são, que vamos levar ao palco. Na vida corrente, o espectador afogado no fluxo de imagens e de informações, não vê literalmente o que é: deixa-se enlear nas representações do mundo que lhe impingem mansamente a televisão, o rádio, as revistas... e mais ainda sua própria ideologia de classe. Uma vez expostos no palco, estes fragmentos de realidade vão obrigá-lo a olhar com outros olhos, vão levá-lo a falar outra linguagem. É ainda necessário que permaneçam precisamente como fragmentos e que não sejam reorganizados, graças ao autor ou ao encenador, como um todo coerente e significativo por si mesmo.

Este é o paradoxo do teatro documento. Está constantemente ameaçado pelo próprio sucesso. Toda perfeição artística significa, ao mesmo tempo, sua morte. Fechada sobre si mesma, uma peça-documento se transforma numa peça-tese (exatamente da mesma maneira como a "fatia de vida" naturalista deu origem à "peça-tese" de um Curel, por exemplo). Assim aconteceu com o *Dossiê*, ou o *Processo* ou o *Caso Oppenheimer*, assim como com *O Vigário* de Hochhuth, esta última com a circunstância agravante (ou atenuante, às vezes) da vontade deliberada de Hochhuth de atingir uma "grande forma": a da tragédia schilleriana.

Assim, é preciso procurar em outro lugar este "teatro-documento" que não poderia ser senão um teatro de fragmentação: por exemplo, no *US* de Peter Brook e da Royal Shakespeare Company. Por outro lado, Brook monta paralelamente duas séries de fragmentos absolutamente distintas uma da outra: documento sobre a guerra do Vietnã (é *U.S.* — United States) e uma reportagem sobre a atitude de intelectuais ingleses em face desta guerra (é *us* — nós). E cabe ao espectador fazer a ligação entre uma e outra: mais precisamente, é ele mesmo quem deve interrogar-se enquanto efetivo traço de união entre estas duas partes do espetáculo. Por outro lado, Brook evita empregar técnicas naturalistas: recusa toda ilusão. Não se trata de fazer crer ao espectador que ele está no Vietnã ou que participa intimamente das incertezas de uma intelectual inglesa de esquerda. Trata-se de expor, da maneira mais teatral, estes fatos. Aqui tudo é jogo, não realidade. Mas este jogo nos devolve à nossa realidade: ele no-la oferece para fazer, para modificar. O teatro não muda o mundo; só pode nos dar a consciência da necessidade de mudar o mundo. Expondo teatralmente a fragmentação, que vem a ser nossa maneira de viver a realidade, o teatro talvez nos leva a ultrapassá-la, transformá-la. Cabe a nós dar um sentido mais amplo a este conjunto de fatos — ao público, não ao palco. Pois há um perigo: o palco não diria nada além da impossibilidade de estabelecer um laço entre a existência cotidiana e a vida social, ao passo que, ao contrário, o palco deve submeter esta impossibilidade aparente ao espectador, para que ele, dentro dos fatos, a resolva.

*Participação ou comunhão*

Tal ambigüidade é agora moeda corrente. McLuhan a sustenta quando declara, numa fórmula que acertou o alvo, que o meio conta mais que a mensagem. Ou mesmo que a mensagem se reduz, afinal de contas, ao meio. E Ernst Wendt retoma esta fórmula por conta própria, a propósito de *US:* para ele no espetáculo da Royal Shakespeare Company é "menos o conteúdo do que a intensidade da comunicação que atinge nossa consciência". Muitos dos espetáculos sobre o Vietnã, que se multiplicam com uma facilidade inquietante e que pedem tudo emprestado a este teatro de fragmentação, sofrem da mesma ambigüidade — quando não a exploram. Confundem meio e mensagem: à violência destruidora da guerra que fazem os norte-americanos, respondem, no palco, a violência física dos meios teatrais, empregados na sua incoerência política, uma incoerência puramente espetacular... E tal desencadeamento da violência dirigido contra o espectador (um espectador que só pode ser ao mesmo tempo vítima e cúmplice) encontra seu fim nele mesmo — numa catarse que é também libertação e apaziguamento. Assim, este teatro de participação física se torna teatro de comunhão metafísica: espectadores e atores passaram da verificação à efusão. A política ficou como que colocada entre parênteses: tornou-se o meio de uma espécie de êxtase coletivo. Em vez de ser um ato de acusação, alguns espetáculos atuais, que de modo bastante abusivo se dizem vinculados ao "teatro da crueldade", passam à mistificação.

Esvaziam o político muito mais do que o questionam. O teatro-choque é um teatro de auto-satisfação.

É preciso aqui denunciar uma ilusão comum: a da participação coletiva do público no espetáculo. Quando Grotówski montou *Kordian,* baseado em Slowácki, e fazia a ação desenrolar-se na sala comum de um hospital psiquiátrico, instalou os espectadores em camas, como se fossem doentes de um hospital. Ora, ele então verificou que longe de se sentirem assim integrados na ação, os espectadores se sentiam mais estranhos a ela. Pois sabiam muito bem que não faziam parte dos intérpretes nem das personagens imaginárias de *Kordian* segundo Grotówski. A diferença é que ficou sublinhada, não sua semelhança. Esta tentativa/de participação total mostrava, primeiro a distância que subsistia, que não podia deixar de subsistir entre o jogo teatral e eles próprios. Assim, em *O Príncipe Constante,* Grotówski armou seu espetáculo (seu dispositivo palco-platéia) sobre esta distância materializada pelo afastamento que separa (e une) o fosso onde os atores

399

representam e as arquibancadas onde estão instalados os espectadores.

É também sobre a experiência de uma distância que se fundamenta o que chamamos de "teatro da teatralidade". Esta vez a criação teatral não nasce mais dos fragmentos da realidade expostos no palco: ela utiliza, como material, as imagens que fazemos desta realidade — literalmente nossas representações da realidade. Ela se apóia ainda mais no teatro. Não para descobrir uma verdade que seria a da arte, oposta à da vida (é a tentação de um Pirandello, por exemplo), mas para submeter nossas representações do real à crítica desta mesma realidade.

## A teatralidade em questão

Citarei como exemplo apenas as obras de Jean Genet e Armand Gatti, por mais diferentes e opostas que sejam. No teatro de Genet na verdade não estamos lidando com a realidade mas sim com as imagens que o espectador (burguês) pode fazer desta realidade — imagens que Genet leva ao extremo de irrealidade e que destrói assim pelo jogo de uma representação cênica, deixando o espectador em face da presença imediata e literalmente irrepresentável da morte. *Os Biombos* é uma peça construída sobre um duplo movimento: de um lado quase todas as personagens se convertem, diante de nós, em suas próprias imagens ou "reflexos" — tornam-se cada vez mais aquilo que parecem até enfim chegarem ao reino das puras aparências (o de uma morte que é propriamente teatro, representação); de outro lado, Saïd e Leila se recusam a se deixarem apanhar pelos reflexos que se lhes oferecem, "traem" todas as imagens nas quais poderíamos fixá-los, subtraem-se a qualquer teatro e só querem se ater à morte verdadeira, que é a negatividade absoluta. Assim, o teatro de Genet é, ao mesmo tempo, exaltação e negação da teatralidade — não de uma teatralidade pura, mas precisamente da teatralidade de nossa sociedade incapaz de se ver realmente e entregue ao disfarce, à fantasia.

Gatti coloca em cena, também, homens que representam sua própria história. E recorre ao próprio espectador para que este descubra, para além do jogo, a própria realidade desta história. Tomemos *V como Vietnã*. Nesta peça dedicada à guerra do Vietnã, Gatti não faz figurar em primeiro plano nem a violência norte-americana nem o heroísmo do povo vietnamita. O que ocupa o centro de sua peça é a *Châtaigne* (uma máquina), o cérebro eletrônico do Pentágono. Ela interpreta a guerra, a história — esta "hiper-história" da qual ela deve, de algum modo, selar o advento. Ela calcula todas as soluções possíveis, com exceção de uma única: a vitória do Vietnã. Assim, o que Gatti nos mostra é, a princípio, o jogo americano: um jogo do qual, querendo ou não, participamos. Mas ao mesmo tempo nos convida a descobrir pouco a pouco a insuficiência deste jogo. Basta que uma barra de pregos vietnamita seja introduzida na máquina para que ela se desmonte: não consegue dar respostas justas à perguntas — as que fazem os vietnamitas — que não é capaz de conceber. Nosso jogo teatral é freado. Alguma coisa radicalmente diversa surge: aqui, vietnamitas que, para surpresa dos membros do Pentágono, emergem dos destroços da máquina.

Assim Genet e Gatti, com meios e finalidades radicalmente diferentes, atribuem ao teatro uma função comparável. Ele não é nem a descrição objetiva da realidade nem engajamento coletivo numa ação revolucionária imediata. É, antes de tudo, um descondicionamento: ruptura com as representações que, mais ou menos conscientemente, fazemos de nossa sociedade, questionamento de nossa visão do mundo.

Neste sentido pode chamar-se *pré-político*. A representação teatral, na medida em que é crítica de nossas próprias representações da realidade, na medida em que se critica a si mesma, nos faz passar do ideológico ao político. E nos convida a recusar aquele para abordar este. É a abertura sobre a realidade e a preparação para a ação.

*Um vaivém histórico*

A obra de Peter Weiss também supõe uma tal modificação da atividade teatral, com a condição de não lhe serem aplicados critérios que lhe são exteriores (o "teatro da crueldade" para *Marat-Sade* e o "teatro-documento" em estado bruto para *O Interrogatório).* Com efeito, reúne o "teatro dos fatos" e o "teatro da teatralidade" de que acabamos de falar. Não vejamos pois em *Marat-Sade* nem um debate ideológico entre duas concepções da revolução, encarnadas por Marat e Sade (então não seria necessário situar a peça no asilo de Charenton e a Sade caberia, incontestavelmente, a última palavra, pois é ele quem dirige o espetáculo) nem uma simples representação teatral feita por loucos (seria mais uma vez confundir o meio e a mensagem), mas reconheçamos aí uma representação da Revolução Francesa sob o Império, isto é depois do fracasso desta Revolução, pelos que a fizeram e sob o controle daquelas que a amordaçaram. A personagem central de *Marat-Sade* não é nem Marat nem Sade, mas simplesmente o Diretor do Asilo, e, atrás dele, o que aparece como efígie durante o epílogo: o Imperador Napoleão. Assim a parábola de Peter Weiss se dirige diretamente a nós: nós vivemos também uma época de Restauração e nossa relação com a guerra, a Resistência e a Liberação, é comparável à das personagens de *Marat-Sade* com a Revolução. O que ela nos propõe é pois descobrir a imagem de nossa própria situação histórica no jogo no hospício de Charenton.

O mesmo acontece em relação a *O Interrogatório.* Peter Weiss não descreve a existência concentracionária nem faz uma reportagem sobre o processo de Frankfurt. Ele evoca e confronta dois sistemas: o sistema fechado dos campos de concentração e o sistema aberto de nossa sociedade capitalista.

Cada um é verdade do outro. E cabe ao espectador extrair esta verdade. Uma representação de *O Interrogatório,* como a do Piccolo Teatro sob direção de Virginio Puecher, mostrava bem (com exclusão do final, transformado numa cerimônia comemorativa diante de uma espécie de muro-memorial): combinava exatamente formas fechadas (não somente as do mundo concentracionário, mas também as do circuito fechado de televisão que permitia projetar e misturar numa gigantesca tela imagens dos atores, tomadas ao vivo, documentos da época e um filme rodado hoje num campo) e forma aberta (a do Palácio dos Esportes onde se passavam as representações), abolindo ao mesmo tempo a reparação entre o palco e a platéia. Ou antes, substituindo-lhe uma série de trocas que não se esgotam no edifício teatral, mas transbordam para o exterior, para o mundo.

Um teatro político deste tipo não é mais a descrição objetiva de uma realidade tomada como um todo. Nem a exaltação das grandes ações coletivas que transformaram esta realidade. Para além da exposição, no palco, de parcelas brutas de nossa realidade, ou além da teatralização de nossas interpretações do mundo, é a esta própria realidade e a este mundo mesmo que ele nos faz retornar. Ele é "propedêutica da realidade" [15]: não ação ou visão do mundo, mas crítica de nossas ideologias e preparação à ação.

Desde então as oposições entre grande teatro de participação coletiva e teatro de ação direta, de *agit-prop,* caem como as que se situam entre uma concepção naturalista (uma dramaturgia de pura descrição: a crônica dos fatos passados ou contemporâneos) e uma concepção "teatralizada" do teatro político ( a de um Meyerhold, por exemplo). Não se trata mais de fazer política no palco ou na platéia: é a própria atividade teatral, em sua especificidade, que se torna acesso ao político.

*Mediação e diálogo*

Não é necessário afirmar que uma tal reviravolta supõe uma profunda transformação em nosso teatro. E que ainda está longe de ser realizada. Transformação de nosso conceito de lugar como transformação da estrutura da atividade teatral. A descentralização de que falávamos acima deve evidentemente afetar também a situação das casas de teatro na cidade tanto quanto a arquitetura interna destes edifícios. Com efeito, é toda nossa visão de um teatro no centro da cidade e de um edifício que reproduza (de certo modo às avessas) a organização da sociedade, que deve modificar-se por completo. Não somente o palco e a platéia "à italiana" estão ultrapasados — isto já se proclama

15. Ver neste volume, "Uma propedêutica da realidade".

há quase um século — mas talvez seja qualquer forma fixa de teatro que seja necessário abandonar: qualquer forma de arquitetura preestabelecida, qualquer modalidade de organização rígida dos relacionamentos entre palco e platéia (mesmo que seja polivalente) e se deve definir o local teatral como um lugar vazio, totalmente maleável, suscetível de assumir todas as formas possíveis e de ser situado em qualquer lugar (Grotówski pretende, com razão, que cada espetáculo necessita uma nova distribuição do relacionamento entre palco e platéia).

A organização do trabalho no teatro deveria também ser transformada. Diante de um autor e de um encenador cuja onipotência está cada vez mais contestada, o ator tem, novamente, uma função essencial. Não pode mais ser um simples instrumento nas mãos do encenador, nem tampouco ser o executante de uma obra preestabelecida de uma vez por todas: agora surge como verdadeiro mediador entre a obra e o público. A concepção de Brecht sobre o ator permanece muito fecunda, com a condição de não ser reduzida a um conjunto de receitas e de processos: longe de transformar o ator num simples recitante, Brecht lhe dá a responsabilidade a um tempo estética e política do espetáculo. É ele, enquanto ator, isto é, como detentor de técnicas precisas, que constrói a personagem. Mas é ainda ele, enquanto cidadão totalmente participante, que apresenta esta personagem ao julgamento do espectador, que convida o espectador a se reconhecer nela, a aceitá-la e a recusá-la ao mesmo tempo.

Uma das indisposições mais vivamente ressentidas na vida teatral atual nasce da inadequação da formação do ator às novas tarefas que deveriam ser as suas. E a espécie de frenesi com que muitos jovens se lançam na expressão corporal ou na imitação do Living Theatre é um sinal deste mal-estar. Acrescentemos ainda que a oposição radical que alguns estabelecem entre um pretenso ator brechtiano, que seria apenas intelectual, e um ator segundo o Living, que seria apenas físico, só faz confundir as coisas: se existe oposição, ela se situa no nível do significado de uma empresa como o Berliner Ensemble e a de um grupo (ou de uma tribo) como o Living Theater. Não ao nível das técnicas dos intérpretes, pois o ator brechtiano deve ser igualmente "físico" e representar com seu corpo tanto quanto o ator do Living.

Enfim, é a uma transformação da própria instituição teatral que devíamos assistir, a uma conversão do que é, muitas vezes, o monólogo de tal ou qual teatro bem estabelecido, num verdadeiro diálogo do teatro com tais ou quais espectadores (não um público popular, que só existe enquanto mito).

Certamente uma tal reforma do conjunto de teatro não pode ser realizado do dia para a noite. É um empreendimento para longo prazo [16]. Mas acredito que ela esteja em vias de se realizar, entre as incertezas e as provocações de toda espécie. Em todo caso, ela representa, para o teatro atual — para todo teatro político de hoje — um caso de vida ou morte. Face às mudanças que se produzem na nossa vida social e face à multiplicação dos meios de comunicação (que são também meios de interpretação e de disfarce desta vida social), ou o teatro se modifica e oferece aos homens a possibilidade (artística, é óbvio) de colocarem em questão sua própria existência cotidiana e as imagens que elas fazem do mundo, ou então permanecerá e se tornará, cada vez mais, um simples meio de divertimento: o local e a ocasião de um jogo sem conseqüência, um destes estabelecimentos "culinários de que Brecht escarnecia há cerca de cincoenta anos. Agora não há mais escapatória: os homens de teatro e os espectadores conscientes o sentem. A questão de um novo teatro político não é uma entre outras. É sobre ela que nosso teatro joga sua cartada decisiva.

---

16. A atividade de um grupo como o Bread and Puppet Theatre, que representa a maior parte das vezes nas ruas e que associa certos espectadores (crianças, muitas vezes) ao seu trabalho, nos fornece um primeiro exemplo de tal transformação. Ver a este respeito a entrevista de Peter Schumann feita por Helen Brown e Jane Seitz: "With the Bread and Puppet Theatre", publicada em *The Drama Review*, T.D.R., New York University, v. XXXVIII (v. 12, n.º 2), inverno de 1968, e o livro de FRANÇOISE KOURILSKY, *Bread and Puppet Theatre*, Lausenne, La Cité, 1971.

## NOTA BIBLIOGRÁFICA

Este volume reúne uma seleção de ensaios publicados em dois livros: *Théâtre Public, essais de critique 1953-1966* (Paris, Éditions du Seuil, 1967) e *Théâtre Réel, essais de critique 1967-1970* (Paris Éditions du Seuil, 1971).

Alguns destes textos foram também publicados, em diferentes versões e às vezes com títulos ligeiramente diferentes, em outras publicações. Nos casos em que que tenham sido publicados primeiramente em língua estrangeira (ou seja, não em francês) e somente depois em francês, a referência é feita a esta última versão (a primeira é então indicada entre parênteses). Quando o texto estiver ainda inédito em francês é feita menção apenas à sua publicação em outro idioma. Será também indicado, nas notas abaixo (em que os ensaios aparecem com seus títulos originais, na mesma ordem de nosso índice), se o texto está editado em *Théâtre Public* ou em *Théâtre Réel*.

* Une Propedeutique de La Realité. — ("Je Jeu du théâtre et de la réalité") em *Les Temps Modernes*, n.º 263, 23.º ano, abr. 1968 ("Il repertorio contemporaneo come espresione di una società", *Teatro del nostro tempo*, atas do Segundo Collóquio da Rassegna Internazionale dei Teatri Stabili, Florença, 27-30. 10. 1966, Società Editrice Il Mulino, Bolonha, 1967) (*Théâtre Réel*).

* Un "Nouveau" Critique: Émile Zola — Introdução ao *Naturalisme au théâtre* e a *Nos auteurs dramatiques* em *Oeuvres complètes d' Émile Zola: Oeuvres critiques II*, v. XI, edição estabelecida sob a direção de Henri Mitterand, Paris, Cercle du Livre Précieux, 1968 (Théâtre Réel).

* *Les Deux Critiques* — ("L'Inertie Critique") em *Cité-Panorama*, n.º 12, set.-out. 1967 e (comunicação em *Um teatro per una nuova società*, atas da mesa redonda internacional de 20 e 21.9.1968, Bienal de Veneza, XXVII Festival Internacional de Teatro de Prosa, 1968 (*Théâtre Réel*).

* La Mise em Scène, Art Nouveau? — em *Tep-Magazine*, n.º 18, set. 1965 (*Théâtre Public*).

* L'Illusion de La Vie Quotidienne — em *Théâtre Populaire*, n.º 47, 3.º trimestre de 1962 *(Théâtre Public).*

* Condition Sociologique de La Mise en Scène Théâtrale — *Études de sociologie de la littérature*, número dedicado a "Literature et societé. Problémes de méthodologie en sociologie dela littérature", edição do Institut de Sociologie, Universidade Livre de Bruxelas, (*Théâtre Réel*).

* La Grande Aventure de L'Acteur Selon Stanislávski — prefácio a Constantin Stanislávski: *La Construction du personnage*, tradução de Charles Antonneti, Paris, Olivier Perrin Éditeur, 1966, col. Art, théâtre et métier, *(Théâtre Réel).*

* Un Réalisme Ouvert — em *Théâtre dans le Monde*, v. XIV, n° 2, mar. abr. 1965 *(Théâtre Public).*

* Pourquoi Goldoni Aujourd'hui? — Texto de uma conferência no Instituto de Estudos Italianos de Sorbonne, figurando em posfácio à edição de *Barouf à Chioggia*, tradução de Michel Arnaud, publicado pelo Piccolo teatro di Milano e pelo Instituto Italiano di Cultura, Paris, 1965, (*Théâtre Réel*).

* Le "Détour" du Théâtre: "Lorenzaccio"à Prague — ("Tentative de description de *Lorenzaccio*") em *Travail Théâtral*, n.º 1, outono de 1970 ("Otomar Krejca inszeniert Mussets *Lorenzaccio*", *Theater Haute*, n.º 3 mar. 1970, (*Théâtre Réel*).

* Brecht Devant Shakespeare — em *Revue d'Histoire du Théâtre*, 16.º ano, n. 1, jan. mar. 1965 (*Théâtre Public*).

* Frantz, Notre Prochain? — em *Théâtre Populaire*, nº 35, 3º trimestre de 1962 *(Théâtre Public)*.

* Pirandello et Le Théâtre Français — em *Théâtre Populaire*, nº 45, 1º trimestre de 1962 *(Théâtre Pubilc)*.

* Ionesco: de La Revolte à La Soumission? — em *France-Observateur*, 20.10.1955 (*Théâtre Public*).

* Genet ou Le Conbat Avec Le Théâtre — *Le Théâtre moderne II — Depuis la deuxième guerre mondiale*, estudos reunidos e apresentados por Jean Jacquot. Paris, Éditions du Centre National de la Recherche Scientifique, 1967 (*Théâtre Réel*).

* Adamov 1) Entre L'Instant et le Temps — *Les Lettres Françaises*, n.º 1243, 31.7-6.8 1968 (*Théâtre Réel*).

    2) Une Scandaleuse Unité — *Théâtre-Magazine* (Théâtre de la Commune d'Aubervillers), 10.12.1968 (*Théâtre Réel*).

* Un Théâtre du Decalage: John Arden — em *Tep-Magazine*, n.º 29, out. 1966 (*Théâtre Réel*).

* Une Dramaturgie Bloquée — ("La seperezione o lo sfasamento? Riflessioni sulla dramaturgia francese attuale"; *Il Lavoro Teatrale I, La Traversée du Désert*, Piccolo Teatro di Milano, Parma, Guanda Editora, 1969 *(Théâtre Réel)*.

* Un Réalisme Épique — *Les Temps Modernes,* n.º 161, jul. 1959 (*Théâtre Public*).

* La Pratique du Berliner Ensemble — I. *France-Observateur,* 9.6.1960; II. *France-Observateur,* 25.10.1962; III. *Le Nouvel-Observateur,* 24.8.1965 (*Théâtre Public*).

* La "Distanciacion", Pour Quoi Faire? — ("Un théâtre d'agitation") em *Le Magazine Littéraire,* n.º 15, fev. 1968 *(Théâtre Réel).*

* Éloge de la Méthode Brechtienne — em *Recherches Internationales à la Lumière du Marxisme,* nº 60 dedicado a "Brecht aujourd'hui" (*Brecht-Dialog* 1968), 3.º trimestre de 1969 (*Théâtre Réel*).

* L'Opera de Quat'Sous ou Les Pouvoirs du Théâtre — em *Tep-Actualité* n.ºs 60 e 61, dez. 1969 — jan. 1970 (*Théâtre Réel*).

* Pratique Artistique et Responsabilité Politique — em *Le Monde* ("Le Monde des Livres"), n.º 8005, 9.10.1970 (*Théâtre Réel*).

* B.B. Contre Brecht? — *TB Actualités* (Théâtre de Bourgogne), n.º 3, 4.º trimestre de 1968 *(Théâtre Réel).*

* La Fin D'un Rêve — ("Das Ende eines Traums"), *Théâtre Heute,* n. 9 set. 1969 (*Théâtre Réel*).

* La Vocation Politique — em *Esprit,* maio 1965 *(Théâtre Public).*

* Du Théâtre Politique: un Renverssement Copernicien — *Politique aujourd'hui,* n.º 2, fev. 1969 ("Teatro di partecipazione politica e cronaca contemporanea", *Partecipazione, denuncia, esorcismo nel teatro d'oggi,* atas da mesa redonda internacional de 24.27.9.1967, Bienal de Veneza, XXVI Festival Internacional de Teatros de Prosa, 1967) (*Théâtre Réel*).

## TEATRO NA PERSPECTIVA

*O Sentido e a Máscara*
  Gerd A. Bornheim (D008)
*A Tragédia Grega*
  Albin Lesky (D032)
*Maiakóvski e o Teatro de Vanguarda*
  Ângelo M. Ripellino (D042)
*O Teatro e sua Realidade*
  Bernard Dort (D127)
*Semiologia do Teatro*
  J. Guinsburg, J. T. Coelho Netto e Reni C. Cardoso (orgs.) (D138)
*Teatro Moderno*
  Anatol Rosenfeld (D153)
*O Teatro Ontem e Hoje*
  Célia Berrettini (D166)
*Oficina: Do Teatro ao Te-Ato*
  Armando Sérgio da Silva (D175)
*O Mito e o Herói no Moderno Teatro Brasileiro*
  Anatol Rosenfeld (D179)
*Natureza e Sentido da Improvisação Teatral*
  Sandra Chacra (D183)
*Jogos Teatrais*
  Ingrid D. Koudela (D189)
*Stanislávski e o Teatro de Arte de Moscou*
  J. Guinsburg (D192)
*O Teatro Épico*
  Anatol Rosenfeld (D193)
*Exercício Findo*
  Décio de Almeida Prado (D199)
*O Teatro Brasileiro,Moderno*
  Décio de Almeida Prado (D211)
*Qorpo-Santo: Surrealismo ou Absurdo?*
  Eudinyr Fraga (D212)
*Performance como Linguagem*
  Renato Cohen (D219)
*Grupo Macunaíma: Carnavalização e Mito*
  David George (D230)
*Bunraku: Um Teatro de Bonecos*
  Sakae M. Giroux e Tae Suzuki (D241)
*No Reino da Desigualdade*
  Maria Lúcia de Souza B. Pupo (D244)

*A Arte do Ator*
  Richard Boleslavski (D246)
*Um Vôo Brechtiano*
  Ingrid D. Koudela (D248)
*Prismas do Teatro*
  Anatol Rosenfeld (D256)
*Teatro de Anchieta a Alencar*
  Décio de Almeida Prado (D261)
*A Cena em Sombras*
  Leda Maria Martins (D267)
*Texto e Jogo*
  Ingrid D. Koudela (D271)
*O Drama Romântico Brasileiro*
  Décio de Almeida Prado (D273)
*Para Trás e Para Frente*
  David Ball (D278)
*Brecht na Pós-Modernidade*
  Ingrid D. Koudela (D281)
*O Teatro É Necessário?*
  Denis Guénoun (D298)
*O Teatro do Corpo Manifesto: Teatro Físico*
  Lúcia Romano (D301)
*O Melodrama*
  Jean-Marie Thomasseau (D303)
*Teatro com Meninos e Meninas de Rua*
  Marcia Pompeo Nogueira (D312)
*O Pós-Dramático: Um conceito Operativo?*
  J. Guinsburg e Sílvia Fernandes (orgs.) (D314)
*João Caetano*
  Décio de Almeida Prado (E011)
*Mestres do Teatro I*
  John Gassner (E036)
*Mestres do Teatro II*
  John Gassner (E048)
*Artaud e o Teatro*
  Alain Virmaux (E058)
*Improvisação para o Teatro*
  Viola Spolin (E062)
*Jogo, Teatro & Pensamento*
  Richard Courtney (E076)
*Teatro: Leste & Oeste*
  Leonard C. Pronko (E080)
*Uma Atriz: Cacilda Becker*
  Nanci Fernandes e Maria T. Vargas (orgs.) (E086)
*TBC: Crônica de um Sonho*
  Alberto Guzik (E090)
*Os Processos Criativos de Robert Wilson*
  Luiz Roberto Galizia (E091)
*Nelson Rodrigues: Dramaturgia e Encenações*
  Sábato Magaldi (E098)
*José de Alencar e o Teatro*
  João Roberto Faria (E100)
*Sobre o Trabalho do Ator*
  M. Meiches e S. Fernandes (E103)
*Arthur de Azevedo: A Palavra e o Riso*
  Antonio Martins (E107)
*O Texto no Teatro*
  Sábato Magaldi (E111)
*Teatro da Militância*
  Silvana Garcia (E113)
*Brecht: Um Jogo de Aprendizagem*
  Ingrid D. Koudela (E117)
*O Ator no Século XX*
  Odette Aslan (E119)
*Zeami: Cena e Pensamento Nô*
  Sakae M. Giroux (E122)
*Um Teatro da Mulher*
  Elza Cunha de Vincenzo (E127)
*Concerto Barroco às Óperas do Judeu*
  Francisco Maciel Silveira (E131)
*Os Teatros Bunraku e Kabuki: Uma Visada Barroca*
  Darci Kusano (E133)
*O Teatro Realista no Brasil: 1855-1865*
  João Roberto Faria (E136)
*Antunes Filho e a Dimensão Utópica*
  Sebastião Milaré (E140)
*O Truque e a Alma*
  Angelo Maria Ripellino (E145)
*A Procura da Lucidez em Artaud*
  Vera Lúcia Felício (E148)
*Memória e Invenção: Gerald Thomas em Cena*
  Sílvia Fernandes (E149)
*O Inspetor Geral de Gógol/Meyerhold*
  Arlete Cavaliere (E151)
*O Teatro de Heiner Müller*
  Ruth C. de O. Röhl (E152)
*Falando de Shakespeare*
  Barbara Heliodora (E155)

*Moderna Dramaturgia Brasileira*
  Sábato Magaldi (E159)
*Work in Progress na Cena Contemporânea*
  Renato Cohen (E162)
*Stanislávski, Meierhold e Cia*
  J. Guinsburg (E170)
*Apresentação do Teatro Brasileiro Moderno*
  Décio de Almeida Prado (E172)
*Da Cena em Cena*
  J. Guinsburg (E175)
*O Ator Compositor*
  Matteo Bonfitto (E177)
*Ruggero Jacobbi*
  Berenice Raulino (E182)
*Papel do Corpo no Corpo do Ator*
  Sônia Machado Azevedo (E184)
*O Teatro em Progresso*
  Décio de Almeida Prado (E185)
*Édipo em Tebas*
  Bernard Knox (E186)
*Depois do Espetáculo*
  Sábato Magaldi (E192)
*Em Busca da Brasilidade*
  Claudia Braga (E194)
*A Análise dos Espetáculos*
  Patrice Pavis (E196)
*As Máscaras Mutáveis do Buda Dourado*
  Mark Olsen (E207)
*Crítica da Razão Teatral*
  Alessandra Vannucci (E211)
*Caos e Dramaturgia*
  Rubens Rewald (E213)
*Para Ler o Teatro*
  Anne Ubersfeld (E217)
*Entre o Mediterrâneo e o Atlântico*
  Maria Lúcia de S. B. Pupo (E220)
*Yukio Mishima: O Homem de Teatro e de Cinema*
  Darci Kusano (E225)
*O Teatro da Natureza*
  Marta Metzler (E226)
*Margem e Centro*
  Ana Lúcia V. de Andrade (E227)
*Ibsen e o Novo Sujeito da Modernidade*
  Tereza Menezes (E229)
*Teatro Sempre*
  Sábato Magaldi (E232)
*O Ator como Xamã*
  Gilberto Icle (E233)
*A Terra de Cinzas e Diamantes*
  Eugenio Barba (E235)
*A Ostra e a Pérola*
  Adriana D. de Mariz (E237)
*A Crítica de um Teatro Crítico*
  Rosangela Patriota (E240)
*O Teatro no Cruzamento de Culturas*
  Patrice Pavis (E247)
*Eisenstein Ultrateatral: Movimento Expressivo e Montagem de Atrações na Teoria do Espetáculo de Serguei Eisenstein*
  Vanessa Teixeira de Oliveira (E249)
*Teatro em Foco*
  Sábato Magaldi (E252)
*A Arte do Ator entre os Séculos XVI e XVIII*
  Ana Portich (E254)
*O Teatro no Século XVIII*
  Renata S. Junqueira e Maria Gloria C. Mazzi (orgs.) (E256)
*A Gargalhada de Ulisses*
  Cleise Furtado Mendes (E258)
*A Dramaturgia da Memória no Teatro-Dança*
  Lícia Maria Morais Sánchez (E259)
*A Cena em Ensaios*
  Béatrice Picon-Vallin (E260)
*Teatro da Morte*
  Tadeusz Kantor (E262)
*Escritura Política no Texto Teatral*
  Hans-Thies Lehmann (E263)
*Na Cena do Dr. Dapertutto*
  Maria Thais (E267)
*A Cinética do Invisível*
  Matteo Bonfitto (E268)
*Luigi Pirandello: Um Teatro para Marta Abba*
  Martha Ribeiro (E275)
*Teatralidades Contemporâneas*
  Sílvia Fernandes (E277)
*Conversas sobre a Formação do Ator*
  J. Lassale e J.-L. Rivière (E278)
*Do Grotesco e do Sublime*
  Victor Hugo (EL05)

*O Cenário no Avesso*
  Sábato Magaldi (EL10)
*A Linguagem de Beckett*
  Célia Berrettini (EL23)
*Idéia do Teatro*
  José Ortega y Gasset (EL25)
*O Romance Experimental e o Naturalismo no Teatro*
  Emile Zola (EL35)
*Duas Farsas: O Embrião do Teatro de Molière*
  Célia Berrettini (EL36)
*Marta, A Árvore e o Relógio*
  Jorge Andrade (T001)
*O Dibuk*
  Sch. An-Ski (T005)
*Leone de'Sommi: Um Judeu no Teatro da Renascença Italiana*
  J. Guinsburg (org.) (T008)
*Urgência e Ruptura*
  Consuelo de Castro (T010)
*Pirandello do Teatro no Teatro*
  J. Guinsburg (org.) (T011)
*Canetti: O Teatro Terrível*
  Elias Canetti (T014)
*Idéias Teatrais: O Século XIX no Brasil*
  João Roberto Faria (T015)
*Heiner Müller: O Espanto no Teatro*
  Ingrid D. Koudela (Org.) (T016)
*Büchner: Na Pena e na Cena*
  J. Guinsburg e Ingrid Dormien Koudela (Orgs.) (T017)
*Teatro Completo*
  Renata Pallottini (T018)
*Barbara Heliodora: Escritos sobre Teatro*
  Claudia Braga (org.) (T020)
*Machado de Assis: Do Teatro*
  João Roberto Faria (org.) (T023)
*Três Tragédias Gregas*
  G. de Almeida e T. Vieira (S022)

*Édipo Rei de Sófocles*
  Trajano Vieira (S031)
*As Bacantes de Eurípides*
  Trajano Vieira (S036)
*Édipo em Colono de Sófocles*
  Trajano Vieira (S041)
*Agamêmnon de Ésquilo*
  Trajano Vieira (S046)
*Teatro e Sociedade: Shakespeare*
  Guy Boquet (K015)
*Eleonora Duse: Vida e Obra*
  Giovanni Pontiero (PERS)
*Linguagem e Vida*
  Antonin Artaud (PERS)
*Ninguém se Livra de seus Fantasmas*
  Nydia Licia (PERS)
*O Cotidiano de uma Lenda*
  Cristiane Layher Takeda (PERS)
*História Mundial do Teatro*
  Margot Berthold (LSC)
*O Jogo Teatral no Livro do Diretor*
  Viola Spolin (LSC)
*Dicionário de Teatro*
  Patrice Pavis (LSC)
*Dicionário do Teatro Brasileiro: Temas, Formas e Conceitos*
  J. Guinsburg, João Roberto Faria e Mariangela Alves de Lima (LSC)
*Jogos Teatrais: O Fichário de Viola Spolin*
  Viola Spolin (LSC)
*Br-3*
  Teatro da Vertigem (LSC)
*Zé*
  Fernando Marques (LSC)
*Últimos: Comédia Musical em Dois Atos*
  Fernando Marques (LSC)
*Jogos Teatrais na Sala de Aula*
  Viola Spolin (LSC)
*Uma Empresa e seus Segredos: Companhia Maria Della Costa*
  Tania Brandão (LSC)

Impresso nas oficinas da
Orgrafic Gráfica e Editora
em julho de 2010